D0316118

Cora ist nur eine von unzähligen Schwarzen, die auf den Baumwoll-plantagen Georgias schlimmer als Tiere behandelt werden. Alle träu-men von der Flucht – doch wie und wohin? Da hört Cora von der Un-derground Railroad, einem geheimen Fluchtnetzwerk für Sklaven. Über eine Falltür gelangt sie in den Untergrund und es beginnt eine atemberaubende Reise, auf der sie Leichendieben und Kopfgeldjägern, aber auch heldenhaften Bahnhofswärtern begegnet. Jeder Staat, den sie durchquert, hat andere Gesetze, andere Gefahren. Wartet am Ende wirklich die Freiheit?

»Underground Railroad« ist ein Manifest über die Menschlichkeit und zugleich eine virtuose Abrechnung damit, was es bedeutete und immer noch bedeutet, in Amerika schwarz zu sein.

»Ein Schlüsselwerk dieser Tage des Zweifelns und des Zorns.«

Georg Diez, Literatur Spiegel

Colson Whitehead, geboren 1969 in New York, studierte in Harvard und arbeitete als Journalist und Fernsehkritiker. Für seinen Roman »Underground Railroad« wurde er mit dem National Book Award 2016 und dem Pulitzer-Preis 2017 ausgezeichnet. Sein Roman »Die Nickel Boys« (2019) erhielt 2020 ebenfalls den Pulitzer-Preis. Colson White-head lebt in Brooklyn.
Im Fischer Taschenbuch Verlag liegen außerdem vor: »Apex«, »Der letzte Sommer auf Long Island« und »Zone One«.

Weitere Informationen finden Sie auf www.fischerverlage.de

Colson Whitehead

UNDERGROUND RAILROAD

Roman

Aus dem Amerikanischen
von Nikolaus Stingl

FISCHER Taschenbuch

Aus Verantwortung für die Umwelt hat sich der S. Fischer Verlag
zu einer nachhaltigen Buchproduktion verpflichtet. Der bewusste
Umgang mit unseren Ressourcen, der Schutz unseres Klimas und
der Natur gehören zu unseren obersten Unternehmenszielen.

Gemeinsam mit unseren Partnern und Lieferanten setzen wir uns
für eine klimaneutrale Buchproduktion ein, die den Erwerb von
Klimazertifikaten zur Kompensation des CO_2-Ausstoßes einschließt.

Weitere Informationen finden Sie unter:
www.klimaneutralerverlag.de

5. Auflage: Mai 2021

Erschienen bei FISCHER Taschenbuch
Frankfurt am Main, März 2019

Lizenzausgabe mit freundlicher Genehmigung
des Carl Hanser Hanser Verlag
Die Originalausgabe erschien unter dem Titel
›The Underground Railroad‹ bei Doubleday, New York.
© 2016 Colson Whitehead
Alle Rechte der deutschen Ausgabe
© Carl Hanser Verlag, München 2017
Druck und Bindung: CPI books GmbH, Leck
Printed in Germany
ISBN 978-3-596-70253-4

Für Julie

AJARRY

Als Caesar das erste Mal von einer Flucht in den Norden redete, sagte Cora nein.

Da sprach ihre Großmutter aus ihr. Vor jenem gleißend hellen Nachmittag im Hafen von Ouidah, als das Wasser sie nach ihrer Zeit im Kerker des Forts blendete, hatte Coras Großmutter noch nie den Ozean gesehen. Sie wurden bis zur Ankunft der Schiffe im Kerker verwahrt. Räuber aus Dahomey entführten zuerst die Männer und kehrten im nächsten Mond in das Dorf zurück, um die Frauen und Kinder zu holen, die sie, zu zweit aneinandergekettet, ans Meer trieben. Während Ajarry in die schwarze Türöffnung starrte, glaubte sie, sie würde dort unten im Dunkeln mit ihrem Vater wiedervereinigt. Die Überlebenden aus ihrem Dorf erzählten ihr, ihr Vater habe auf dem langen Marsch nicht Schritt halten können, und die Sklavenhändler hätten ihm den Schädel eingeschlagen und seine Leiche am Weg liegen lassen. Ihre Mutter war schon vor Jahren gestorben.

Coras Großmutter wurde auf dem Treck zum Fort ein paarmal verkauft, wechselte für Kaurimuscheln und Glasperlen den Besitzer. Wie viel man in Ouidah für sie bezahlte, war schwer zu sagen, denn sie war Teil eines Großeinkaufs, achtundachtzig Menschenseelen für sechzig Kisten Rum und Schießpulver, ein Preis, auf den man sich nach dem üblichen Gefeilsche in Küstenenglisch einigte. Körperlich taugliche Männer und schwangere Frauen brachten mehr als Halbwüchsige, sodass eine individuelle Zurechnung schwierig war.

Die *Nanny* kam aus Liverpool und hatte zuvor schon zweimal an der Goldküste angelegt. Der Kapitän staffelte seine Käufe lieber, als sich eine Ladung von einheitlicher Kultur und Gesinnung einzuhandeln. Wer wusste schon, welche Form von Meuterei seine Gefangenen vielleicht aushecketen, wenn sie eine gemeinsame Sprache sprachen. Zwei blonde Seeleute ruderten Ajarry vor sich hin summend zum Schiff hinaus. Ihre Haut so weiß wie Knochen.

Die üble Luft im Laderaum, die Trübsal des Eingesperrtseins und die Schreie der an sie Geketteten, das alles trieb Ajarry in den Wahnsinn. Wegen ihres zarten Alters befriedigten die Kerkermeister zunächst nicht ihre Gelüste an ihr, aber nach sechs Wochen Fahrt zerrten einige der abgebrühteren Maate sie schließlich doch aus dem Laderaum. Zweimal versuchte sie sich auf der Reise nach Amerika umzubringen, einmal, indem sie nichts mehr aß, dann, indem sie sich zu ertränken versuchte. Beide Male vereitelten die Seeleute ihre Pläne, denn mit den Schlichen und Neigungen von beweglichem Eigentum kannten sie sich aus. Ajarry schaffte es nicht einmal bis zum Schandeck, als sie versuchte, über Bord zu springen. Ihr einfältiges Gebaren und der klägliche Anblick, den sie bot, bekannt von Tausenden von Sklaven vor ihr, verrieten ihre Absichten. Von Kopf bis Fuß in Ketten gelegt, von Kopf bis Fuß, wurde ihr Elend immer größer.

Obwohl sie sich bemüht hatten, bei der Auktion in Ouidah nicht getrennt zu werden, wurde der Rest ihrer Familie von portugiesischen Händlern von der Fregatte *Vivilia* gekauft, die man vier Monate später zehn Meilen vor Bermuda treiben sah. Die Pest hatte alle an Bord dahingerafft. Die Obrigkeit ließ das Schiff in Brand stecken, und man sah zu, wie es in Flammen aufging und sank. Coras Großmutter erfuhr nichts vom Schicksal des Schiffs. Für den Rest ihres Lebens stellte sie sich vor, ihre Verwandten arbeiteten für freundliche, großzügige Herren im Norden, übten schonendere Handwerke als sie selbst aus, Weben oder Spinnen, keine Feldarbeit. In ihren Geschichten kauften sich Isay, Sidoo und die anderen irgendwie aus der Sklaverei los und lebten als freie Männer und Frauen in der Stadt Pennsylvania, einem Ort, über den sie einmal zwei weiße Männer zufällig hatte reden hören.

Diese Phantasien spendeten Ajarry Trost, wenn ihre Lasten so gewaltig wurden, dass sie in tausend Stücke zersprang.

Das nächste Mal verkauft wurde Coras Großmutter nach einem Monat im Pesthaus auf Sullivan's Island, sobald die Ärzte bescheinigten, dass sie und die übrige Fracht der *Nanny* von Krankheit frei waren. Abermals ein geschäftiger Tag an der Börse. Eine große Auktion zog stets ein buntes Publikum an. Von überallher entlang der Küste strömten Händler und Vermittler in Charleston zusammen und prüften Augen, Gelenke und Wirbelsäule der Ware, auf der Hut vor Geschlechtskrankheiten und anderen Leiden. Die Schaulustigen verzehrten frische Austern und warmen Mais, während die Versteigerer in die Luft brüllten. Die Sklaven standen nackt auf dem Podest. Es kam zu einem Bieterwettstreit um eine Gruppe von Ashanti-Hengsten, jenen Afrikanern, die für ihren Fleiß und ihre Muskulatur berühmt waren, und der Vorarbeiter eines Kalksteinbruchs kaufte verblüffend preiswert etliche Negerbabys. Unter den Gaffern sah Coras Großmutter einen kleinen Jungen, der Kandiszucker aß, und fragte sich, was er sich da in den Mund steckte.

Kurz vor Sonnenuntergang kaufte ein Händler sie für zweihundertsechsundzwanzig Dollar. Sie hätte mehr eingebracht, wenn in dieser Saison kein Überangebot an jungen Mädchen geherrscht hätte. Sein Anzug bestand aus dem weißesten Tuch, das sie je gesehen hatte. An seinen Fingern funkelten Ringe mit eingefassten farbigen Steinen. Als er sie in die Brüste kniff, um festzustellen, ob sie mannbar war, spürte sie das Metall kalt auf ihrer Haut. Sie wurde, nicht zum ersten Mal, gebrandmarkt und an die anderen Erwerbungen des Tages gefesselt. Hinter dem Einspänner des Händlers herwankend, trat der Zug der Sklaven noch an jenem Abend den langen Marsch nach Süden an. Die *Nanny* war um diese Zeit schon auf dem Weg zurück nach Liverpool, beladen mit Zucker und Tabak. Unter Deck ertönten weniger Schreie.

Man hätte Coras Großmutter für verflucht halten können, so oft wurde sie im Lauf der nächsten Jahre verkauft, eingetauscht und wieder verkauft. Ihre Besitzer gingen verblüffend häufig bankrott. Ihr erster Herr wurde von einem Mann übers Ohr gehauen, der ein Gerät verkaufte, das Baumwolle angeblich doppelt so schnell reinigte wie Whitneys Egreniermaschine. Die Skizzen waren überzeugend, doch am Ende war Ajarry nur ein weiterer Vermögenswert, der auf Anweisung des Magistrats abgewickelt wurde. Sie ging, etwas überstürzt, für hundertachtzehn Dollar weg, ein Preisrückgang, der den Realitäten des lokalen Markts geschuldet war. Ein anderer Besitzer verschied an der Wassersucht, worauf seine Witwe den Besitz auflöste, um die Rückkehr in ihre Heimat Europa zu finanzieren, wo es sauber war. Ajarry verbrachte drei Monate als Eigentum eines Walisers, der schließlich sie, drei weitere Sklaven und zwei Hausschweine bei einer Partie Whist verlor. Und so weiter.

Ihr Preis schwankte. Wenn man so oft verkauft wird, lehrt einen die Welt, aufmerksam zu sein. Sie lernte, sich rasch an die neuen Plantagen anzupassen, die Niggerschinder von den bloß Grausamen zu unterscheiden, die Faulenzer von den Arbeitsamen, die Spitzel von den Verschwiegenen. Herren und Herrinnen in Abstufungen von Bösartigkeit, Besitzungen mit grundverschiedenen finanziellen Möglichkeiten und Ambitionen. Manchmal wollten die Plantagenbesitzer nichts weiter als ein bescheidenes Leben fristen, dann wieder gab es Männer und Frauen, die die ganze Welt besitzen wollten, als wäre das nur eine Frage der passenden Fläche. Zweihundertachtundvierzig, zweihundertsechzig, zweihundertsiebzig Dollar. Überall, wohin sie kam, ging es um Zucker und Indigo, abgesehen von einer Woche, in der sie Tabakblätter faltete, bevor sie abermals verkauft wurde. Der Händler besuchte die Tabakplantage, wo man Sklavinnen im fortpflanzungsfähigen Alter suchte, vorzugsweise mit sämtlichen Zähnen und von gefügiger Gemütsart. Inzwischen war sie eine Frau. Und wurde verkauft.

Sie wusste, dass die Wissenschaftler des weißen Mannes unter die

Oberfläche der Dinge schauten, um zu verstehen, wie sie funktionierten. Die Bewegung der Sterne durch die Nacht, das Zusammenwirken der Säfte im Blut. Die klimatischen Bedingungen für eine ordentliche Baumwollernte. Ajarry machte eine Wissenschaft aus ihrem schwarzen Körper und sammelte Beobachtungen. Jedes Ding hatte einen Wert, und mit der Veränderung dieses Wertes veränderte sich auch alles andere. Eine kaputte Kalebasse war weniger wert als eine, aus der das Wasser nicht herauslief, ein Haken, der den Katzenfisch festhielt, wertvoller als einer, der den Köder preisgab. Das Sonderbare an Amerika war, dass Menschen Dinge waren. Einen alten Mann, der eine Fahrt über den Ozean nicht überleben würde, schrieb man am besten als Verlust ab. Ein junger Bursche aus kräftigem Stamm brachte die Kunden in Raserei. Ein Sklavenmädchen, das Junge hervorpresste, glich einer Münzanstalt, Geld, das Geld heckte. Wenn man ein Ding war – ein Karren, ein Pferd oder ein Sklave –, bestimmte der Wert, den man besaß, die Möglichkeiten, die man hatte. Sie achtete darauf, wo ihr Platz war.

Schließlich Georgia. Ein Vertreter der Randall-Plantage kaufte sie für zweihundertzweiundneunzig Dollar, trotz der neuen Leere hinter ihren Augen, die sie einfältig wirken ließ. Für den Rest ihres Lebens tat sie keinen Atemzug mehr außerhalb von Randall-Land. Sie war zu Hause auf dieser Insel ohne Aussicht auf irgendetwas.

Dreimal nahm sich Coras Großmutter einen Mann. Sie hatte eine Vorliebe für breite Schultern und große Hände, genau wie der alte Randall, obwohl der Herr und seine Sklavin unterschiedliche Arten von Arbeit im Sinn hatten. Die beiden Plantagen waren gut eingedeckt, neunzig Stück Nigger auf der nördlichen und fünfundachtzig Stück auf der südlichen Hälfte. Im Allgemeinen konnte Ajarry es sich aussuchen. Wenn nicht, war sie geduldig.

Ihr erster Mann entwickelte einen Hang zum Maisschnaps und begann, seine großen Hände zu großen Fäusten zu ballen. Ajarry war nicht traurig, als er irgendwann an eine Zuckerrohrplantage in Florida verkauft wurde und verschwand. Als Nächstes ließ sie sich mit einem der süßen Jungs von der Südhälfte ein. Ehe er an Cholera verschied, erzählte er gern Geschichten aus der Bibel, denn sein früherer Herr war, was Sklaven und Religion anging, eher liberal gewesen. Sie erfreute sich an den Geschichten und Gleichnissen und erkannte, dass die Weißen nicht ganz unrecht hatten: Das Reden von Erlösung konnte einen Afrikaner auf Ideen bringen. Die armen Söhne des Ham. Ihrem letzten Mann durchbohrten sie die Ohren, weil er Honig gestohlen hatte. Die Wunden eiterten, bis er dahinsiechte.

Von diesen Männern bekam Ajarry fünf Kinder, jedes an derselben Stelle auf den Brettern der Hütte zur Welt gebracht, auf die sie deutete, wenn sie einen Fehltritt begingen. Da bist du hergekommen, und da tu ich dich wieder hin, wenn du nicht hörst. Bring ihnen bei, dir zu gehorchen, vielleicht gehorchen sie dann auch allen künftigen Herren und überleben. Zwei starben elend am Fieber. Ein Junge schnitt sich beim Spielen auf einem rostigen Pflug in den Fuß, was sein Blut vergiftete. Ihr Jüngster wachte nicht mehr auf, nachdem einer der schwarzen Vorarbeiter, der Bosse, ihn mit einem Holzkloben auf den Kopf geschlagen hatte. Wenigstens sind sie nie verkauft worden, sagte eine ältere Frau zu Ajarry. Das stimmte – damals verkaufte Randall die Kleinen selten. Man wusste, wo und wie die eigenen Kinder sterben würden. Das Kind, das sein zehntes Lebensjahr erreichte, war Coras Mutter Mabel.

Ajarry starb in der Baumwolle, während die Samenkapseln um sie herum hüpften wie Schaumkronen auf dem grausamen Ozean. Die Letzte ihres Dorfes, aufgrund eines Knotens in ihrem Gehirn zwischen den Reihen umgekippt, während Blut aus ihrer Nase strömte und weißer Schaum ihre Lippen bedeckte. Als hätte es irgendwo anders passieren können. Die Freiheit blieb anderen Menschen vorbehalten, den Bürgern der Stadt Pennsylvania, die sich tausend Meilen weiter nördlich tummelten. Seit der Nacht, in der man sie entführt hatte, war sie immer wieder taxiert und neu taxiert worden und jeden Tag auf der

Schale einer neuen Waage erwacht. Kenne deinen Wert und du kennst deinen Platz in der Ordnung. Der Grenze der Plantage zu entkommen hieß, den Grundprinzipien der eigenen Existenz zu entkommen: unmöglich.

Es war ihre Großmutter, die an jenem Sonntagabend aus Cora sprach, als Caesar von der Underground Railroad redete und sie nein sagte.

Drei Wochen später sagte sie ja.

Diesmal sprach ihre Mutter aus ihr.

GEORGIA

DREISSIG DOLLAR BELOHNUNG

Dem in Salisbury ansässigen Unterzeichner am 5ten d. M.
entlaufen: Ein Negermädchen mit Namen LIZZIE. Es wird
angenommen, dass besagtes Mädchen sich in der Umgebung von Mrs Steels Plantage aufhält. Für die Auslieferung des Mädchens oder für Informationen über seine
Unterbringung in einem Gefängnis dieses Staates zahle ich
die obengenannte Belohnung. Jedermann sei unter Andro-
hung der gesetzlich vorgeschriebenen Strafe davor gewarnt,
besagtes Mädchen zu beherbergen.

W. M. DIXON
18. Juli 1820

Jockeys Geburtstag fand nur ein-, zweimal im Jahr statt. Sie versuchten, eine richtige Feier zu veranstalten. Die war immer am Sonntag, ihrem halben Tag. Um drei Uhr gaben die Bosse das Zeichen, dass die Arbeit zu Ende war, und die nördliche Plantage machte sich eilends an die Vorbereitungen, erledigte in aller Hast das Notwendige. Flicken, Moos sammeln, die undichte Stelle im Dach ausbessern. Das Fest hatte Vorrang, außer man hatte eine Erlaubnis, in die Stadt zu gehen und Handwerk zu verkaufen, oder man hatte sich als Tagelöhner verdingt. Auch wenn man gewillt wäre, auf den zusätzlichen Lohn zu verzichten – und das war niemand –, war es undenkbar, dass ein Sklave so unverschämt wäre, einem Weißen zu sagen, er könne nicht arbeiten, weil ein Sklave Geburtstag habe. Jeder wusste, dass Nigger keinen Geburtstag hatten.

Cora saß am Rand ihres Beets auf ihrem Zuckerahornklotz und pulte sich Dreck unter den Fingernägeln hervor. Wenn möglich, trug Cora Rüben oder Sauerampfer zu den Geburtstagsfesten bei, aber heute gab es nichts. Irgendwer schrie in der Gasse zwischen den Hütten herum, höchstwahrscheinlich einer der neuen Jungs, den Connelly noch nicht komplett abgerichtet hatte, und das Geschrei mündete in offenen Streit. Die Stimmen eher gereizt als wütend, aber laut. Es würde ein denkwürdiger Geburtstag werden, wenn die Leute jetzt schon so aufgebracht waren.

»Wenn du dir deinen Geburtstag aussuchen könntest, wann wäre er dann?«, fragte Lovey.

Weil die Sonne hinter Lovey stand, konnte Cora ihr Gesicht nicht sehen, aber sie wusste, wie ihre Freundin dreinschaute. Lovey war unkompliziert, und heute Abend würde es eine Feier geben. Lovey kostete diese seltenen Fluchten voll aus, ob es nun Jockeys Geburtstag, Weihnachten oder eine der Erntenächte war, in denen jeder, der zwei Hände hatte, aufblieb und pflückte und die Randalls von den Bossen Maisschnaps verteilen ließen, um sie bei Laune zu halten. Es war Arbeit, aber dank des Mondes okay. Lovey war die Erste, die dem Fiddler sagte, er solle loslegen, und auch die Erste, die tanzte. Sie versuchte jedes Mal, Cora auf die Tanzfläche zu ziehen, und ignorierte ihre Einwände. Als ob sie Arm in Arm in Kreisen herumwirbeln würden, während Lovey bei jeder Drehung eine Sekunde lang den Blick eines Jungen auffangen und Cora es ihr nachtun würde. Aber Cora schloss sich ihr nie an, sondern zog den Arm weg. Sie sah zu.

»Hab dir doch gesagt, wann ich geboren bin«, sagte Cora. Sie war im Winter geboren worden. Ihre Mutter Mabel hatte sich zur Genüge über ihre schwere Geburt beklagt, über den ungewöhnlichen Frost an jenem Morgen, den Wind, der durch die Ritzen in die Hütte pfiff. Dass ihre Mutter tagelang geblutet hatte und Connelly sich nicht die Mühe machte, den Doktor zu holen, bis sie fast wie ein Gespenst aussah. Gelegentlich spielte Coras Verstand ihr einen Streich, und dann verwandelte sie die Geschichte in eine ihrer Erinnerungen und fügte die Gesichter von Geistern ein, all der toten Sklaven, die voller Liebe und Nachsicht zu ihr herabschauten. Sogar Menschen, die sie hasste, diejenigen, die sie getreten oder ihr Essen gestohlen hatten, kaum dass ihre Mutter tot war.

»Wenn du es dir aussuchen könntest«, sagte Lovey.

»Kannst dir's aber nicht aussuchen«, sagte Cora. »Es wird für dich entschieden.«

»Sieh mal zu, dass deine Laune besser wird«, sagte Lovey. Sie sauste davon.

Cora knetete ihre Waden, dankbar für die Zeit, die sie nicht auf den Beinen sein musste. Fest hin oder her, hier landete Cora jeden Sonntag, wenn ihr halber Arbeitstag vorbei war: Sie hockte auf ihrem Platz und schaute, was zu tun war. Jede Woche gehörte sie ein paar Stunden lang sich selbst, so sah sie das, und konnte Unkraut jäten, Raupen abpflücken, den Sauerampfer ausdünnen und jeden anfunkeln, der Übergriffe auf ihr Territorium plante. Sich um ihr Beet zu kümmern war notwendige Pflege, gab aber auch zu erkennen, dass sie ihre Entschlossenheit seit dem Tag mit dem Handbeil nicht eingebüßt hatte.

Die Erde zu ihren Füßen hatte eine Geschichte, die älteste Geschichte, die Cora kannte. Bis Ajarry bald nach ihrem langen Marsch zur Plantage dort Pflanzen setzte, war das Beet ein öder Fleck aus Dreck und Gestrüpp hinter ihrer Hütte am Ende der Reihe von Sklavenquartieren gewesen. Jenseits davon lagen Felder und hinter diesen der Sumpf. Dann hatte Randall eines Nachts einen Traum von einem weißen Meer, so weit das Auge reichte, und stellte vom verlässlichen Indigo auf Sea-Island-Baumwolle um. Er knüpfte neue Verbindungen in New Orleans und schüttelte Spekulanten die Hand, hinter denen die Bank von England stand. Das Geld strömte wie nie zuvor herein. Europa hungerte nach Baumwolle und musste Ballen für Ballen gefüttert werden. Eines Tages fällten die jungen Männer Bäume, und als sie abends von den Feldern zurückkehrten, mussten sie Balken für die neue Reihe von Hütten zuschneiden.

Als Cora die Hütten, in denen ein lebhaftes Kommen und Gehen von Leuten bei ihren Vorbereitungen herrschte, nun anschaute, fiel es ihr schwer, sich eine Zeit vorzustellen, als es die vierzehn Bauten nicht gegeben hatte. Trotz aller Abnutzung, trotz der bei jedem Schritt ertönenden Klagelaute aus den Tiefen des Holzes, hatten die Hütten die Zeitlosigkeit des schon immer Dagewesenen, wie die Hügel im Westen und wie der Bach, der den Besitz zweiteilte. Die Hütten strahlten Dauerhaftigkeit aus und riefen bei denen, die darin lebten und starben, ihrerseits zeitlose Gefühle hervor: Neid und Gehässigkeit. Wenn man zwischen den alten und den neuen Hütten mehr Raum gelassen hätte, wäre im Lauf der Jahre viel Kummer vermieden worden.

Weiße zankten sich vor Richtern über Ansprüche auf dieses oder jenes Hunderte von Kilometern entfernte Gebiet, das auf einer Landkarte zerteilt worden war. Sklaven stritten mit ebensolcher Inbrunst über die winzigen Parzellen zu ihren Füßen. Der Streifen zwischen den Hütten war ein Ort, wo man eine Ziege anbinden oder einen Hühnerstall bauen konnte, ein Flecken zum Anbau von Gemüse, mit dem man sich zusätzlich zu dem Brei, der jeden Morgen von der Küche ausgegeben wurde, den Bauch füllen konnte. Falls man zuerst da war. Wenn Randall und später seine Söhne sich in den Kopf setzten, einen zu verkaufen, war die Tinte auf dem Vertrag noch nicht trocken, ehe sich jemand das frei werdende Stück unter den Nagel riss. Wenn der Nachbar einen am Abend ruhig und lächelnd oder summend da sitzen sah, kam er vielleicht auf den Gedanken, einen durch Einschüchterung oder mittels diverser Provokationen vom angestammten Platz zu vertreiben. Bei wem könnte man dagegen Beschwerde einlegen? Hier gab es keine Richter.

»Aber meine Mutter hat niemanden an ihr Feld gelassen«, erzählte Mabel ihrer Tochter. Feld im Scherz, da Ajarrys Stück kaum drei Yard im Quadrat maß. »Hat gesagt, sie würde jedem, der es auch nur anguckt, mit dem Hammer den Schädel einschlagen.«

Das Bild ihrer Großmutter, wie sie einen anderen Sklaven angriff, stimmte nicht mit Coras Erinnerungen an diese Frau überein, aber sobald sie selbst anfing, das Beet zu bestellen, begriff sie seinen Wahrheitsgehalt. Durch alle Wandlungen von Wohlstand hindurch wachte Ajarry mit Argusaugen über ihren Garten. Die Randalls kauften den Besitz der Spencers im Norden auf, sobald jene Familie beschloss, ihr Glück im Westen zu versuchen. Sie kauften die im Süden angrenzende Plantage, stellten von Reis auf Baumwolle um und fügten jeder Reihe zwei weitere Hütten hinzu, aber Ajarrys Beet inmitten von allem blieb erhalten, unveränderlich, wie ein Stumpf, der zu tief in die Erde reichte. Nach Ajarrys Tod übernahm Mabel die Pflege von Yams und Okra oder was auch immer sie reizte. Der Ärger fing an, als Cora sie beerbte.

Als Mabel verschwand, wurde Cora zur Einzelgängerin. Elf Jahre alt, zehn Jahre, jedenfalls so ungefähr – es gab niemanden mehr, der das genau sagen konnte. In ihrer Erschütterung entfärbte sich die Welt für sie zu grauen Eindrücken. Die erste Farbe, die zurückkehrte, war das siedende Braunrot des Erdreichs im Beet ihrer Familie. Es erweckte sie wieder für Menschen und Dinge, und sie beschloss, an ihrem Stück festzuhalten, auch wenn sie jung und klein war und niemanden mehr hatte, der sich um sie kümmerte. Mabel war zu still und zu stur, um beliebt zu sein, aber Ajarry hatten die Leute geachtet. Ihr Schatten hatte Schutz geboten. Die ursprünglichen Randall-Sklaven lagen mittlerweile größtenteils unter der Erde, waren verkauft oder sonst wie verschwunden. War noch irgendwer übrig, der ihrer Großmutter gegenüber loyal war? Cora verschaffte sich ein Bild vom Dorf: keine Menschenseele. Sie waren alle tot.

Sie kämpfte um das Stück Erde. Es gab die kleinen Quälgeister, diejenigen, die für richtige Arbeit zu jung waren. Diese Kinder scheuchte sie fort, wenn sie die Sprossen zertrampelten, und sie schrie sie an, wenn sie die Yams-Setzlinge ausbuddelten, und dabei bediente sie sich des gleichen Tons, den sie bei Jockeys Festen anschlug, um sie zu Wettläufen und Spielen zusammenzutrommeln. Sie behandelte sie mit Gutmütigkeit.

Aber aus den Kulissen traten Anspruchsteller. Ava. Coras Mutter und Ava wuchsen zur gleichen Zeit auf der Plantage auf. Ihnen wurde die gleiche Randall'sche Gastfreundschaft zuteil, die Zerrbilder, die so alltäglich und vertraut waren, dass man sie wie eine Art von Wetter empfand; einige zeigten in ihrer Monstrosität einen solchen Einfallsreichtum, dass der Verstand sich weigerte, sich auf sie einzustellen. Manchmal band eine solche Erfahrung zwei Menschen aneinander; ebenso oft machte die Scham über die eigene Machtlosigkeit alle Zeugen zu Feinden. Ava und Mabel kamen nicht miteinander aus.

Ava war drahtig und stark, mit Händen so flink wie eine Wassermokassinotter. Eine Schnelligkeit, die ihr beim Pflücken und beim

Ohrfeigen ihrer Kinder wegen Faulheit und anderer Sünden zustatten-kam. Sie schätzte ihre Hühner mehr als ihre Kinder und begehrte Coras Land, um ihren Hühnerstall zu erweitern. »Es ist eine Verschwendung«, sagte Ava und schnalzte missbilligend mit der Zunge. »Das alles nur für sie.« Ava und Cora schliefen jede Nacht nebeneinander auf dem Dachboden, und obwohl sie dort mit acht anderen zusammengepfercht waren, konnte Cora noch den kleinsten Missmut Avas durch das Holz spüren. Der Atem der Frau war feucht vor Zorn, sauer. Aus Prinzip schlug sie Cora jedes Mal, wenn diese aufstand, um Wasser zu lassen.

»Du bist ab sofort in der Hob«, sagte Moses eines Nachmittags zu Cora, als sie vom Ballenpressen zurückkam. Moses hatte einen Handel mit Ava geschlossen und sich dabei irgendeiner Form von Währung bedient. Seit Connelly den Feldarbeiter zum Boss gemacht hatte, zu seinem verlängerten Arm, hatte Moses sich zum Mittler bei Hüttenintrigen aufgeschwungen. In den Reihen musste die Ordnung, soweit vorhanden, aufrechterhalten werden, und es gab Dinge, die ein Weißer nicht tun konnte. Moses übernahm seine Rolle voller Begeisterung. Cora fand, er hatte ein gemeines Gesicht, wie eine Knolle, die einem gedrungenen, verschwitzten Rumpf entspross. Sie war nicht überrascht, als sein Charakter sich zeigte – wenn man lang genug wartete, tat er das immer. Wie die Morgendämmerung. Cora schlich hinüber in die Hob, wohin man die Elenden verbannte. Es gab keine Einspruchsmöglichkeit, keine Gesetze außer denen, die jeden Tag neu geschrieben wurden. Irgendwer hatte schon ihre Sachen hingeschafft.

Niemand erinnerte sich an den Unglücklichen, der der Hütte den Namen gegeben hatte. Er hatte lange genug gelebt, um Eigenschaften zu verkörpern, die ihn schließlich zugrunde richteten. Ab in die Hob mit denen, die von den Bestrafungen der Aufseher zerbrochen worden waren, ab in die Hob mit denen, die von der Arbeit kaputtgemacht worden waren, auf Arten, die man sehen, und auf Arten, die man nicht

24

sehen konnte, ab in die Hob mit denen, die den Verstand verloren hatten. Ab in die Hob mit Einzelgängern.

Die versehrten Männer, die halben Männer, hatten zuerst in der Hob gewohnt. Dann hatten sich die Frauen dort einquartiert. Weiße und braune Männer hatten sich gewaltsam der Körper der Frauen bedient, ihre Babys waren verkümmert und vermickert zur Welt gekommen, man hatte ihnen den Verstand aus den Köpfen geprügelt, und im Dunkeln wiederholten sie die Namen ihrer toten Kinder: Eve, Elizabeth, N'thaniel, Tom. Cora rollte sich auf dem Boden des Hauptraums zusammen, weil sie zu viel Angst davor hatte, dort oben zu schlafen, bei diesen erbärmlichen Geschöpfen. Sie verfluchte sich selbst wegen ihrer Engstirnigkeit, kam aber nicht dagegen an. Sie starrte auf dunkle Schemen. Den Kamin, die Balken, die den Dachboden unterfingen, die Werkzeuge, die an Nägeln an den Wänden hingen. Das erste Mal, dass sie eine Nacht außerhalb der Hütte verbrachte, in der sie geboren worden war. Hundert Schritte und ebenso viele Meilen.

Es war nur eine Frage der Zeit, bis Ava die nächste Phase ihres Plans umsetzte. Und es galt mit Old Abraham fertigzuwerden. Old Abraham, der keineswegs alt war, sich jedoch wie ein älterer Misanthrop aufführte, seit er sitzen gelernt hatte. Er hatte keine bestimmten Absichten, sondern wollte aus Prinzip, dass die Parzelle verschwand. Warum sollten er und alle anderen den Anspruch dieses kleinen Mädchens anerkennen, bloß weil seine Großmutter dort einmal die Erde umgewühlt hatte? Old Abraham war kein Freund von Traditionen. Er war zu oft verkauft worden, als dass die Vorstellung großes Gewicht für ihn hatte. Cora hatte ihn viele Male, wenn sie auf irgendwelchen Gängen an ihm vorbeikam, für die Weiterverteilung ihrer Parzelle Stimmung machen hören. »Das alles nur für sie.« Ganze drei Yard im Quadrat.

Dann erschien Blake. In jenem Sommer erfüllte der junge Terrance Randall bestimmte Aufgaben, um sich auf den Tag vorzubereiten, an dem er und sein Bruder die Plantage übernehmen würden. Er kaufte in den Carolinas etliche Nigger. Sechs Stück, Fanti und Mandingo, wenn man dem Makler Glauben schenken konnte, von ihrem Körper und ihrer Veranlagung her wie für die Arbeit geschaffen. Blake, Pot, Edward und die anderen bildeten auf Randalls Land einen eigenen Stamm und hatten keine Bedenken, sich zu nehmen, was nicht ihnen gehörte. Terrance Randall ließ wissen, dass sie seine neuen Günstlinge waren, und Connelly sorgte dafür, dass alle es sich merkten. Man lernte, zur Seite zu treten, wenn die Männer schlechter Laune waren oder samstagabends sämtlichen Apfelmost getrunken hatten.

Blake war ein Riesenklotz, einer, der doppelte Rationen bekam und sich bald als Beleg für Terrance Randalls Fähigkeiten als Investor erwies. Allein der Preis, den man für den Nachwuchs eines solchen Kerls erzielen würde. Blake rang, ein häufig veranstaltetes Spektakel, mit seinen Kumpanen und jedem anderen, der sich traute, machte ordentlich Rabatz und ging unweigerlich als Sieger daraus hervor. Bei der Arbeit dröhnte seine Stimme durch die Reihen, und selbst die, die ihn hassten, sangen unwillkürlich mit. Der Mann hatte einen miesen Charakter, aber die Klänge, die aus seinem Körper kamen, ließen die Arbeit wie im Flug vergehen.

Nachdem er ein paar Wochen herumgeschnüffelt und die Nordhälfte taxiert hatte, beschloss Blake, dass Coras Fleckchen Erde ein hübscher Platz wäre, um seinen Hund anzubinden. Sonne, Luft, Nähe. Blake hatte den Köter bei einem Gang in die Stadt an seine Seite gelockt. Der Hund blieb bei ihm, drückte sich beim Räucherhaus herum, wenn Blake arbeitete, und bellte in den belebten Nächten von Georgia bei jedem Geräusch. Blake verstand sich aufs Schreinern – anders als oft der Fall, war das keine vom Händler in die Welt gesetzte Lüge, um den Preis hochzutreiben. Er baute ein kleines Haus für seinen Köter und ließ sich gern Komplimente dafür machen. Die freundlichen Worte waren aufrichtig, denn die Hundehütte war ein ansehnliches Stück Arbeit von hübschen Proportionen, mit klaren Winkeln. Sie hatte eine Tür an einer Angel, und aus der hinteren Wand waren sonnen- und mondförmige Öffnungen ausgesägt.

»Hübsches Haus, nicht wahr?«, wollte Blake von Old Abraham wissen. Er hatte dessen manchmal erfrischende Offenheit seit seiner Ankunft schätzen gelernt.

»Mächtig gute Arbeit. Ist das dadrin ein kleines Bett?«

Blake hatte einen Kissenbezug genäht und ihn mit Moos ausgestopft. Er beschloss, dass der Fleck vor der Hütte der geeignetste Platz für das Zuhause seines Hundes war. Bis jetzt war Cora unsichtbar für ihn gewesen, doch nun suchte er ihren Blick, wenn sie in der Nähe war, um sie zu warnen, dass sie nicht mehr unsichtbar war.

Sie versuchte, ein paar Gefallen einzufordern, die man ihrer Mutter schuldete, soweit sie davon wusste. Man ließ sie abblitzen. Beau zum Beispiel, die Näherin, die Mabel gesundgepflegt hatte, als sie von Fieber befallen wurde. Mabel hatte dem Mädchen ihre eigene Abendportion gegeben und ihm Brühe und Wurzeln zwischen die zitternden Lippen gelöffelt, bis es die Augen wieder aufgeschlagen hatte. Beau sagte, sie habe diese Schuld und noch einiges mehr bezahlt, und Cora solle in die Hob zurückgehen. Cora fiel ein, dass Mabel Calvin ein Alibi geliefert hatte, als einige Pflanzwerkzeuge verschwanden. Connelly, der eine Vorliebe für die neunschwänzige Katze besaß, hätte Calvin die Haut vom Rücken gefetzt, wenn sie sich keine Verteidigung für ihn ausgedacht hätte. Und hätte das Gleiche mit Mabel gemacht, wenn er dahintergekommen wäre, dass sie gelogen hatte. Cora pirschte sich nach dem Abendbrot an Calvin heran: Ich brauche Hilfe. Er scheuchte sie weg. Mabel hatte gesagt, sie habe nie herausgefunden, zu welchem Zweck er die Geräte verwendet hatte.

Nicht lange nachdem Blake seine Absichten kundgetan hatte, wachte Cora eines Morgens auf, und der Übergriff war geschehen. Sie verließ die Hob, um nach ihrem Garten zu sehen. Die Morgendämmerung war kühl. Fetzen von weißem Dunst schwebten über dem Boden. Da sah sie es – die Überreste dessen, was ihre ersten Kohlköpfe gewesen wären. An der Treppe von Blakes Hütte aufgehäuft, die verknäuelten Ranken schon am Vertrocknen. Der Boden war umgegraben und festgestampft worden, um einen schönen Hof für die Hütte des Köters abzugeben, die mitten auf Coras Fleck Erde stand wie ein vornehmes Herrenhaus im Herzen einer Plantage.

Der Hund steckte den Kopf zur Tür heraus, als wüsste er, dass es ihr Land gewesen war, und wollte seine Gleichgültigkeit bekunden.

Blake trat aus der Hütte und verschränkte die Arme. Er spuckte aus.

Aus den Augenwinkeln nahm Cora Bewegungen von Menschen wahr: Schatten von Klatschbasen und zänkischen Weibern. Die sie beobachteten. Ihre Mutter war fort. Man hatte sie in das Elendshaus abgeschoben, und niemand war ihr zu Hilfe gekommen. Und jetzt hatte dieser Mann, der dreimal so groß war wie sie, ein Schläger, sich ihren Flecken Erde unter den Nagel gerissen.

Cora hatte eine ganze Weile über ihre Strategie nachgedacht. In späteren Jahren hätte sie sich an die Hob-Frauen oder an Lovey wenden können, aber so weit war es noch nicht. Ihre Großmutter hatte damit gedroht, jedem, der sich an ihrem Land vergriff, den Schädel einzuschlagen. Das erschien Cora unverhältnismäßig. Wie unter einem Bann ging sie in die Hob zurück und griff sich ein Handbeil von der Wand, das Handbeil, das sie anstarrte, wenn sie nicht schlafen konnte. Zurückgelassen von einem früheren Bewohner, der dieses oder jenes böse Ende gefunden hatte – eine Lungenkrankheit, von einer Peitsche zerfleischt oder sich auf dem Boden die Innereien aus dem Leib scheißend.

Inzwischen hatte sich die Sache herumgesprochen, und vor den Hütten lungerten Gaffer und reckten erwartungsvoll die Hälse. Cora marschierte an ihnen vorbei, vorgebeugt, als stemmte sie sich mit ihrem Körper gegen einen kräftigen Wind. Niemand machte Anstalten, sie aufzuhalten, so seltsam war dieses Gebaren. Ihr erster Schlag zerstörte das Dach der Hundehütte und ließ den Hund aufjaulen, dem sie gerade den Schwanz halb abgetrennt hatte. Er verkroch sich unter der Hütte seines Besitzers. Coras zweiter Schlag lädierte die linke Seite der Hundehütte schwer, und ihr letzter gab ihr den Rest.

Schwer atmend stand sie da. Mit beiden Händen das Beil umklammernd. In einem Tauziehen mit einem Geist schwankte das Beil in der Luft, aber das Mädchen gab nicht nach.

Blake ballte die Fäuste und trat auf Cora zu. Seine Jungs hinter sich, angespannt. Dann blieb er stehen. Was sich in jenem Moment zwischen diesen beiden Gestalten – dem stämmigen jungen Mann und dem schlanken Mädchen im weißen Kittel – abspielte, war eine Frage der Perspektive. Für diejenigen, die von der ersten Reihe von Hütten aus zusahen, verzog sich Blakes Gesicht vor Überraschung und Beunruhigung, wie bei jemandem, der in ein Nest von Hornissen gestolpert ist. Diejenigen, die bei den neuen Hütten standen, sahen Coras Augen hin und her huschen, als schätzte sie die Größe eines vorrückenden Heeres, nicht bloß die eines einzelnen Mannes ab. Einer Armee, der sich zu stellen sie gleichwohl bereit war. Entscheidend war ungeachtet der Perspektive die Botschaft, die von der einen durch Haltung und Miene vermittelt und vom anderen interpretiert wurde: Du kannst mich vielleicht überwältigen, aber es wird dich etwas kosten.

Sie standen einige Augenblicke lang da, bis Alice die Glocke zum Frühstück läutete. Niemand würde auf seinen Brei verzichten. Als sie von den Feldern zurückkamen, räumte Cora auf ihrem Stück Land auf. Sie rollte den Zuckerahornklotz, Überbleibsel irgendeines Bauprojekts, heran, und er wurde zu ihrem Sitzplatz, wann immer sie einen Augenblick erübrigen konnte.

Wenn Cora vor Avas Machenschaften nicht in die Hob gehört hatte, so tat sie es nun. Die verrufenste Bewohnerin und die langjährigste. Irgendwann richtete die Arbeit die Verkrüppelten zugrunde – das geschah unweigerlich –, und wer den Verstand verlor, wurde billig verkauft oder setzte sich selbst ein Messer an den Hals. Leerstände waren kurz. Cora blieb. Die Hob war ihr Zuhause.

Sie verwendete die Hundehütte als Feuerholz. Es hielt sie und den Rest von Hob eine Nacht lang warm, aber die damit verbundene Legende kennzeichnete sie für den Rest ihrer Zeit auf der Randall-Plantage. Blake und seine Freunde begannen, Geschichten über sie zu erzählen. Blake berichtete, wie er hinter den Stallungen aus einem Nickerchen erwacht sei und Cora mit ihrem Beil vor ihm gestanden und geheult habe. Er war der geborene Imitator, und seine Gesten machten die Geschichte glaubhaft. Sobald Coras Brüste zu sprießen begannen, gab Edward, der Übelste von Blakes Bande, damit an, dass Cora ihr Kleid vor ihm hochgeschlagen, lüsterne Andeutungen gemacht und gedroht hätte, ihn zu skalpieren, wenn er sie zurückwies. Junge Frauen tuschelten, sie hätten sie bei Vollmond von den Hütten in den Wald schleichen sehen, wo sie mit Eseln und Ziegen Unzucht treibe. Wer diese Geschichte nicht ganz glaubhaft fand, anerkannte gleichwohl die Notwendigkeit, das seltsame Mädchen aus dem Kreis der Achtbarkeit auszuschließen.

Nicht lange nachdem sich herumgesprochen hatte, dass Cora mannbar war, zerrten Edward, Pot und zwei Arbeiter von der Südhälfte sie hinter das Räucherhaus. Falls irgendwer etwas hörte oder sah, so griff er nicht ein. Die Hob-Frauen nähten ihre Wunden. Blake war zu diesem Zeitpunkt schon fort. Vielleicht hatte er ihr an jenem Tag ins Gesicht gesehen und seinen Gefährten geraten, keine Rache zu üben: Es wird dich etwas kosten. Aber er war fort. Drei Jahre nachdem sie die Hundehütte zerstört hatte, entlief er und versteckte sich wochenlang im Sumpf. Es war das Gebell seines Köters, das der Sklavenpatrouille sein Versteck verriet. Geschieht ihm recht, hätte Cora gesagt, wenn nicht schon der bloße Gedanke an seine Bestrafung sie hätte schaudern lassen.

Sie hatten schon den großen Tisch aus der Küche gewuchtet und Essen für Jockeys Feier daraufgestellt. An einem Ende häutete ein Fallensteller seine Waschbären, am anderen schabte Florence die Erde von einem Haufen Süßkartoffeln. Das Feuer unter dem großen Kessel prasselte und pfiff. Im schwarzen Topf köchelte die Suppe, Kohlstücke jagten um den Schweinekopf, der auf und ab hüpfte, das Auge im grauen Schaum schweifend. Der kleine Chester kam angerannt und versuchte eine Handvoll Kuhbohnen zu stibitzen, aber Alice verscheuchte ihn mit ihrem Kochlöffel.

»Heute nichts, Cora?«, fragte Alice.

»Ist noch zu früh«, sagte Cora.

Alice trug kurz ihre Enttäuschung zur Schau und machte sich wieder ans Abendessen.

So sieht eine Lüge aus, dachte Cora und merkte es sich. Auch gut, dass ihr Garten nichts hergegeben hatte. An Jockeys letztem Geburtstag hatte sie zwei Kohlköpfe gespendet, die gnädig entgegengenommen wurden. Sie hatte den Fehler gemacht, sich beim Verlassen der Küche noch einmal umzudrehen, und Alice dabei ertappt, wie sie die Kohlköpfe in den Schweineeimer warf. Sie stolperte ins Sonnenlicht hinaus. Hielten die Frauen ihre Nahrungsmittel für verdorben? Hatte Alice alles, was Cora in den letzten fünf Jahren beigesteuert hatte, weggeworfen, war sie so mit jeder Rübenknolle und jedem Bund Sauerampfer umgegangen? Hatte es bei Cora angefangen oder bei Mabel oder ihrer Großmutter? Die Frau zur Rede zu stellen hatte keinen Sinn. Alice war von Randall geliebt worden und wurde es nun von James, der mit ihren Hackfleischpasteten groß geworden war. Es gab eine Ordnung von Elend, ein in anderem Elend steckendes Elend, und man musste den Überblick behalten.

Die Randall-Brüder. Schon als kleiner Junge ließ sich James mit einer Leckerei aus Alice' Küche besänftigen, dem Zuckerapfel, der jedem Rappel oder Wutanfall sofort ein Ende setzte. Sein jüngerer Bruder Terrance war von anderem Schlag. Die Köchin hatte noch immer eine Schwellung neben dem Ohr, wo Master Terrance sein Missvergnügen über eine ihrer Brühen zum Ausdruck gebracht hatte. Damals war er zehn Jahre alt gewesen. Solche Anzeichen hatte es gegeben, seit er laufen konnte, und er brachte die unangenehmeren Seiten seines Charakters zur Vollendung, während er ins Mannesalter und in seine Verpflichtungen hineinwuchs. James hatte das Naturell einer Meeresschnecke und vergrub sich in seine geheimen Begierden, doch Terrance lebte jede flüchtige und jede tiefsitzende Phantasie an allen aus, über die er Gewalt hatte. Wie es sein gutes Recht war.

Um Cora schepperten Töpfe, und kleine Kinder kreischten angesichts der zu erwartenden Freuden. Aus der Südhälfte: nichts. Die Randall-Brüder hatten vor Jahren eine Münze geworfen, wer welche Hälfte der Plantage verwaltete, und damit diesen Tag möglich gemacht. In Terrance' Domäne fanden solche Feste nicht statt, denn der jüngere Bruder war knauserig, was Sklaven-Belustigungen anging. Die Randall-Söhne verwalteten ihr jeweiliges Erbe gemäß ihrem jeweiligen Temperament. James begnügte sich mit der Sicherheit eines modernen Anbauprodukts, mit den langsamen, zwangsläufigen Zuwächsen seines Besitzes. Land und Nigger, die es bestellten, gaben eine Garantie, wie sie keine Bank bieten konnte. Terrance bevorzugte ein aktiveres Vorgehen und heckte ständig Möglichkeiten aus, wie sich die nach New Orleans geschickten Ladungen steigern ließen. Er presste jeden nur möglichen Dollar heraus. Wenn schwarzes Blut Geld war, verstand sich der kluge Geschäftsmann darauf, zur Ader zu lassen.

Der Junge Chester und seine Freunde packten Cora, was sie zusammenfahren ließ. Aber es waren nur Kinder. Zeit für die Wettläufe. Cora stellte die Kinder immer an der Startlinie auf, richtete ihre Füße aus, beruhigte die zappeligen und teilte einige, falls erforderlich, für den Wettlauf der älteren ein. Dieses Jahr beförderte sie Chester eins rauf. Er war ein Einzelgänger wie sie, seine Eltern waren verkauft worden, bevor er laufen gelernt hatte. Cora kümmerte sich um ihn. Kurzgeschorene Haare, rote Augen. Er war in den vergangenen sechs Monaten in die Höhe geschossen, die Arbeit zwischen den Reihen hatte irgendetwas in seinem geschmeidigen Körper ausgelöst. Connelly sagte, er habe das Zeug zu einem erstklassigen Pflücker, ein seltenes Kompliment von seiner Seite.

»Du kannst schnell rennen«, sagte Cora.

Er verschränkte die Arme und legte den Kopf schräg: Du brauchst mir gar nichts zu sagen. Chester war ein halber Mann, auch wenn ihm das nicht bewusst war. Nächstes Jahr würde er nicht am Wettlauf teilnehmen, erkannte Cora, sondern unter den Zuschauern herumlungern, mit seinen Freunden scherzen, Unfug ausbrüten.

Die jungen und die alten Sklaven versammelten sich an den Rändern des Pferdewegs. Nach und nach kamen Frauen herüber, die ihre Kinder verloren hatten, und quälten sich mit Wunschgedanken und Dingen, die niemals zustande kommen würden. Grüppchen von Männern ließen Apfelmostkrüge herumgehen und spürten ihre Demütigungen vergehen. Hob-Frauen nahmen selten an den Festen teil, aber Nag hastete auf ihre hilfsbereite Art umher und trommelte die abgelenkten Kleinen zusammen.

Lovey stand als Schiedsrichterin an der Ziellinie. Alle außer den Kindern wussten, dass sie, wenn es irgend ging, stets ihren jeweiligen Liebling zum Sieger erklärte. Jockey waltete ebenfalls an der Ziellinie, in seinem wackeligen Lehnstuhl aus Ahorn, von dem aus er in den meisten Nächten die Sterne zu beobachten pflegte. An seinen Geburtstagen schleppte er ihn die Gasse hinauf und hinunter, um den in seinem Namen stattfindenden Belustigungen die gebührende Aufmerksamkeit zu schenken. Die Läufer gingen zu Jockey, wenn sie mit ihren Rennen fertig waren, und er drückte ihnen ein Stück Lebkuchen in die Hand, ganz gleich welchen Platz sie belegt hatten.

Chester keuchte, die Hände auf die Knie gestützt. Er hatte am Ende nachgelassen.

»Hättest beinahe gewonnen«, sagte Cora.

»Beinahe«, sagte der Junge und ging sich sein Stück Lebkuchen holen.

Nach dem letzten Rennen tätschelte Cora dem alten Mann den Arm. Man wusste nie, wie viel er mit seinen milchigen Augen noch sah. »Wie alt bist du, Jockey?«

»Äh, lass mich überlegen.« Er döste ein.

Sie war sich sicher, dass er bei seiner letzten Feier hundertundeins behauptet hatte. Er war nur halb so alt, was bedeutete, dass er der älteste Sklave war, den auf den beiden Randall-Plantagen jemals irgendwer kennengelernt hatte. Wenn man erst einmal so alt war, könnte man genauso gut achtundneunzig oder hundertacht sein. Die Welt hatte einem nichts mehr zu bieten als die neuesten Varianten von Grausamkeit.

Sechzehn oder siebzehn. Darauf schätzte Cora ihr Alter.

Es war ein Jahr her, dass Connelly ihr befohlen hatte, sich einen Mann zu nehmen. Zwei Jahre, seit Pot und seine Freunde sie zugeritten hatten. Sie hatten ihre Gewalttat nicht wiederholt, und angesichts der Hütte, die sie ihr Zuhause nannte, und der Geschichten von ihrem Wahnsinn schenkte ihr nach diesem Tag kein ehrbarer Mann mehr Beachtung. Sechs Jahre, seit ihre Mutter gegangen war.

Jockey machte das gut mit seinem Geburtstag, fand Cora. Er erwachte an einem Überraschungs-Sonntag und kündigte seine Feier an, und damit hatte es sich. Manchmal geschah das mitten in der Regenzeit im Frühjahr, dann wieder nach der Ernte. In manchen Jahren ließ er sie aus, vergaß sie oder beschloss gemäß irgendeiner persönlichen Bilanz von Kränkungen, dass die Plantage keine Feier verdiente. Niemand verübelte ihm seine Launen. Es reichte, dass er der älteste Farbige war, den sie je kennengelernt hatten, dass er jede große und kleine Qual überlebt hatte, die weiße Männer ersonnen und in die Tat umgesetzt hatten. Seine Augen waren getrübt, sein Bein lahm, seine ruinierte Hand dauerhaft gekrümmt, als umklammerte sie immer noch einen Spaten, aber er war am Leben.

Inzwischen ließen die Weißen ihn in Ruhe. Der alte Randall sagte nichts über seine Geburtstage, und genauso hielt es James, als er die Geschäfte übernahm. Connelly, der Aufseher, machte sich jeden Sonntag rar und befahl das Sklavenmädchen zu sich, das er in dem betreffenden Monat gerade zu seiner Frau gemacht hatte. Die Weißen schwiegen. Als hätten sie es aufgegeben oder wären zu dem Schluss gekommen, dass eine kleine Freiheit die schlimmste aller Bestrafungen war, da sie die Fülle wahrer Freiheit umso schmerzlicher spüren ließ.

Eines Tages entschied sich Jockey bestimmt für den richtigen Tag seiner Geburt. Falls er lang genug lebte. Wenn das stimmte, dann würde auch Cora, falls sie sich einen Tag als Geburtstag aussuchte, ab und zu vielleicht ihren wirklichen Geburtstag treffen. Tatsächlich könnte sogar heute ihr Geburtstag sein. Aber was hatte man davon, dass man wusste, an welchem Tag man in die Welt der Weißen hineingeboren war? Es war nichts, woran man sich gern erinnerte. Eher etwas, was man lieber vergaß.

»Cora.«

Von der Nordhälfte waren die meisten in die Küche gegangen, um sich etwas zu essen zu holen, aber Caesar ließ sich Zeit. Da war er. Sie hatte nie Gelegenheit gehabt, mit dem Mann zu reden, seit er auf die Plantage gekommen war. Neue Sklaven wurden rasch vor den Hob-Frauen gewarnt. Das sparte Zeit.

»Kann ich mit dir reden?«, fragte er.

James Randall hatte ihn und drei weitere Sklaven vor anderthalb Jahren von einem fahrenden Händler gekauft, um die Verluste durch

35

Fieber auszugleichen. Zwei Frauen, um die Wäsche zu machen, und Caesar und Prince als Verstärkung für die Feldarbeiter. Sie hatte ihn schnitzen, mit seinen gebogenen Schnitzmessern Kiefernholzklötze bearbeiten sehen. Von den eher unangenehmen Elementen auf der Plantage hielt er sich fern, und sie wusste, dass er ab und zu mit Frances, einem der Hausmädchen, verschwand. Ob sie sich noch zueinanderlegten? Lovey wusste es bestimmt. Sie war zwar noch ein Mädchen, aber sie behielt den Überblick über die Mann-und-Frau-Geschichten, die bevorstehenden Regelungen.

Cora fühlte sich anständig. »Was kann ich für dich tun, Caesar?«

Er machte sich nicht die Mühe festzustellen, ob jemand in Hörweite war. Er wusste, da war niemand, denn er hatte das Ganze geplant. »Ich gehe in den Norden zurück«, sagte er. »Und zwar bald. Ich laufe weg. Ich möchte, dass du mitkommst.«

Cora versuchte darauf zu kommen, wer ihn zu diesem Streich angestiftet hatte. »Du gehst in den Norden, und ich gehe was essen«, sagte sie.

Caesar hielt sie am Arm fest, sanft, aber bestimmt. Sein Körper war schlank und kräftig wie bei jedem Feldarbeiter seines Alters, aber er trug seine Kraft mit Leichtigkeit. Sein Gesicht war rund, mit einer flachen Knopfnase – ihr kam eine rasche Erinnerung an Grübchen, wenn er lachte. Warum hatte sie das im Kopf behalten?

»Ich will nicht, dass du mich verrätst«, sagte er. »Ich muss dir da vertrauen. Aber ich gehe bald, und ich will dich dabeihaben. Du sollst mir Glück bringen.«

Da verstand sie. Nicht ihr wurde ein Streich gespielt. Er spielte sich selbst einen Streich. Der Junge war einfältig. Der Geruch des Waschbärenfleischs holte sie wieder zu der Feier zurück, und sie zog den Arm weg. »Ich habe keine Lust, von Connelly, der Patrouille oder Schlangen umgebracht zu werden.«

Cora runzelte noch immer die Stirn über seine Schwachköpfigkeit, als sie ihre erste Schale Suppe bekam. Jeden Tag versuchte der weiße

Mann, einen langsam umzubringen, und manchmal versuchte er auch, einen schnell umzubringen. Warum sollte man es ihm leichter machen? Wenigstens hier konnte man nein sagen.

Sie fand Lovey, fragte sie aber nicht danach, was die Mädchen über Caesar und Frances tuschelten. Wenn es ihm ernst war mit seinem Plan, war Frances eine Witwe.

Es war das längste Gespräch, das irgendein Mann mit ihr geführt hatte, seit sie in die Hob gezogen war.

Sie zündeten Fackeln für die Ringkämpfe an. Irgendwer hatte einen Vorrat Maisschnaps und Apfelmost zutage gefördert, der zu gegebener Zeit herumging und die Begeisterung der Zuschauer anfachte. Inzwischen waren die Ehemänner, die auf anderen Plantagen lebten, auf ihren Sonntagabend-Besuch gekommen. Waren meilenweit marschiert, hatten Zeit genug gehabt, sich Phantasien hinzugeben. Manche Frauen waren glücklicher über die Aussicht auf eheliche Beziehungen als andere.

Lovey kicherte. »Mit dem würde ich auch ringen«, sagte sie und deutete mit dem Kinn auf Major.

Major blickte auf, als hätte er sie gehört. Er entwickelte sich zu einem jungen Kerl erster Güte. Arbeitete hart und zwang die Bosse selten, die Peitsche zu heben. Wegen ihres Alters verhielt er sich Lovey gegenüber respektvoll, und es käme nicht überraschend, wenn Connelly die beiden zusammentäte. Der junge Mann und sein Gegner wanden sich im Gras. Lasst es aneinander aus, wenn ihr es nicht an denen auslassen könnt, die es verdient haben. Die Kinder lugten zwischen den Älteren hervor und schlossen Wetten ab, ohne etwas einsetzen zu können. Im Augenblick jäteten sie noch Unkraut oder arbeiteten in Abfallkolonnen, aber eines Tages würde die Feldarbeit sie genauso groß und stark machen wie die Männer, die einander packten und ins Gras drückten. Mach ihn fertig, mach den Jungen fertig, bring ihm bei, was er lernen muss.

Als die Musik einsetzte und das Tanzen anfing, wussten sie erst zu schätzen, wie viel sie Jockey zu verdanken hatten. Wieder einmal hatte er sich den richtigen Tag als Geburtstag ausgesucht. Er hatte eine allgemeine Spannung gespürt, eine gemeinsame Furcht, die über die alltäglichen Umstände ihrer Knechtschaft hinausging. Sie hatte sich gesteigert. Die vergangenen Stunden hatten viel von dem bösen Blut vertrieben. Eine ausgelassene Nacht, auf die man zurückblicken, und ein Geburtstagsfest, auf das man sich freuen konnte, füllten ihre Reserven an Lebenswillen, wie bescheiden auch immer, wieder auf, sodass sie der morgendlichen Schufterei, den folgenden Morgen und den langen Tagen ins Auge sehen konnten. Indem sie sich zu einem Kreis schlossen, der die Menschengeister in seinem Inneren von der Erniedrigung außerhalb davon trennte.

Noble griff nach einem Tamburin und schlug es. Er war ein schneller Pflücker zwischen den Reihen und abseits davon ein fröhlicher Initiator; er trug mit beiden Formen von Gewandtheit zu dieser Nacht bei. Händeklatschen, Ellbogenanwinkeln, Hüftwackeln. Es gibt Instrumente und menschliche Spieler, doch manchmal macht eine Fiddle oder eine Trommel denjenigen, der sie spielt, zum Instrument, und beide werden in den Dienst des Stücks gezwungen. So war es, wenn George und Wesley an Tagen wilden Feierns zu Fiddle und Banjo griffen. Jockey saß auf seinem Ahornstuhl und klopfte mit den bloßen Füßen auf den Boden. Die Sklaven bewegten sich vorwärts und tanzten.

Cora rührte sich nicht. Sie war auf der Hut davor, dass man sich manchmal, wenn die Musik an einem zerrte, plötzlich neben einem Mann wiederfinden konnte, ohne zu wissen, was er vielleicht tun würde. All die Körper in Bewegung, die sich Freiheiten herausnehmen konnten. An einem zu ziehen, einen an beiden Händen zu fassen, auch wenn sie es in netter Absicht taten. Einmal hatte Wesley an Jockeys Geburtstag einen Song zum Besten gegeben, den er von seiner Zeit im Norden kannte, einen neuen Klang, den keiner von ihnen je gehört hatte. Cora hatte sich getraut, zwischen die Tänzer zu treten, die Augen zu schließen und herumzuwirbeln, und als sie sie öffnete, war Edward da, mit leuchtenden Augen. Obwohl Edward und Pot tot waren – Edward aufgeknüpft, nachdem er seinen Sack mit Steinen gefüllt und so beim Wiegen betrogen hatte, und Pot unter der Erde, nachdem er von einem Rattenbiss grün und blau geworden war –, schreckte sie vor dem Gedanken zurück, die selbst angelegten Zügel zu lockern. George sägte auf seiner Fiddle, die Töne wirbelten in die Nacht empor wie Funken, die von einem Feuer aufstoben. Niemand näherte sich ihr, um sie in das wilde Treiben zu ziehen.

Die Musik verstummte. Der Kreis brach auf. Manchmal verliert sich eine Sklavin in einem kurzen Taumel von Befreiung. In der Gewalt einer plötzlichen Träumerei zwischen den Furchen oder beim Entwirren der Rätsel eines frühmorgendlichen Traums. Mitten in einem Song in einer warmen Sonntagnacht. Dann kommt er unweigerlich – der Schrei des Aufsehers, der Ruf zur Arbeit, der Schatten des Herrn, die Mahnung, dass sie in der Ewigkeit ihrer Knechtschaft nur einen kurzen Moment lang ein Mensch ist.

Die Randall-Brüder waren aus dem Herrenhaus gekommen und standen unter ihnen.

Die Sklaven traten zur Seite und stellten Berechnungen darüber an, welche Entfernung das rechte Maß an Furcht und Respekt darstellte. Godfrey, James' Hausdiener, hielt eine Laterne hoch. Laut Old Abraham ähnelte James der Mutter, stabil wie ein Fass und von ebenso kräftigen Zügen, während Terrance eher dem Vater nachschlug, hochgewachsen und mit einem Eulengesicht, immerzu kurz davor, auf Beute herabzustoßen. Zusätzlich zum Land hatten sie auch den Schneider ihres Vaters geerbt, der einmal im Monat mit seiner wackeligen Kutsche voller Leinen- und Baumwollmuster kam. Die Brüder hatten sich schon als Kinder ähnlich gekleidet und fuhren im Mannesalter damit fort. Ihre weißen Hosen und Hemden waren so sauber, wie die Hände der Wäscherinnen sie nur schrubben konnten, und der orangefarbene Schimmer ließ sie wie aus der Dunkelheit tretende Gespenster wirken.

»Master James«, sagte Jockey. Seine gesunde Hand packte die Armlehne seines Stuhls, als wollte er aufstehen, aber er rührte sich nicht.

»Lasst euch von uns nicht stören«, sagte Terrance. »Mein Bruder und ich haben über Geschäftliches gesprochen und die Musik gehört. Ich habe zu ihm gesagt: ›Also, das ist der fürchterlichste Lärm, den ich je gehört habe.‹«

Die Randalls tranken Wein aus Kristallglaskelchen und machten den Eindruck, als hätten sie schon einige Flaschen geleert. Cora suchte in der Menge nach Caesars Gesicht. Sie sah ihn nicht. Er war nicht da gewesen, als die Brüder das letzte Mal zusammen auf der Nordhälfte erschienen waren. Man tat gut daran, sich an die jeweiligen Lektionen dieser Ereignisse zu erinnern. Wenn die Randalls sich ins Sklavenquartier begaben, passierte jedes Mal etwas. Früher oder später. Es kam etwas Neues, das man nicht voraussagen konnte, bis es über einen kam.

James überließ den täglichen Betrieb seinem Angestellten Connelly und sah selten nach dem Rechten. Zuweilen gewährte er einem Besucher, einem vornehmen Nachbarn oder neugierigen Plantagenbesitzer aus einer anderen Ecke des Countys, eine Besichtigungstour, aber das kam selten vor. James sprach seine Nigger, denen man mit der Peitsche beigebracht hatte, weiterzuarbeiten und seine Anwesenheit zu ignorieren, selten an. Wenn Terrance auf der Plantage seines Bruders erschien, taxierte er normalerweise jeden Sklaven und merkte sich, welche Männer die leistungsfähigsten und welche Frauen die anziehendsten waren. Während er sich bei den Frauen seines Bruders mit anzüglichen Blicken begnügte, hielt er sich an den Frauen in seiner Hälfte schadlos. »Ich koste meine Pflaumen gern«, sagte Terrance und streifte zwischen den Hütten umher, um festzustellen, was ihn reizte. Er setzte sich über die Bande der Zuneigung hinweg und suchte Sklaven manchmal in ihrer Hochzeitsnacht auf, um dem Mann die richtige Art zu zeigen, seine ehelichen Pflichten zu erfüllen. Er kostete seine Pflaumen, zerfetzte die Haut und hinterließ seine Spuren.

Es galt als ausgemacht, dass James von anderer Sinnesart war. Im Gegensatz zu seinem Vater und seinem Bruder benutzte er sein Eigentum nicht dazu, sich Befriedigung zu verschaffen. Gelegentlich lud er Frauen aus dem County zum Essen ein, und dann bereitete Alice jedes Mal das üppigste, verführerischste Mahl zu, das ihr zu Gebote stand. Mrs Randall war schon vor vielen Jahren gestorben, und Alice fand, eine Frau hätte einen mäßigenden Einfluss. Manchmal bewirtete James diese blassen Geschöpfe monatelang, und ihre weißen Einspänner fuhren die Schlammfurchen entlang, die zum Herrenhaus führten. Die Küchenmädchen kicherten und spekulierten. Und dann kam unweigerlich eine neue Frau.

Laut seinem Diener Prideful beschränkte James seine erotischen Energien auf spezialisierte Räume in einem Etablissement in New Orleans. Die Puffmutter war tolerant und modern, mit allen Spielarten menschlichen Begehrens vertraut. Pridefuls Geschichten waren schwer zu glauben, trotz der Versicherungen, er bekomme seine Berichte von der Belegschaft des Hauses, mit der er sich im Lauf der Jahre angefreundet habe. Welcher weiße Mann würde sich freiwillig der Peitsche unterwerfen?

Terrance scharrte mit seinem Stock in der Erde. Der Stock, mit einem silbernen Wolfskopf als Knauf, hatte seinem Vater gehört. Viele erinnerten sich an sein Brennen auf ihrer Haut. »Dann ist mir eingefallen, dass James mir von einem Nigger erzählt hat, der ihm gehört«, sagte Terrance, »und der angeblich die Unabhängigkeitserklärung auswendig aufsagen kann. Ich kann das einfach nicht glauben. Ich dachte, heute Abend kann er es mir vielleicht beweisen, da alle auf den Beinen sind, nach dem Krach zu urteilen.«

»Wir klären das«, sagte James. »Wo ist dieser Junge? Michael.«

Niemand sagte etwas. Godfrey schwenkte auf mitleiderregende Weise die Laterne herum. Moses war der Boss, der das Pech hatte, den Randall-Brüdern am nächsten zu stehen. Er räusperte sich. »Michael ist tot, Master James.«

Moses wies einen der Kleinen an, Connelly zu holen, auch wenn das bedeutete, den Aufseher bei seinem Sonntagabend-Konkubinat zu stören. James' Gesichtsausdruck veranlasste Moses, Erklärungen zu liefern.

Michael, der fragliche Sklave, hatte tatsächlich die Fähigkeit besessen, lange Passagen auswendig aufzusagen. Laut Connelly, der die Geschichte von dem Niggerhändler gehört hatte, war Michaels früherer Besitzer fasziniert von den Fähigkeiten südafrikanischer Papageien und überlegte, dass man, wenn man einem Vogel Limericks beibringen konnte, vielleicht auch einem Sklaven beibringen könnte, Dinge auswendig zu lernen. Schließlich verriet einem schon ein flüchtiger Blick auf den Schädel, dass ein Nigger ein größeres Gehirn besaß als ein Vogel.

Michael war der Sohn des Kutschers seines Herrn gewesen. Hatte eine Form von tierischer Schläue besessen, wie man sie manchmal bei Schweinen findet. Der Herr und sein merkwürdiger Schüler fingen mit einfachen Reimen und kurzen Passagen beliebter britischer Verseschmiede an. Besondere Mühe verwandten sie auf die Wörter, die der Nigger nicht und, um die Wahrheit zu sagen, der Herr nur halb verstand, da sein Lehrer ein Gestrauchelter gewesen war, den man aus jeder anständigen Stellung, die er jemals innegehabt, hinausgeworfen und der beschlossen hatte, seinen letzten Posten zur Bühne seiner heimlichen Rache zu machen. Sie wirkten Wunder, der Tabakfarmer und der Sohn des Kutschers. Die Unabhängigkeitserklärung war ihr Meisterstück. »Eine Geschichte wiederholter Kränkungen und Usurpationen.«

Michaels Fähigkeit war nie mehr als ein Kunststückchen, das Besucher entzückte, ehe sich das Gespräch wie üblich wieder den geringeren Geistesgaben von Niggern zuwandte. Irgendwann langweilte er seinen Besitzer, der den Jungen in den Süden verkaufte. Als Michael zu Randall kam, hatte irgendeine Folter oder Bestrafung ihm schon die Sinne verwirrt. Er war ein mittelmäßiger Arbeiter. Er klagte über Geräusche und schwarze Zauber, die seine Erinnerung auslöschten. Verärgert prügelte Connelly noch das letzte bisschen Verstand aus ihm heraus. Es war eine Geißelung, die Michael nicht überleben sollte, und sie erreichte ihren Zweck.

»Das hätte man mir sagen müssen«, sagte James, und sein Missvergnügen war offensichtlich. Die beiden Male, die er den Nigger Gästen vorgeführt hatte, war Michael eine neuartige Zerstreuung gewesen.

Terrance zog seinen Bruder gern auf. »James«, sagte er, »du musst besser Buch über dein Eigentum führen.«

»Misch dich nicht ein.«

»Dass du deine Sklaven Feiern veranstalten lässt, wusste ich ja, aber ich hatte keine Ahnung, dass sie so ausgelassen sind. Willst du mich etwa schlecht dastehen lassen?«

»Tu doch nicht so, als würde es dich kümmern, was ein Nigger von dir denkt, Terrance.« James' Glas war leer. Er wandte sich zum Gehen.

»Noch ein Lied, James. Diese Klänge sind mir ans Herz gewachsen.«

George und Wesley waren aufgeschmissen. Noble und sein Tamburin waren nirgendwo zu sehen. James presste die Lippen zu einem Schlitz zusammen. Er gab ein Zeichen, und die Männer begannen zu spielen.

Terrance klopfte mit seinem Stock den Takt. Er machte ein langes Gesicht, als er die Menge betrachtete. »Ihr wollt nicht tanzen? Ich muss darauf bestehen. Du und du.«

Sie warteten nicht auf das Zeichen ihres Herrn. Die Sklaven der nördlichen Hälfte fanden sich in der Gasse zwischen den Hütten zusammen, stockend, bemüht, sich wieder ihrem vorherigen Rhythmus anzunähern und Theater zu spielen. Die verschlagene Ava hatte die Fähigkeit, sich zu verstellen, seit der Zeit, in der sie Cora drangsaliert hatte, nicht verlernt – sie johlte und stampfte, als wäre es der Höhepunkt der Weihnachtsfeierlichkeiten. Für den Herrn Theater zu spielen war eine vertraute Fertigkeit, die kleinen Handhaben und Vorteile der Maske, und sie schüttelten ihre Angst ab, während sie sich in die Darbietung hineinfanden. Oh, wie sie umhertollten und schrien, brüllten und hüpften! Ganz sicher war es das lebhafteste Stück, das sie je gehört hatten, und die Musiker waren die versiertesten Spieler, die die farbige Rasse zu bieten hatte. Jockey bewegte die Hände im Schoß, um den Takt zu halten. Cora fand Caesars Gesicht. Er stand im Schatten der Küche, seine Miene ausdruckslos. Dann zog er sich zurück.

»Du!«

Es war Terrance. Er hielt die Hand vor sich, als trüge sie einen immerwährenden Makel, den nur er selbst sehen konnte. Dann erblickte Cora ihn – den einen Tropfen Wein, der den Ärmelaufschlag seines wunderschönen Hemdes besudelte. Chester war gegen ihn gestoßen.

Chester lächelte einfältig und verbeugte sich tief vor dem weißen Mann. »Entschuldigung, Herr! Entschuldigung, Herr!« Der Stock krachte ihm auf Schultern und Kopf, immer wieder. Der Junge schrie und sank auf dem Boden zusammen, während die Schläge weitergingen. Terrance' Arm hob sich und fuhr herab. James sah müde aus.

Ein einziger Tropfen. Ein Gefühl senkte sich über Cora. Sie hatte schon seit Jahren nicht mehr unter dessen Bann gestanden, seit sie das Beil auf Blakes Hundehütte hatte herabsausen lassen, dass die Splitter flogen. Sie hatte gesehen, wie man Männer an Bäumen aufhängte und den Geiern und Krähen überließ. Wie man Frauen mit der neunschwänzigen Katze bis auf die Knochen aufschlitzte. Wie man lebendige und tote Körper auf Scheiterhaufen röstete. Wie man Füße abhackte, um eine Flucht zu verhindern, und Hände, um Diebstählen ein Ende zu machen. Sie hatte gesehen, wie man Jungen und Mädchen, die jünger waren als dieser hier, geprügelt hatte, und sie hatte nichts unternommen. In dieser Nacht senkte sich das Gefühl wieder über ihr Herz. Es packte sie, und ehe die Sklavin in ihr den Menschen in ihr einholte, war sie als Schild über den Körper des Jungen gebeugt. Sie hielt den Stock in ihrer Hand, wie ein Sumpfbewohner mit einer Schlange hantiert, und sah die Verzierung an seiner Spitze. Der Silberwolf bleckte die Silberzähne. Dann hatte sie den Stock nicht mehr in der Hand. Er sauste auf ihren Kopf herunter. Er krachte erneut herunter, und diesmal rissen die Silberzähne ihr die Augenbrauen auf, und ihr Blut spritzte auf den Boden.

Die Hob-Frauen waren in diesem Jahr zu siebt. Mary war die älteste. Sie war in der Hob, weil sie zu Anfällen neigte. Hatte Schaum vor dem Mund wie ein tollwütiger Hund, wand sich mit wilden Augen auf dem Boden. Sie hatte sich jahrelang mit einer anderen Pflückerin namens Bertha bekriegt, die sie schließlich mit einem Fluch belegt hatte. Old Abraham wandte ein, dass Marys Leiden bis in ihre frühe Kindheit zurückreiche, aber niemand hörte auf ihn. Diese Anfälle waren in jeder Hinsicht etwas ganz anderes als die, unter denen sie als Kind gelitten hatte. Sie erwachte völlig zerschlagen, verwirrt und teilnahmslos aus ihnen, was zu Bestrafungen wegen versäumter Arbeit führte, und die Erholung von den Bestrafungen führte wiederum zu versäumter Arbeit. Sobald sich die Stimmung der Bosse gegen einen Einzelnen richtete, konnte jeder davon erfasst werden. Mary beförderte ihre Sachen in die Hob, um der Verachtung ihrer Hüttengenossinnen zu entgehen. Sie trödelte den ganzen Weg über, als würde vielleicht jemand einschreiten.

Mary arbeitete mit Margaret und Rida im Milchhaus. Bevor James Randall diese beiden gekauft hatte, waren sie von ihren Leiden so durcheinander, dass sie sich nicht ins Gefüge der Plantage einpassen konnten. Margarets Kehle brachte in unpassenden Momenten schreckliche Laute hervor, Tierlaute, die jämmerlichsten Klagen und vulgärsten Flüche. Wenn der Herr seinen Rundgang machte, hielt sie sich die Hand vor den Mund, um nicht auf ihr Elend aufmerksam zu machen. Rida war gleichgültig gegenüber Hygiene, und weder Anreiz noch Drohung konnte sie umstimmen. Sie stank.

Lucy und Titania sagten nie etwas, Erstere, weil sie es so beschlossen hatte, Letztere, weil ein früherer Besitzer ihr die Zunge herausgeschnitten hatte. Sie arbeiteten in der Küche unter Alice, die, um ihre eigene Stimme besser zu hören, Gehilfinnen bevorzugte, die nicht den ganzen Tag zum Schwatzen neigten.

Zwei andere Frauen nahmen sich in jenem Frühjahr das Leben, mehr als sonst, aber nichts Außergewöhnliches. Keine mit einem Namen, an den man sich kommenden Winter noch erinnern würde, so wenig Eindruck hatten sie hinterlassen. Damit blieben noch Nag und Cora. Sie kümmerten sich um die Baumwolle in sämtlichen Stadien.

Am Ende des Arbeitstages wankte Cora, und Nag beeilte sich, sie zu stützen. Sie führte Cora zur Hob zurück. Weil sie das Feld so langsam verließen, funkelte der Boss sie wütend an, sagte jedoch nichts. Coras offenkundiger Wahnsinn hatte sie beiläufigem Tadel enthoben. Sie kamen an Caesar vorbei, der mit einer Gruppe junger Feldarbeiter an einem der Arbeitsschuppen lungerte und mit seinem Messer an einem Stück Holz herumschnitzte. Cora wandte den Blick ab und setzte ein steinernes Gesicht auf, wie immer seit seinem Vorschlag.

Jockeys Geburtstag war zwei Wochen her, und Cora erholte sich nur langsam. Die Schläge in ihr Gesicht hatten ein Auge zuschwellen lassen und ihr eine schwere Verletzung an der Schläfe zugefügt. Die Schwellung verschwand, doch wo der Silberwolf sie geküsst hatte, trug sie nun eine hässliche Narbe, die wie ein X geformt war und tagelang nässte. Das war ihre Quittung für die Nacht des Festes. Viel schlimmer war die Auspeitschung, die Connelly ihr am nächsten Morgen unter den erbarmungslosen Ästen des Auspeitschbaums verabreichte.

Connelly war einer der Ersten, die der alte Randall eingestellt hatte. James beließ den Mann unter seiner Ägide im Amt. In Coras jungen Jahren war das Haar des Aufsehers von blassem, irischem Rot gewesen und kräuselte sich wie die Flügel eines Kardinals unter seinem Strohhut hervor. Damals machte er mit einem schwarzen Schirm die Runde, aber irgendwann hatte er kapituliert, und inzwischen hoben sich seine weißen Blusen deutlich von seiner gebräunten Haut ab. Sein Haar war weiß geworden, und sein Bauch quoll ihm über den Gürtel, doch abgesehen davon war er derselbe, der ihre Großmutter und ihre Mutter ausgepeitscht hatte und in einem schiefen Gang, der sie an einen alten Ochsen erinnerte, durch das Dorf stolzierte. Er ließ sich von niemandem hetzen. Schnelligkeit legte er nur an den Tag, wenn er nach seiner neunschwänzigen Katze griff. Dann zeigte er die Energie und Wildheit eines Kindes bei einem neuen Zeitvertreib.

Der Aufseher war nicht erbaut von dem, was sich beim Überraschungsbesuch der Randall-Brüder ereignet hatte. Erstens hatte man ihn gestört, als er sich mit Gloria, seiner derzeitigen Dirne, vergnügt hatte. Er hatte den Boten geprügelt und sich vom Bett hochgerappelt. Dann war da, zweitens, die Sache mit Michael. Connelly hatte James nicht vom Verlust Michaels unterrichtet, da sein Arbeitgeber sich niemals mit alltäglichen Fluktuationen bei den Arbeitern beschäftigte, aber Terrance' Neugier hatte ein Problem daraus gemacht.

Und da war die Sache mit Chesters Tollpatschigkeit und Coras unbegreiflichem Handeln. Beim nächsten Sonnenaufgang peitschte Connelly beide bis aufs Blut. Mit Chester fing er an, um sich an die Reihenfolge zu halten, in der die Vergehen vorgefallen waren, und er verlangte, dass ihre blutigen Rücken hinterher mit Pfefferwasser ausgescheuert wurden. Es waren Chesters erste richtige Prügel und Coras erste seit einem halben Jahr. Connelly wiederholte die Auspeitschungen an den nächsten beiden Morgen. Laut den Haussklaven regte sich James mehr darüber auf, dass Terrance, zudem noch vor so vielen Zeugen, sein Eigentum angerührt hatte, als über Chester und Cora. So ging der Zorn des einen Bruders auf den anderen größtenteils zu Lasten ihres Eigentums. Chester sprach nie mehr ein Wort mit Cora.

Nag half Cora die Stufen zur Hob hinauf. Cora brach zusammen, sobald sie die Hütte betraten und vom Rest des Dorfes nicht mehr zu sehen waren. »Ich hol dir was zu essen«, sagte Nag.

Wie Cora, so war auch Nag infolge einer Intrige in die Hob abgeschoben worden. Jahrelang war sie von Connelly bevorzugt worden und hatte die meisten Nächte in seinem Bett verbracht. Schon bevor der Aufseher ihr seine mageren Gefälligkeiten erwiesen hatte, war Nag mit ihren fahlgrauen Augen und wiegenden Hüften für ein Niggermädchen hochnäsig. Sie wurde unerträglich. Putzte sich heraus, freute sich hämisch über die Misshandlungen, denen sie allein entging. Ihre Mutter hatte häufig mit Weißen verkehrt und Nag in unzüchtigen Praktiken unterrichtet. Sie beugte sich dieser Pflicht voller Hingabe, obwohl Connelly den gemeinsamen Nachwuchs weggab. Die Nord- und die Südhälfte der großen Randall-Plantage tauschten ständig Sklaven aus und drehten einander in einem planlosen Spiel ausgelaugte Nigger, langsame Arbeiter und Schurken an. Nags Kinder waren Zeichen. Connelly konnte seine Mulattenbastarde nicht ertragen, wenn ihre Löckchen mit seinem irischen Rot in der Sonne schimmerten.

Eines Morgens machte Connelly klar, dass er Nag nicht mehr in seinem Bett haben wollte. Es war der Tag, auf den ihre Feinde gewartet hatten. Alle außer ihr selbst sahen es kommen. Als sie von den Feldern zurückkehrte, musste sie feststellen, dass ihre Habseligkeiten in die Hob geschafft worden waren, woran ihr Statusverlust im Dorf abzulesen war. Ihre Scham nährte die anderen, wie kein Essen es vermochte. Die Hob machte Nag hart, so war es ihre Art. In aller Regel verfestigte die Hob den Charakter.

Nag hatte Coras Mutter nie nahegestanden, aber das hinderte sie nicht daran, sich mit Cora anzufreunden, als diese zur Einzelgängerin wurde. Nach der Nacht des Festes und in den folgenden blutigen Tagen kümmerten sie und Mary sich um Cora, behandelten ihre zerfetzte Haut mit Salzlake und Umschlägen und sorgten dafür, dass sie aß. Sie wiegten ihren Kopf und sangen ihren verlorenen Kindern durch sie Schlaflieder vor. Lovey besuchte ihre Freundin ebenfalls, doch das junge Mädchen war nicht gefeit gegen den Ruf der Hob und wurde in

Gegenwart von Nag, Mary und den anderen scheu. Sie blieb, bis ihre Nerven versagten.

Cora lag auf dem Boden und stöhnte. Zwei Wochen nach ihrer Auspeitschung litt sie unter Schwindelanfällen und einem Pochen im Schädel. Meistens konnte sie es in Schach halten und ihre Arbeit leisten, aber manchmal konnte sie sich nur mit Mühe aufrecht halten, bis die Sonne unterging. Jede Stunde, wenn das Wassermädchen mit der Schöpfkelle vorbeikam, leckte sie das Metall sauber und spürte es an den Zähnen. Jetzt hatte sie nichts mehr.

Mary erschien. »Schon wieder krank«, sagte sie. Sie hielt ein feuchtes Tuch bereit, das sie Cora auf die Stirn legte. Sie hatte sich nach dem Verlust ihrer fünf Kinder einen Vorrat an mütterlichen Gefühlen bewahrt – drei starben, bevor sie laufen lernten, die anderen wurden verkauft, sobald sie alt genug waren, Wasser zu tragen und ums Herrenhaus herum Unkraut zu jäten. Genau wie ihre beiden Männer war Mary eine reinrassige Ashanti. Bei solcher Nachkommenschaft brauchte man kein großer Verkäufer zu sein.

Cora bewegte die Lippen in einem stummen Dank. Die Hüttenwände drangen auf sie ein. Oben auf dem Dachboden kramte lautstark eine andere Frau herum – dem Gestank nach zu urteilen Rida. Nag massierte die Schwielen an Coras Händen. »Ich weiß nicht, was schlimmer ist«, sagte sie, »dass du krank und nicht zu sehen bist, wenn Master Terrance morgen kommt, oder dass du auf den Beinen und draußen bist.«

Die Aussicht auf seinen Besuch zehrte an Cora. James Randall war bettlägerig. Er war im Anschluss an eine Reise nach New Orleans erkrankt, wo er mit einer Delegation von Händlern aus Liverpool verhandelt und sein schändliches Paradies aufgesucht hatte. Bei seiner Rückkehr war er in seinem Wagen ohnmächtig geworden, und seither hatte man ihn nicht mehr gesehen. Nun kam Getuschel von den Haussklaven, dass Terrance das Ruder übernehmen würde, während sein Bruder sich erholte. Am Morgen würde er die Nordhälfte inspizieren, um den Betrieb mit den Gepflogenheiten in der Südhälfte in Harmonie zu bringen.

Niemand bezweifelte, dass es eine blutige Form von Harmonie sein würde.

Die Hände ihrer Freundinnen glitten weg, die Wände verloren das Bedrückende, und sie dämmerte ein. In tiefster Nacht wachte sie auf, ihr Kopf lag auf einer zusammengerollten halbwollenen Decke. Oben schliefen alle. Sie rieb die Narbe an ihrer Schläfe. Es fühlte sich an, als ob sie nässte. Sie wusste, warum sie vorgestürzt war, um Chester zu beschützen. Aber sie war aufgeschmissen, wenn sie versuchte, sich die Dringlichkeit jenes Augenblicks zurückzurufen, das Körnchen des Gefühls, das sie gepackt hatte. Es hatte sich in jenen obskuren Winkel ihres Inneren zurückgezogen, aus dem es gekommen war, und ließ sich nicht hervorlocken. Um ihre Unruhe zu lindern, schlich sie sich hinaus zu ihrem Flecken Erde, setzte sich auf ihren Ahorn, roch die Luft und lauschte. Geschöpfe im Sumpf pfiffen und platschten, jagten in der lebendigen Dunkelheit. Nachts dort hineinzugehen und nach Norden zu marschieren, in Richtung der Freien Staaten. Um das zu tun, musste man von allen guten Geistern verlassen sein.

Aber ihre Mutter hatte es getan.

Wie um Ajarry widerzuspiegeln, die keinen Fuß mehr außerhalb von Randall-Land setzte, sobald sie dort eingetroffen war, verließ Mabel die Plantage nicht bis zum Tag ihrer Flucht. Sie gab keinerlei Hinweis auf ihre Absichten, zumindest gestand bei nachfolgenden Verhören niemand, Kenntnis davon gehabt zu haben. Eine beachtliche Leistung in einem Dorf, das von verräterischen Naturen und Spitzeln wimmelte, die ihre Liebsten verkaufen würden, um dem Biss der neunschwänzigen Katze zu entgehen.

An den Bauch ihrer Mutter geschmiegt, schlief Cora ein und sah sie nie wieder. Der alte Randall schlug Alarm und ließ die Patrouillengänger rufen. Binnen einer Stunde stapfte der Suchtrupp hinter Nate

Ketchums Hunden her in den Sumpf. Als jüngstem in einer langen Reihe von Spezialisten lag Ketchum das Sklavenfangen im Blut. Die Hunde waren seit Generationen darauf gezüchtet worden, Niggergeruch über ganze Countys hinweg zu wittern, und verstümmelten und zerfleischten so manchen auf Abwege geratenen Arbeiter. Bei ihrem Gebell, wenn die Kreaturen an ihren Lederriemen zerrten und mit den Pfoten durch die Luft ruderten, hätte sich am liebsten jeder Bewohner der Sklavenquartiere in seine Hütte geflüchtet. Aber die Pflückarbeit des Tages stand an erster Stelle, und so beugten sie sich ihren Befehlen und ertrugen den schrecklichen Lärm der Hunde und die Vorahnungen von Blut.

Die Handzettel und Flugblätter zirkulierten in Hunderten von Meilen Umkreis. Freie Neger, die ihren Lebensunterhalt damit aufbesserten, dass sie Entlaufene fingen, durchkämmten die Wälder und zogen wahrscheinlichen Komplizen Informationen aus der Nase. Patrouillengänger und Trupps aus weißem Gesindel drangsalierten und tyrannisierten. Die Sklavenquartiere sämtlicher nahegelegener Plantagen wurden gründlich durchsucht und keine geringe Zahl von Sklaven aus Prinzip geprügelt. Aber die Hunde kamen unverrichteter Dinge wieder, genau wie ihre Herren.

Randall nahm die Dienste einer Hexe in Anspruch: Sie sollte sein Eigentum so verzaubern, dass niemand mit afrikanischem Blut entkommen konnte, ohne von grässlicher Lähmung befallen zu werden. Die Hexe vergrub Fetische an geheimen Stellen, kassierte ihren Lohn und verschwand mit ihrem Maultierkarren. Im Dorf kam es zu einer lebhaften Debatte über den Geist des Zaubers. Galt die Beschwörung nur denen, die Fluchtabsichten hatten, oder allen Farbigen, die die Grenze überschritten? Eine Woche verging, ehe die Sklaven wieder im Sumpf jagten und stöberten. Dort gab es Essbares.

Von Mabel keine Spur. Niemand war je von der Randall-Plantage entkommen. Die Flüchtigen wurden stets eingefangen: Von Freunden verraten, missdeuteten sie die Sterne und rannten nur noch tiefer ins

Labyrinth der Sklaverei. Bei ihrer Rückkehr wurden sie aufs Schlimmste malträtiert, bevor man ihnen zu sterben erlaubte, und diejenigen, die sie zurückließen, zwang man, ihr grausiges Ableben in Raten mitanzusehen.

Eine Woche später stattete der berüchtigte Sklavenfänger Ridgeway der Plantage einen Besuch ab. Er kam zu Pferd mit seinen Genossen, fünf Männern von zwielichtigem Gebaren, angeführt von einem furchterregenden Indianer, der eine Halskette aus geschrumpften Ohren trug. Ridgeway war sechseinhalb Fuß groß, mit dem kantigen Kopf und dem dicken Hals eines Hammers. Er trug ständig ein heitergelassenes Verhalten zur Schau, erzeugte jedoch eine bedrohliche Atmosphäre, wie eine Gewitterwolke, die noch weit weg zu sein scheint, sich dann aber plötzlich laut und heftig direkt über einem entlädt.

Ridgeways Audienz dauerte eine halbe Stunde. Er machte sich in einem kleinen Büchlein Notizen und war laut den Haussklaven ein Mann von starker Konzentrationskraft und blumiger Ausdrucksweise. Er kehrte erst zwei Jahre später zurück, nicht lange vor dem Tod des alten Randall, um sich persönlich für sein Scheitern zu entschuldigen. Der Indianer war fort, stattdessen war ein junger Reiter mit langen schwarzen Haaren dabei, der ein ähnliches Trophäenband über seiner Lederweste trug. Ridgeway war in der Gegend, um einen benachbarten Plantagenbesitzer aufzusuchen, dem er als Beweis der Gefangennahme die Köpfe zweier Flüchtiger in einem Ledersack präsentierte. Die Staatsgrenze zu überqueren war in Georgia ein Kapitalverbrechen; manchmal war einem Herrn ein Exempel lieber als die Rückerstattung seines Eigentums.

Der Sklavenfänger gab Gerüchte von einer neuen Nebenlinie der Underground Railroad weiter, die angeblich im südlichen Teil des Staates in Betrieb war, so unwahrscheinlich das auch klang. Der alte Randall spottete. Man werde die Unterstützer aufstöbern und teeren und federn, versicherte Ridgeway seinem Gastgeber. Oder was immer den örtlichen Gepflogenheiten Genüge tat. Ridgeway entschuldigte sich erneut, verabschiedete sich, und bald preschte seine Bande zur County-Straße, ihrem nächsten Auftrag entgegen. Ihre Arbeit – der Strom von Sklaven, die aus ihren Verstecken gescheucht und der ordnungsgemäßen Abrechnung des weißen Mannes zugeführt werden mussten – hatte kein Ende.

Mabel hatte für ihr Abenteuer gepackt. Eine Machete. Feuerstein und Zunder. Sie stahl die Schuhe einer Hüttengenossin, die in besserem Zustand waren. Wochenlang zeugte ihr leerer Garten von ihrem Wunder. Ehe sie sich davonmachte, hatte sie jede einzelne Rübe und Yamswurzel aus ihrem Beet ausgegraben, eine sperrige Last, nicht ratsam für eine Reise, die flinke Füße erforderte. Die Klumpen und Löcher in der Erde waren eine Mahnung für jeden Vorbeikommenden. Dann waren sie eines Morgens eingeebnet. Cora ließ sich auf die Knie nieder und pflanzte neu. Es war ihr Erbe.

Jetzt, im spärlichen Mondlicht, taxierte Cora mit pochendem Kopf ihren winzigen Garten. Unkraut, Rüsselkäfer, die gezackten Fußabdrücke irgendwelcher Tiere. Sie hatte ihr Land seit dem Fest vernachlässigt. Zeit, sich wieder darum zu kümmern.

Terrance' Besuch am nächsten Tag verlief ereignislos, bis auf einen verstörenden Moment. Connelly führte ihn durch den Betrieb seines Bruders, da es schon einige Jahre her war, dass Terrance einen richtigen Rundgang gemacht hatte. Sein Auftreten war allen Berichten zufolge höflich, die üblichen süffisanten Bemerkungen blieben aus. Sie sprachen über die Ertragszahlen des letzten Jahres und prüften die Bücher, die die gewogenen Mengen vom vergangenen September enthielten. Terrance machte seinem Ärger über die beklagenswerte Handschrift des Aufsehers Luft, doch abgesehen davon kamen die beiden Männer gut miteinander aus. Die Sklaven und das Dorf inspizierten sie nicht.

Zu Pferde umrundeten sie die Felder und verglichen die Erntestadien auf den beiden Hälften miteinander. Wo Terrance und Connelly die Baumwolle durchquerten, ging eine heftige Welle verdoppelter Anstrengung durch die Sklaven in der Nähe. Seit Wochen hackten sie Unkraut, rissen mit Hauen die Furchen auf. Inzwischen reichten die Stängel Cora bis zu den Schultern, bogen sich schwankend und trieben Blätter und Fruchtstände, die jeden Morgen größer waren. Nächsten Monat würden die Kapseln weiß aufplatzen. Sie betete darum, dass die Pflanzen groß genug waren, sie zu verbergen, wenn die Weißen vorbeiritten kamen. Sie sah ihre Rücken, während sie sich von ihr entfernten. Dann drehte Terrance sich um. Er nickte, senkte kurz seinen Stock in ihre Richtung und ritt weiter.

James starb zwei Tage später. Die Nieren, sagte der Doktor.

Langjährige Bewohner der Randall-Plantage konnten nicht umhin, die Beerdigungen von Vater und Sohn miteinander zu vergleichen. Der ältere Randall war ein verehrtes Mitglied der Plantagenbesitzer-Gesellschaft gewesen. Inzwischen zogen die Siedler im Westen sämtliche Aufmerksamkeit auf sich, aber eigentlich waren Randall und seine Brüder die wahren Pioniere, die dieser feuchten Hölle von Georgia schon seit vielen Jahren eine Existenz abrangen. Die anderen Plantagenbesitzer hatten ihn als Visionär geschätzt, weil er in der Gegend der Erste gewesen war, der auf Baumwolle umgestellt hatte, ein Vorreiter in Sachen Geschäftssinn. So mancher junge Farmer, der in Schulden erstickte, suchte bei Randall Rat – der gratis und großzügig erteilt wurde – und meisterte mit der Zeit schließlich einen beneidenswerten Besitz.

Die Sklaven bekamen frei, um an der Beerdigung des alten Randall teilzunehmen. Sie standen still zusammengedrängt, während all die vornehmen Männer und Frauen dem geliebten Vater die letzte Ehre erwiesen. Die Hausnigger fungierten als Sargträger, was alle zunächst für skandalös hielten, bei näherer Überlegung jedoch als Gradmesser echter Zuneigung betrachteten, einer Zuneigung, wie sie sie auch bei ihren eigenen Sklaven genossen hatten, bei der Amme, an deren Titten sie in unschuldigeren Zeiten genuckelt hatten, und bei der Dienerin, die zur Badezeit eine Hand unter seifiges Wasser hatte gleiten lassen. Am Ende des Gottesdienstes begann es zu regnen. Das bereitete dem Gedenken ein Ende, aber jeder war erleichtert, weil die Dürre schon zu lange gedauert hatte. Die Baumwolle war durstig.

Bis zu James' Hinscheiden hatten die Randall-Söhne die sozialen Verbindungen zu den Kollegen und Protegés ihres Vaters gekappt. Auf dem Papier hatte James viele Geschäftspartner, die er zum Teil auch persönlich kannte, aber er hatte nur wenige Freunde. Dementsprechend war ihm auch nie das einem Menschen zukommende Maß an Empfindung zuteilgeworden. Seine Beerdigung war spärlich besucht. Die Sklaven arbeiteten auf den Feldern – mit dem Näherrücken der Ernte stand das außer Frage. Das sei alles in seinem Testament festgelegt, sagte Terrance. James wurde in der Nähe seiner Eltern in einer stillen Ecke des weitläufigen Geländes beigesetzt, neben Plato und Demosthenes, den Mastiffs seines Vaters, die bei allen, Menschen wie Niggern, beliebt gewesen waren, auch wenn sie sich nicht von den Hühnern hatten fernhalten können.

Terrance reiste nach New Orleans, um die Angelegenheiten seines Bruders mit den Baumwollhändlern zu regeln. Obwohl es nie einen guten Zeitpunkt zum Weglaufen gab, lieferte der Umstand, dass Terrance nun die Leitung beider Hälften innehatte, ein gutes Argument. Die Nordhälfte hatte ihr gemäßigteres Klima stets genossen. James war so mitleidlos und brutal gewesen wie jeder weiße Mann, doch verglichen mit seinem jüngeren Bruder war er der Inbegriff der Mäßigung. Die Geschichten von der Südhälfte waren schaurig, sowohl was das Ausmaß als auch was die Details anlangte.

Big Anthony ergriff die Gelegenheit. Big Anthony war nicht der schlaueste junge Kerl im Dorf, aber keiner konnte behaupten, dass es ihm an einem Gespür für die passende Gelegenheit fehlte. Es war der erste Fluchtversuch seit Blake. Den Zauber der Hexe überwand er ohne Zwischenfall, und er kam sechsundzwanzig Meilen weit, ehe er dösend auf einem Heuboden entdeckt wurde. Die Constables brachten ihn in einem Eisenkäfig zurück, den einer ihrer Vettern gebaut hatte. »Wenn du wie ein Vögelchen davonfliegst, verdienst du auch einen Vogelkäfig.« An der Vorderseite des Käfigs gab es eine Spalte für den Namen des Insassen, aber keiner hatte sich die Mühe gemacht, ihn einzufügen. Als sie gingen, nahmen sie den Käfig mit.

Am Vorabend von Big Anthonys Bestrafung – wenn weiße Männer eine Bestrafung aufschoben, war jedes Mal unfehlbar irgendein Theater damit verbunden – kam Caesar in die Hob. Mary ließ ihn ein. Sie war verblüfft. Nur wenige Besucher schauten hier jemals vorbei, und Männer nur, wenn es ein Boss mit schlechten Nachrichten war. Cora hatte niemandem vom Vorschlag des jungen Mannes erzählt.

Der Dachboden war voller Frauen, die entweder schliefen oder lauschten. Cora legte ihr Nähzeug auf den Boden und ging mit ihm nach draußen.

Der alte Randall hatte das Schulhaus für seine Söhne und für die Enkelkinder gebaut, die er eines Tages zu haben hoffte. Der einsame Klotz würde seinen Verwendungszweck wohl nicht so bald erfüllen. Da Randalls Söhne ihre Schulbildung abgeschlossen hatten, wurde das Gebäude nur für Stelldicheins und die verschiedenen damit zusammenhängenden Lektionen benutzt. Lovey sah Caesar und Cora dorthin gehen, und Cora schüttelte den Kopf über die Belustigung ihrer Freundin.

In dem verrottenden Schulhaus stank es. Regelmäßig hausten dort kleine Tiere. Tische und Stühle waren schon vor langer Zeit weggeschafft worden und hatten totem Laub und Spinnweben Platz gemacht. Sie fragte sich, ob er mit Frances hierhergekommen war, als sie noch zusammen gewesen waren, und was sie gemacht hatten. Caesar hatte mitangesehen, wie man Cora für die Auspeitschungen nackt ausgezogen hatte und wie ihr das Blut über die Haut geströmt war.

Er sah prüfend aus dem Fenster und sagte: »Es tut mir leid, dass dir das passiert ist.«

»Das ist nun mal das, was sie tun«, sagte Cora.

Vor zwei Wochen hatte sie ihn als Narren eingeschätzt. An diesem Abend wirkte er sehr viel reifer, wie einer jener weisen alten Arbeiter, die einem eine Geschichte erzählen, deren eigentliche Botschaft man erst Tage oder Wochen später versteht, wenn die Fakten nicht mehr von der Hand zu weisen sind.

»Kommst du jetzt mit mir?«, fragte Caesar. »Ich denke schon länger, dass es höchste Zeit ist.«

Sie wurde nicht schlau aus ihm. An den drei Morgen ihrer Auspeitschungen hatte Caesar ganz vorn in der Meute gestanden. Üblicherweise hatten Sklaven der Misshandlung ihrer Brüder als moralischer Unterweisung beizuwohnen. Irgendwann während der Darbietung musste jeder sich abwenden, und sei es nur für einen Augenblick, wenn er an die Schmerzen des Sklaven und an den früher oder später kommenden Tag dachte, an dem er selbst die Peitsche zu spüren bekommen würde. Das da oben war man selbst, auch wenn man es nicht war. Aber Caesar zuckte nicht. Er suchte nicht ihren Blick, sondern schaute auf etwas, was jenseits von ihr lag, etwas Großes und schwer Auszumachendes.

Sie sagte: »Du denkst, ich bin ein Glücksbringer, weil Mabel davongekommen ist. Aber das bin ich nicht. Du hast es doch gesehen. Du hast doch gesehen, was passiert, wenn man sich einen Gedanken in den Kopf setzt.«

Caesar blieb ungerührt. »Es wird schlimm, wenn er zurückkommt.«

»Es ist jetzt schon schlimm«, sagte Cora. »Und war es schon immer.« Sie ließ ihn dort stehen.

Der neue Block, den Terrance bestellt hatte, erklärte die Verzögerung bei Big Anthonys Bestrafung. Die Holzhandwerker schufteten die ganze Nacht hindurch, um den Pranger fertigzustellen, und statteten ihn mit ambitionierten, wenn auch primitiven Schnitzereien aus. Minotauren, vollbusige Meerjungfrauen und andere Phantasiegeschöpfe tollten im Holz. Der Block wurde auf dem üppigen Rasen vor dem

Herrenhaus aufgestellt. Zwei Bosse schlossen Big Anthony darin ein, und dort baumelte er den ersten Tag.

Am zweiten Tag traf in einer Kutsche eine kleine Schar von Besuchern ein, illustre Seelen aus Atlanta und Savannah. Feine Damen und Herren, die Terrance auf seinen Reisen kennengelernt hatte, dazu ein Zeitungsmann aus London, der gekommen war, um über die amerikanische Szene zu berichten. Sie aßen an einem Tisch, den man auf dem Rasen aufgestellt hatte, ließen sich Alice' Schildkrötensuppe und Hammelfleisch schmecken und überlegten sich Komplimente für die Köchin, die diese niemals zu hören bekommen würde. Big Anthony wurde während der gesamten Dauer der Mahlzeit ausgepeitscht, und sie aßen langsam. Der Zeitungsmann kritzelte zwischen den Bissen aufs Papier. Das Dessert wurde serviert, und die Speisenden verfügten sich ins Haus, um nicht von den Moskitos belästigt zu werden, während Big Anthonys Bestrafung fortgesetzt wurde.

Am dritten Tag wurden die Arbeiter gleich nach dem Mittagessen von den Feldern zurückbeordert, die Wäscherinnen, Köchinnen und Stallarbeiter bei ihren Tätigkeiten unterbrochen, die Hausdiener von ihren Aufgaben weggeholt. Sie versammelten sich auf dem vorderen Rasen. Randalls Besucher schlürften gewürzten Rum, während Big Anthony mit Öl übergossen und geröstet wurde. Den Zeugen blieben seine Schreie erspart, weil man ihm schon am ersten Tag sein Geschlecht abgeschnitten, es ihm in den Mund gestopft und diesen zugenäht hatte. Der Block qualmte, verkohlte und brannte, die Gestalten im Holz zuckten in den Flammen, als wären sie lebendig.

Terrance wandte sich an die Sklaven der Nord- und Südhälfte. Es gebe jetzt nur noch eine Plantage mit einer gemeinsamen Bestimmung und Arbeitsweise, sagte er. Er bekundete Trauer über den Tod seines Bruders und dass er Trost in dem Wissen finde, dass James im Himmel mit ihrer beider Mutter und Vater vereinigt sei. Beim Reden ging er zwischen seinen Sklaven umher und stieß seinen Stock auf, rubbelte kleinen Kindern über den Kopf und klopfte einigen der biederen Älteren aus der Südhälfte auf die Schulter. Er prüfte die Zähne eines jungen Burschen, den er noch nie gesehen hatte, zerrte an seinem Kiefer, um besser zu sehen, und nickte beifällig. Um die unersättliche Nachfrage der Welt nach Baumwolle zu stillen, sagte er, werde das tägliche Quantum jedes Pflückers um einen Prozentsatz erhöht, der sich aus den jeweiligen Erträgen der vorherigen Ernte ergebe. Die Felder würden so umgestaltet, dass sie einer effizienteren Anzahl von Reihen Platz boten. Er ging. Er ohrfeigte einen Mann, weil dieser beim Anblick seines sich am Block windenden Freundes weinte.

Als Terrance zu Cora kam, schob er ihr die Hand unter den Kittel und umfasste ihre Brust. Er drückte zu. Sie rührte sich nicht. Niemand hatte sich seit dem Beginn seiner Ansprache gerührt, niemand hatte sich auch nur die Nase zugehalten, um Big Anthonys röstendes Fleisch nicht riechen zu müssen. Keine Feste mehr außer an Weihnachten und Ostern, sagte er. Er werde persönlich jede Ehe arrangieren und genehmigen, um die Angemessenheit der Verbindung und die Qualität des Nachwuchses zu gewährleisten. Eine zusätzliche Steuer auf Sonntagsarbeit außerhalb der Plantage. Er nickte Cora zu und schlenderte weiter zwischen seinen Afrikanern umher, während er ihnen seine Neuerungen mitteilte.

Terrance beendete seine Rede. Es verstand sich, dass die Sklaven dazubleiben hatten, bis Connelly sie entließ. Die Damen aus Savannah gossen sich aus dem Krug nach. Der Zeitungsmann klappte ein frisches Notizbuch auf und schrieb darin. Master Terrance gesellte sich wieder zu seinen Gästen, und sie brachen zu einer Besichtigung der Baumwolle auf.

Sie hatte ihm nicht gehört, und jetzt gehörte sie ihm. Oder sie hatte ihm schon immer gehört und es bis jetzt bloß nicht gewusst. Coras Aufmerksamkeit löste sich los. Sie schwebte an einen Ort jenseits des brennenden Sklaven, des Herrenhauses und der Grenzen, die die Randall-Domäne definierten. Sie versuchte, diesen Ort mit Details aus Geschichten zu ergänzen, ging in Gedanken Berichte von Sklaven

durch, die ihn gesehen hatten. Jedes Mal, wenn sie etwas zu fassen bekam – Gebäude aus poliertem weißem Stein, einen Ozean, so riesig,
dass kein Baum zu sehen war, die Werkstatt eines farbigen Schmieds,
der keinem anderen Herrn als sich selbst diente –, zappelte es sich frei
wie ein Fisch und flitzte davon. Sie würde es mit eigenen Augen sehen
müssen, wenn sie es bewahren wollte.

Wem konnte sie es sagen? Lovey und Nag würden Stillschweigen bewahren, aber sie fürchtete Terrance' Rache. Besser, ihre Unwissenheit wäre echt. Nein, der einzige Mensch, mit dem sie über den Plan reden konnte, war dessen Urheber.

Sie sprach ihn am Abend nach Terrance' Rede an, und er verhielt sich, als habe sie sich längst einverstanden erklärt. Caesar war anders als jeder farbige Mann, den sie bisher kennengelernt hatte. Er war auf einer kleinen Farm in Virginia geboren, die einer zierlichen alten Witwe gehörte. Mrs Garner fand Gefallen am Backen und an den täglichen Komplikationen ihres Blumenbeets und beschäftigte sich mit wenig anderem. Caesar und sein Vater kümmerten sich um die Feldarbeit und um die Ställe, seine Mutter um die häuslichen Angelegenheiten. Sie erzielten bescheidene Gemüseernten, die sie in der Stadt verkauften. Seine Familie wohnte in ihrem eigenen Zwei-Zimmer-Cottage im hinteren Teil des Besitzes. Sie strichen es weiß, mit eierschalenblauen Randleisten, wie das Haus eines Weißen, das seine Mutter einmal gesehen hatte.

Mrs Garner wünschte nichts weiter, als ihre letzten Jahre in angenehmen Verhältnissen zu verbringen. Sie stimmte den gängigen Argumenten für die Sklaverei nicht zu, sah diese jedoch angesichts der offensichtlichen geistigen Defizite der afrikanischen Rasse als notwendiges Übel an. Sie auf einen Schlag aus der Knechtschaft zu befreien wäre katastrophal – wie sollten sie ohne sorgfältige und geduldige Aufsicht und Anleitung ihre Angelegenheiten bewältigen? Mrs Garner half auf ihre Weise, sie brachte ihren Sklaven das Alphabet bei, damit sie mit eigenen Augen das Wort Gottes empfangen konnten. Was Passierscheine anging, war sie großzügig, sodass Caesar und seine Familie sich nach Belieben durch das County bewegen konnten. Das wurmte ihre Nachbarn. In kleinen Schritten bereitete sie sie auf die Befreiung vor, denn sie hatte versprochen, sie bei ihrem Tod freizulassen.

Als Mrs Garner starb, trauerten Caesar und seine Familie, kümmerten sich um die Farm und warteten auf den offiziellen Bescheid ihrer Freilassung. Sie hinterließ kein Testament. Ihre einzige Verwandte war eine Nichte in Boston, die einen örtlichen Anwalt beauftragte, Mrs Garners Besitz abzuwickeln. Es war ein schrecklicher Tag, als er mit Constables eintraf und Caesar und seine Eltern davon unterrichtete, dass sie verkauft werden würden. Schlimmer noch – verkauft in den Süden mit seinen furchterregenden Legenden von Grausamkeit und Abscheulichkeit. Caesar und seine Eltern wurden Teil des Sklavenzugs, sein Vater in eine Richtung, seine Mutter in eine andere, und Caesar ging seinem eigenen Schicksal entgegen. Ihr Abschied war herzergreifend und wurde von der Peitsche des Händlers abgekürzt. Die Zurschaustellung, wie er sie schon unzählige Male miterlebt hatte, langweilte den Händler so sehr, dass er die verzweifelte Familie nur halbherzig schlug. Caesar seinerseits nahm diese leichten Prügel als Zeichen, dass er auch die künftigen Schläge überstehen konnte. Eine Auktion in Savannah brachte ihn auf die Randall-Plantage und zu seinem grausamen Erwachen.

»Du kannst lesen?«, fragte Cora.

»Ja.« Eine Demonstration war natürlich unmöglich, aber wenn sie von der Plantage wegkamen, wären sie auf diese seltene Gabe angewiesen.

Sie trafen sich im Schulhaus, neben dem Milchhaus, wenn die Arbeit dort getan war, überall wo sie konnten. Nun, da sie sich auf Gedeih und Verderb auf ihn und seinen Plan eingelassen hatte, sprudelte sie vor Ideen nur so über. Sie schlug vor, auf den Vollmond zu warten.

Caesar hielt dem entgegen, dass die Aufseher und Bosse ihre Kontrollen nach der Flucht von Big Anthony noch verstärkt hatten und bei Vollmond, dem weißen Leuchtfeuer, das den Sklaven so oft zum Davonlaufen animierte, besonders wachsam sein würden. Nein, sagte er. Er wolle so bald wie möglich verschwinden. In der folgenden Nacht. Der zunehmende Mond müsse reichen. Helfer der Underground Railroad würden warten.

Die Underground Railroad – Caesar war nicht untätig geblieben. Operierte sie wirklich so tief im Innern von Georgia? Der Gedanke an Flucht überwältigte Cora. Abgesehen von ihren eigenen Vorbereitungen, wie würden sie die Railroad rechtzeitig alarmieren? Caesar hatte keinen Vorwand, das Gelände vor Sonntag zu verlassen. Ihre Flucht, sagte er zu ihr, würde für so viel Unruhe sorgen, dass es gar nicht nötig wäre, seinen Mann zu alarmieren.

Mrs Garner hatte in vielerlei Hinsicht den Boden für Caesars Flucht bereitet, doch speziell ein Rat von ihr sorgte dafür, dass die Underground Railroad auf ihn aufmerksam wurde. Es war ein Sonntagnachmittag, und sie saßen auf Mrs Garners vorderer Veranda. Auf der Hauptstraße lief das Wochenend-Schauspiel vor ihnen ab. Händler mit ihren Karren, Familien, die zum Markt gingen. Mitleiderregende Sklaven, die, Hals an Hals aneinandergekettet, im Gleichschritt dahinschlurften. Während Caesar der Witwe die Füße massierte, forderte sie ihn auf, sich eine Fertigkeit anzueignen, eine, die ihm als freiem Mann zustattenkäme. Er wurde Holzhandwerker und ging bei einer nahegelegenen Werkstatt, die einem aufgeschlossenen Unitarier gehörte, in die Lehre. Irgendwann verkaufte er seine schön gearbeiteten Schalen auf dem Platz. Er war, wie Mrs Garner bemerkte, geschickt mit den Händen.

Auf der Randall-Plantage setzte er seine Tätigkeit fort und schloss sich zusammen mit den Moosverkäufern, Näherinnen und Tagelöhnern der sonntags in die Stadt ziehenden Karawane an. Er verkaufte wenig, aber der wöchentliche Gang war eine kleine, wenn auch bittere

Erinnerung an sein Leben im Norden. Es quälte ihn, sich bei Sonnenuntergang von dem vor ihm ablaufenden Geschehen, dem faszinierenden Tanz zwischen Kommerz und Verlangen, losreißen zu müssen.

Eines Sonntags sprach ihn ein gebeugter, grauhaariger Mann an und lud ihn in seinen Laden ein. Vielleicht könne er Caesars Sachen unter der Woche verkaufen, bot er an, dann hätten sie beide etwas davon. Caesar war der Mann schon vorher aufgefallen, wie er zwischen den farbigen Verkäufern umherschlenderte und mit merkwürdigem Gesichtsausdruck bei seinen Sachen stehen blieb. Er hatte ihn nicht weiter beachtet, doch nun machte die Bitte ihn misstrauisch. Dass er in den Süden verkauft worden war, hatte seine Einstellung zu Weißen drastisch verändert. Er nahm sich in Acht.

Der Mann verkaufte Lebensmittel, Kurzwaren und landwirtschaftliche Geräte. Im Laden hielten sich gerade keine Kunden auf. Er fragte mit gesenkter Stimme: »Du kannst lesen, nicht wahr?«

»Sir?« Er sagte es genau wie die Jungs in Georgia.

»Ich habe dich auf dem Platz gesehen, wie du Schilder gelesen hast. Eine Zeitung. Du musst auf der Hut sein. Ich bin nicht der Einzige, der so etwas erkennen kann.«

Mr Fletcher war aus Pennsylvania. Er sei nach Georgia umgezogen, weil sich seine Frau, wie er nachträglich herausfand, weigerte, irgendwo anders zu leben. Sie habe sich in den Kopf gesetzt, dass die Luft hier unten einen kräftigenden Einfluss auf den Kreislauf habe. Was die Luft angehe, habe seine Frau nicht ganz unrecht, räumte er ein, aber in jeder anderen Hinsicht sei es hier das reinste Elend. Mr Fletcher verabscheute die Sklaverei als Affront gegen Gott. Im Norden habe er sich nie in Abolitionistenkreisen betätigt, aber das monströse System aus erster Hand zu beobachten habe ihn auf Gedanken gebracht, die ihm ganz neu gewesen seien. Gedanken, derentwegen man ihn aus der Stadt jagen könne oder Schlimmeres.

Er zog Caesar ins Vertrauen und ging das Risiko ein, dass der Sklave ihn gegen eine Belohnung denunzierte. Im Gegenzug vertraute ihm Caesar. Er war solchen Weißen – ernsthaft und überzeugt von dem, was aus ihrem Mund kam – schon begegnet. Der Wahrheitsgehalt ihrer Worte war eine andere Frage, aber wenigstens sie selbst glaubten sie. Der weiße Südstaatler entsprang den Lenden des Teufels, und welche Übeltat er als Nächstes begehen würde, war nicht vorherzusagen.

Am Ende ihrer ersten Begegnung nahm Fletcher die drei Schalen Caesars und sagte ihm, er solle nächste Woche wiederkommen. Die Schalen verkauften sich nicht, aber das eigentliche Unternehmen des Duos gedieh, während ihre Gespräche ihm Form gaben. Die Idee glich einem Stück Holz, fand Caesar, das menschlicher Kunstfertigkeit und Erfindungsgabe bedurfte, um die in ihm enthaltene neue Form zu offenbaren.

Die Sonntage waren am besten. Sonntags besuchte Mr Fletchers Frau ihre Verwandtschaft. Aufgrund seines besonderen Naturells hatte sich Fletcher nie für diesen Zweig seiner Familie erwärmen können, genau wie umgekehrt. Es gelte gemeinhin als ausgemacht, dass die Underground Railroad so weit im Süden nicht operiere, sagte Fletcher zu ihm. Das wusste Caesar bereits. In Virginia konnte man sich nach Delaware oder auf einem Lastkahn den Chesapeake hinaufschmuggeln und dank eigener Schläue und der unsichtbaren Hand der Vorsehung der Sklavenpatrouille und den Kopfgeldjägern entgehen. Oder die Underground Railroad mit ihren geheimen Strecken und mysteriösen Routen konnte einem helfen.

Bücher, die die Sklaverei kritisierten, waren in diesem Teil der Nation illegal. Abolitionisten und Sympathisanten, die nach Georgia und Florida kamen, wurden weggejagt, von wütenden Horden verprügelt und misshandelt, geteert und gefedert. Methodisten und ihre Albernheiten hatten am Busen von König Baumwolle nichts zu suchen. Die Plantagenbesitzer duldeten keine Ansteckung.

Trotzdem hatte eine Station eröffnet. Wenn Caesar die dreißig Meilen bis zu Fletchers Haus schaffte, versprach der Ladenbesitzer, dann werde er ihn zur Underground Railroad bringen.

»Wie vielen Sklaven hat er schon geholfen?«, fragte Cora.

»Keinem«, sagte Caesar. Seine Stimme schwankte nicht, um Cora ebenso wie sich selbst Mut zu machen. Er erzählte ihr, Fletcher habe zuvor nur mit einem einzigen Sklaven Kontakt aufgenommen, doch der habe es nicht bis zum Treffpunkt geschafft. In der Woche darauf habe die Zeitung von seiner Gefangennahme berichtet und die Art und Weise seiner Bestrafung geschildert.

»Woher wissen wir, dass er uns nicht hereinlegt?«

»Das tut er nicht.« Das hatte Caesar bereits durchdacht. Allein schon mit Fletcher in seinem Laden zu reden lieferte genügend Gründe, ihn aufzuknüpfen. Komplizierte Pläne waren nicht erforderlich. Caesar und Cora lauschten den Insekten, während ihnen die Ungeheuerlichkeit ihres Plans zum Bewusstsein kam.

»Er wird uns helfen«, sagte Cora. »Er muss einfach.«

Caesar nahm ihre Hände in seine, dann bereitete die Geste ihm Unbehagen. Er ließ los. »Morgen Nacht«, sagte er.

In ihrer letzten Nacht im Sklavenquartier fand sie keinen Schlaf, obwohl sie ihre Kraft brauchte. Die anderen Hob-Frauen dösten neben ihr auf dem Dachboden. Sie lauschte ihren Atemgeräuschen: Das ist Nag; das ist Rida, die alle paar Minuten prustend den Atem ausstößt. Morgen um diese Zeit würde sie durch die Nacht laufen.

Hatte ihre Mutter dasselbe empfunden, als sie den Entschluss fasste? Coras Bild von ihr war vage. Am deutlichsten erinnerte sie sich an Traurigkeit. Ihre Mutter war eine Hob-Frau gewesen, noch bevor es die Hob gegeben hatte. Mit dem gleichen Widerwillen dagegen, unter Leute zu gehen, der Bürde, die sie ständig niederdrückte und von anderen absonderte. Cora konnte sie in Gedanken nicht zusammensetzen. Wer war sie? Wo war sie jetzt? Warum hatte sie sie verlassen? Ohne einen besonderen Kuss, um ihr zu sagen: Wenn du dich später an diesen Augenblick erinnerst, wirst du verstehen, dass ich auf

Wiedersehen gesagt habe, auch wenn du das damals nicht gewusst hast.

An ihrem letzten Tag auf dem Feld hackte Cora wütend in die Erde, als wollte sie einen Tunnel graben. Durch sie hindurch und jenseits davon liegt deine Erlösung.

Sie verabschiedete sich, ohne sich zu verabschieden. Am Tag davor saß sie mit Lovey zusammen, und sie redeten miteinander, wie sie es seit Jockeys Geburtstag nicht mehr getan hatten. Cora versuchte, freundliche Worte über ihre Freundin einfließen zu lassen, ein Geschenk, auf das diese später zurückgreifen konnte. *Natürlich hast du das für sie getan, du bist ein guter Mensch. Natürlich mag dich Major, er sieht in dir, was ich auch sehe.*

Ihre letzte Mahlzeit hob sich Cora für die Hob-Frauen auf. Es kam selten vor, dass sie ihre freien Stunden miteinander verbrachten, aber sie rief sie von ihren jeweiligen Beschäftigungen zusammen. Was würde aus ihnen werden? Sie waren Verbannte, aber die Hob bot eine gewisse Art von Schutz, sobald man sich eingewöhnt hatte. So wie ein Sklave einfältig lächelte und sich kindlich verhielt, um einer Auspeitschung zu entgehen, entzogen sie sich den Wirrungen des Sklavenquartiers, indem sie ihre Merkwürdigkeit hervorkehrten. In manchen Nächten bildeten die Wände der Hob eine Festung, die sie vor den Fehden und Verschwörungen rettete. Die Weißen fraßen einen auf, aber manchmal taten das auch die Farbigen.

Sie ließ ein Häuflein ihrer Sachen an der Tür liegen: einen Kamm, ein Viereck aus poliertem Silber, das Ajarry vor Jahren stibitzt hatte, die blauen Kiesel, die Nag ihre »indianischen Steine« nannte. Ihr Lebewohl.

Sie nahm ihr Handbeil mit. Sie nahm Feuerstein und Zunder mit. Und wie ihre Mutter grub sie ihre Yamswurzeln aus. Schon am nächsten Abend, dachte sie, wird sich jemand das Stück unter den Nagel gerissen und umgegraben haben. Einen Zaun für Hühner drum herumgebaut. Eine Hundehütte. Vielleicht wird diejenige es auch weiter als Garten nutzen. Als Anker in den tückischen Gewässern der Plantage, der verhinderte, dass sie davongetragen wurde. Bis sie beschloss, sich davontragen zu lassen.

Sie trafen sich bei der Baumwolle, nachdem das Dorf zur Ruhe gekommen war. Caesar machte ein fragendes Gesicht, als er ihren prall gefüllten Sack mit Yamswurzeln sah, sagte aber nichts. Sie bewegten sich zwischen den hohen Pflanzen hindurch, innerlich so verkrampft, dass sie zu rennen vergaßen, bis sie schon halb durch waren. Von ihrem Tempo wurde ihnen schwindelig. Von der Unmöglichkeit des Ganzen. Ihre Angst rief ihnen hinterher, wenn auch sonst niemand. Ihnen blieben sechs Stunden, bis ihr Verschwinden entdeckt wurde, und weitere ein bis zwei, ehe die Suchtrupps die Stelle erreichten, wo sie jetzt waren. Aber die Angst war ihnen bereits auf den Fersen, wie sie es jeden Tag auf der Plantage gewesen war, und sie hielt mit ihnen Schritt.

Sie überquerten die Wiese, deren Erdschicht zu dünn war, um sie bepflanzen zu können, und traten in den Sumpf ein. Es war Jahre her, dass Cora mit den anderen kleinen Kindern im schwarzen Wasser gespielt und man sich gegenseitig mit Geschichten von Bären, versteckten Alligatoren und schnell schwimmenden Mokassinschlangen Angst gemacht hatte. Männer jagten im Sumpf Otter und Biber, die Moosverkäufer lasen die Bäume ab, und beide legten dabei weite, aber nicht zu weite Wege zurück, von unsichtbaren Ketten zur Plantage zurückgezerrt. Caesar hatte einige der Fallensteller über Monate auf ihren Angel- und Jagdausflügen begleitet und gelernt, wie man in Torf und Schlick auftrat, wo man sich dicht am Schilf halten musste und wie man die Inseln mit festem Boden fand. Er sondierte das trübe Wasser vor ihnen mit seinem Wanderstock. Der Plan war, sich westlich zu halten, bis sie auf eine Kette von Inseln stießen, die ein Trapper ihm gezeigt hatte, und dann nach Nordosten abzubiegen, bis der Sumpf versiegte. Das war zwar ein Umweg, aber dank des kostbaren festen Untergrunds trotzdem die schnellste Route in Richtung Norden.

Sie waren erst ein kurzes Stück weit gekommen, als sie die Stimme hörten und stehen blieben. Cora sah Caesar entgeistert an. Er streckte die Hände aus und lauschte. Es war keine zornige Stimme. Auch keine Männerstimme.

Caesar schüttelte den Kopf, als ihm klarwurde, um wen es sich handelte. »Lovey – pst!«

Lovey hatte so viel Verstand, still zu sein, sobald sie sie ausgemacht hatte. »Ich hab gewusst, dass ihr was vorhabt«, flüsterte sie, als sie sie eingeholt hatte. »Mit ihm rumschleichen, aber nicht darüber reden. Und dann gräbst du die Yamswurzeln aus, obwohl sie noch nicht mal reif sind!« Sie hatte ein altes Stück Tuch zu einer Tasche geknotet, die sie sich über die Schulter gehängt hatte.

»Mach, dass du zurückkommst, bevor du uns ins Unglück stürzt«, sagte Caesar.

»Ich gehe dorthin, wo ihr auch hingeht«, sagte Lovey.

Cora runzelte die Stirn. Wenn sie Lovey zurückschickten, wurde das Mädchen vielleicht dabei erwischt, wie es sich in seine Hütte schlich. Lovey war keine, die ihre Zunge im Zaum halten konnte. Kein Vorsprung mehr. Sie wollte nicht für das Mädchen verantwortlich sein, wusste aber keine Lösung.

»Drei von uns wird er nicht nehmen«, sagte Caesar.

»Weiß er, dass ich mitkomme?«, fragte Cora.

Er schüttelte den Kopf.

»Dann ist es gleich, ob er eine oder zwei Überraschungen erlebt«, sagte sie. Sie lüpfte ihren Sack. »Zu essen haben wir jedenfalls genug.«

Ihm blieb die ganze Nacht, um sich an den Gedanken zu gewöhnen. Bis sie schliefen, würde es noch lange dauern. Irgendwann schrie Lovey nicht mehr jedes Mal auf, wenn die Nachttiere plötzlich ein Geräusch machten oder sie zu tief einsank und das Wasser ihr bis zur Taille stieg. Cora war dieser Zug von Zimperlichkeit bei Lovey vertraut, aber die andere Seite ihrer Freundin, das, was diese gepackt und zur Flucht veranlasst hatte, kannte sie nicht. Dabei dachte jeder Sklave daran. Morgens, nachmittags und abends. Er träumte davon. Jeder Traum ein Traum von Flucht, auch wenn er gar nicht danach aussah. Zum Beispiel ein Traum von neuen Schuhen. Die Gelegenheit ergab sich, und Lovey ergriff sie, ungeachtet der Peitsche.

Die drei wandten sich in Richtung Westen, stapften durch das schwarze Wasser. Cora hätte sie nicht führen können. Sie wusste nicht, wie Caesar es anstellte. Aber er überraschte sie ständig. Natürlich hatte er eine Landkarte im Kopf und konnte die Sterne ebenso lesen wie Buchstaben.

Loveys Seufzer und Flüche, als sie eine Pause brauchte, ersparten es Cora, darum zu bitten. Als sie verlangten, einen Blick in ihren Jutesack werfen zu dürfen, enthielt dieser nichts praktisch Verwendbares, nur merkwürdige Andenken, die sie gesammelt hatte, wie etwa eine kleine Holzente und eine blaue Glasflasche. Was Caesars praktische Veranlagung betraf, so war er ein fähiger Lotse, wenn es darum ging, Inseln zu finden. Ob er sich an seine Route hielt oder nicht, konnte Cora nicht sagen. Sie begannen sich in nordöstlicher Richtung zu halten, und bis es hell wurde, hatten sie den Sumpf hinter sich gelassen. »Jetzt wissen sie Bescheid«, sagte Lovey, als im Osten orangerot die Sonne aufging. Das Trio machte erneut Pause und schnitt eine Yamswurzel in Scheiben. Die Moskitos und Fliegen plagten sie. Bei Tageslicht sah man, in welchem Zustand sie waren, bis zum Hals mit Schlamm bespritzt, mit Kletten und Ranken bedeckt. Cora störte es nicht. Sie war noch nie so weit von zu Hause weg gewesen. Selbst wenn sie in diesem Augenblick fortgeschleppt und in Ketten gelegt würde, diese Meilen würden ihr bleiben.

Caesar stieß seinen Wanderstock auf dem Boden auf, und sie marschierten weiter. Als sie das nächste Mal haltmachten, sagte er ihnen, er müsse die County-Straße finden. Er versprach, bald wieder da zu sein, aber er müsse feststellen, wie weit sie vorangekommen seien. Lovey war so vernünftig, nicht zu fragen, was passierte, falls er nicht zurückkehrte. Er ließ seinen Sack und seinen Trinkschlauch neben einer

Zypresse liegen, um sie zu beruhigen. Oder um ihnen zu helfen, falls er tatsächlich nicht wiederkam.

»Ich hab's gewusst«, sagte Lovey, die trotz ihrer Erschöpfung immer noch darauf herumreiten musste. An die Bäume gelehnt, saßen die Mädchen da, dankbar für festen, trockenen Untergrund.

Cora setzte sie über alles ins Bild, was noch zu erzählen blieb, angefangen bei Jockeys Geburtstag.

»Ich hab's gewusst«, wiederholte Lovey.

»Er glaubt, ich bringe Glück, weil meine Mutter die Einzige war.«

»Wenn du Glück willst, schneid einem Kaninchen die Pfote ab«, sagte Lovey.

»Was wird deine Mutter tun?«, fragte Cora.

Lovey und ihre Mutter waren auf der Randall-Plantage angekommen, als sie fünf Jahre alt war. Ihr vorheriger Herr hatte nichts davon gehalten, kleine Niggerkinder zu kleiden, deshalb war es dort das erste Mal, dass sie etwas auf dem Leib trug. Ihre Mutter Jeer war in Afrika geboren und erzählte ihrer Tochter und ihren Freunden gern Geschichten von ihrer Kindheit in einem kleinen Dorf an einem Fluss und von all den Tieren, die es dort gab. Das Baumwollpflücken richtete ihren Körper zugrunde. Ihre Gelenke waren geschwollen und steif, sodass sie verkrümmte, und das Gehen bereitete ihr Schmerzen. Als Jeer nicht mehr arbeiten konnte, kümmerte sie sich um Babys, wenn deren Mütter auf den Feldern waren. Trotz ihrer Qualen war sie immer zärtlich zu dem Mädchen, auch wenn ihr großes, zahnloses Lächeln schlagartig erlosch, kaum dass Lovey sich abwandte.

»Stolz auf mich sein«, antwortete Lovey. Sie legte sich hin und kehrte ihr den Rücken zu.

Caesar erschien früher wieder, als sie erwartet hatten. Sie seien zu dicht an der Straße, sagte er, aber sie seien gut vorangekommen. Jetzt müssten sie sich ranhalten, um schon möglichst weit zu sein, ehe die Reiter aufbrächen. Die Reiter würden ihren Vorsprung in kurzer Zeit aufholen.

»Wann schlafen wir?«, fragte Cora.

»Sehen wir zu, dass wir von der Straße wegkommen, dann schauen wir mal«, sagte Caesar. Nach seinem Verhalten zu urteilen, war er ebenfalls erschöpft.

Nicht lange danach setzten sie ihre Beutel ab. Als Caesar Cora weckte, ging gerade die Sonne unter. Sie hatte sich kein einziges Mal gerührt, obwohl ihr Körper unbequem auf den Wurzeln einer alten Eiche gelegen hatte. Lovey war bereits wach. Sie erreichten die Lichtung, als es schon fast dunkel war, ein Maisfeld hinter einer Farm. Die Besitzer waren anwesend, beschäftigten sich mit ihren Hausarbeiten und gingen in dem kleinen Cottage ein und aus. Die Flüchtigen zogen sich zurück und warteten, bis die Familie ihre Lampen löschte. Der direkteste Weg von hier bis zu Fletchers Farm verlief durch besiedeltes Gebiet, aber das war zu gefährlich. Sie blieben im Wald und nahmen Umwege in Kauf.

Letztendlich wurden ihnen die Schweine zum Verhängnis. Sie folgten der Furche eines Wildschweinwechsels, als die Weißen zwischen den Bäumen hervorstürzten. Sie waren zu viert. Die Jäger hatten Köder ausgelegt und warteten auf ihre Beute, die wegen der Hitze erst nachts aktiv wurde. Die Entlaufenen waren eine andere Sorte von Tier, aber sehr viel einträglicher.

Angesichts der Genauigkeit der Steckbriefe konnte kein Zweifel bestehen, um wen es sich bei dem Trio handelte. Zwei der Jäger griffen die Kleinste aus der Gruppe an und drückten sie zu Boden. Nachdem sie so lange so still gewesen waren – die Sklaven, um nicht von Jägern entdeckt zu werden, die Jäger, um nicht von ihrer Beute entdeckt zu werden –, brüllten sie alle los und schrien vor Anstrengung. Caesar rang mit einem stämmigen Mann, der einen langen, dunklen Bart hatte. Der Flüchtige war jünger und kräftiger, aber der Mann behauptete sich und packte Caesar um die Taille. Caesar kämpfte, als hätte er schon öfter auf Weiße eingeschlagen, eine undenkbare Vorstellung, da er in diesem Fall längst im Grab läge. Es war das Grab, gegen das die

Entflohenen kämpften, denn dort würden sie landen, falls diese Männer die Oberhand gewannen und sie ihrem Herrn zurückgaben.

Lovey heulte, als die beiden Männer sie in die Dunkelheit zurückzerrten. Coras Angreifer war jungenhaft und schmächtig, vielleicht der Sohn eines der anderen Jäger. Sie wurde überrumpelt, aber kaum dass sie seine Hände an sich spürte, geriet ihr Blut in Wallung. Sie wurde zu der Nacht hinter dem Räucherhaus zurückversetzt, in der Edward, Pot und die anderen sie vergewaltigt hatten. Sie wehrte sich. Kraft strömte in ihre Glieder, sie biss, sie schlug mit offener Hand und mit geballter Faust zu, kämpfte, wie sie es damals nicht gekonnt hatte. Ihr wurde bewusst, dass sie ihr Beil fallen gelassen hatte. Sie wollte es haben. Edward lag unter der Erde, und dieser Junge würde ihm dorthin folgen, ehe sie sich gefangen nehmen ließ.

Der Junge riss Cora zu Boden. Sie wälzte sich herum und stieß sich den Kopf an einem Baumstumpf. Er warf sich auf sie, nagelte sie fest. Ihr Blut war heiß – sie streckte die Hand aus und bekam einen Stein zu fassen, den sie dem Jungen gegen den Schädel schmetterte. Er schwankte, und sie schlug erneut zu. Sein Stöhnen verstummte.

Zeit war bloße Phantasie. Caesar rief ihren Namen, zog sie hoch. Der Bärtige war geflüchtet, soweit sie das im Dunkeln erkennen konnte. »Hier entlang!«

Cora rief nach ihrer Freundin.

Es war nichts von ihr zu sehen oder zu hören, unmöglich zu sagen, wohin sie gegangen waren. Cora zögerte, und er zerrte sie grob vorwärts. Sie folgte seinen Anweisungen.

Sie hörten auf zu rennen, als ihnen klarwurde, dass sie keine Ahnung hatten, wohin sie rannten. Wegen der Dunkelheit und wegen ihrer Tränen sah Cora nichts. Caesar hatte seinen Trinkschlauch gerettet, doch ihren übrigen Proviant hatten sie verloren. Sie hatten Lovey verloren. Er orientierte sich anhand der Sterne, und die Entlaufenen stolperten weiter, in die Nacht getrieben. Sie sagten stundenlang kein Wort. Am Stamm ihres Plans sprossen Alternativen und Entscheidungen wie Zweige und Triebe. Wenn sie das Mädchen beim Sumpf zurückgeschickt hätten. Wenn sie die Farmen weiträumiger umgangen hätten. Wenn Cora die Nachhut gebildet hätte und von den beiden Männern gepackt worden wäre. Wenn sie gar nicht fortgegangen wären.

Caesar kundschaftete eine gute Stelle aus, und sie kletterten auf Bäume und schliefen wie Waschbären.

Als sie sich rührte, war die Sonne schon aufgegangen, und Caesar ging zwischen zwei Kiefern hin und her und redete mit sich selbst. Von ihrer unbequemen Lage zwischen den rauen Ästen taub an Armen und Beinen, stieg sie von ihrem Schlafplatz herab. Caesars Gesicht war ernst. Inzwischen hatte sich die Auseinandersetzung von vergangener Nacht herumgesprochen. Die Suchtrupps wussten, in welche Richtung sie unterwegs waren. »Hast du ihr von der Railroad erzählt?«

»Ich glaube nicht.«

»Ich auch nicht, glaube ich. Dumm von uns, nicht an so was zu denken.«

Der Bach, den sie gegen Mittag durchwateten, war ein Orientierungspunkt. Es sei ganz in der Nähe, sagte Caesar. Eine Meile weiter ließ er sie allein und ging auf Erkundung. Bei seiner Rückkehr schlugen sie einen etwas näher am Waldrand verlaufenden Pfad ein, von dem aus sie durch das Buschwerk gerade noch Häuser sehen konnten.

»Da ist es«, sagte Caesar. Es war ein ansehnliches, einstöckiges Cottage, das auf eine Wiese hinausging. Das Land war gerodet worden, lag jedoch brach. Die rote Wetterfahne war Caesars Zeichen, dass es sich um das Haus handelte, die zugezogenen Vorhänge im hinteren Fenster das Signal, dass Fletcher zu Hause war, nicht aber seine Frau.

»Wenn Lovey es ihnen gesagt hat«, sagte Cora.

Von ihrem Beobachtungspunkt aus sahen sie keine anderen Häuser und keine Menschen. Cora und Caesar rannten durch das wilde Gras, seit dem Sumpf zum ersten Mal ohne Deckung. Im Freien zu sein ging an die Nerven. Sie kam sich vor, als wäre sie in eine von Alice' großen Pfannen geworfen worden und unter ihr leckten Flammen. An der Hintertür warteten sie darauf, dass Fletcher auf ihr Klopfen öffnete. Cora stellte sich vor, wie sich im Wald die Suchtrupps sammelten und sich bereitmachten, aufs Feld zu stürmen. Vielleicht lagen sie auch drinnen auf der Lauer. Wenn Lovey es ihnen gesagt hatte. Endlich führte Fletcher sie in die Küche.

Die Küche war klein, aber bequem. An Haken zeigten oft benutzte Töpfe ihre Böden, und aus dünnen Vasen beugten sich bunte Wiesenblumen. Ein alter Hund mit roten Augen rührte sich nicht aus seiner Ecke, gleichgültig gegen die Besucher. Cora und Caesar tranken gierig aus dem Krug, den Fletcher ihnen anbot. Ihr Gastgeber war nicht erfreut über den zusätzlichen Passagier, aber es war von vornherein so viel schiefgegangen.

Der Ladenbesitzer brachte sie auf den neuesten Stand. Als Erste hatte Loveys Mutter Jeer die Abwesenheit ihrer Tochter bemerkt und ihre Hütte verlassen, um unauffällig nach ihr zu suchen. Die Jungs mochten Lovey, und Lovey mochte die Jungs. Einer der Bosse hielt Jeer auf und zog ihr die Geschichte aus der Nase.

Cora und Caesar sahen einander an. Ihr Vorsprung von sechs Stunden war ein Hirngespinst gewesen. Die Patrouillen hatten schon die ganze Zeit intensiv Jagd auf sie gemacht.

Bis zum Vormittag, sagte Fletcher, habe sich jeder verfügbare Mann im County und aus der gesamten Umgegend der Suche angeschlossen. Terrance' Belohnung sei beispiellos. An jedem öffentlichen Ort wären Bekanntmachungen angeschlagen. Schurken der übelsten Sorte beteiligten sich an der Jagd. Säufer, Unverbesserliche, arme Weiße, die nicht einmal Schuhe besäßen, ergriffen begeistert diese Gelegenheit, die farbige Bevölkerung zu drangsalieren. Banden von Suchenden marodierten durch die Sklavendörfer, verwüsteten die Hütten von Freigelassenen, stahlen und begingen tätliche Übergriffe.

Die Vorsehung lächelte den Flüchtigen: Die Jäger glaubten, sie versteckten sich im Sumpf – mit zwei jungen Frauen im Schlepptau kamen irgendwelche anderen Ziele sicherlich nicht in Betracht. Die meisten Sklaven machten sich auf den Weg ins Schwarzwasser, da es so weit im Süden keine hilfsbereiten Weißen gab, keine Underground Railroad, die darauf wartete, einen Nigger auf Abwegen zu retten. Diese Abweichung vom üblichen Muster hatte den dreien ermöglicht, so weit nach Nordosten zu gelangen.

Bis die Schweinejäger auf sie gestoßen waren. Lovey war wieder auf Randall. Schon zweimal waren Suchtrupps bei Fletchers Haus gewesen, um es weiterzuerzählen und um einen verstohlenen Blick auf die Schatten zu werfen. Die schlimmste Nachricht jedoch war, dass der jüngste der Jäger – ein zwölfjähriger Junge – nach seinen Verletzungen das Bewusstsein nicht wiedererlangt hatte. In den Augen des Countys waren Caesar und Cora praktisch Mörder. Die Weißen wollten Blut sehen.

Caesar schlug die Hände vors Gesicht, und Fletcher legte ihm beruhigend die Hand auf die Schulter. Dass Cora nicht auf die Information reagierte, war unübersehbar. Die Männer warteten. Sie riss ein Stück Brot ab. Caesars Bestürzung würde für sie beide reichen müssen.

Die Geschichte der Flucht und ihr eigener Bericht von dem Kampf im Wald trugen stark dazu bei, Fletchers Entsetzen zu mildern. Dass sie zu dritt in seiner Küche saßen, hieß, dass Lovey nicht über die Railroad Bescheid wusste, und den Namen des Ladenbesitzers hatten sie nie genannt. Sie würden weitermachen.

Während Caesar und Cora den Rest des Vollkornlaibs und Schinkenscheiben hinunterschlangen, debattierten die Männer darüber, was besser sei: sich gleich oder erst nach Einbruch der Dunkelheit hinauszuwagen. Cora verzichtete darauf, an der Diskussion teilzunehmen. Sie war zum ersten Mal draußen in der Welt, und es gab vieles, was sie nicht wusste. Sie war dafür, so bald wie möglich aufzubrechen.

Jede Meile zwischen ihr und der Plantage war ein Sieg. Sie würde ihre Sammlung erweitern.

Die Männer beschlossen, dass es am klügsten wäre, wenn sich die Sklaven hinten auf Fletchers Wagen unter einer Rupfendecke versteckten und sie sich genau vor der Nase der Verfolger fortbewegten. Damit entfiel auch die Schwierigkeit, sich im Keller zu verkriechen, um dem Kommen und Gehen von Mrs Fletcher Rechnung zu tragen. »Wenn Sie meinen«, sagte Cora. Der Hund ließ einen fahren.

Auf der stillen Straße schmiegten sich Caesar und Cora zwischen Fletchers Kisten. Wo der Schatten überhängender Äste nicht hinreichte, schimmerte das Sonnenlicht durch die Decke, während Fletcher sich mit seinen Pferden unterhielt. Cora schloss die Augen, doch ein Bild von dem Jungen, wie er mit bandagiertem Kopf im Bett lag, während der große Mann mit dem Bart neben ihm stand, hinderte sie am Einschlafen. Er war jünger, als sie gedacht hatte. Aber er hätte nicht Hand an sie legen dürfen. Er hätte sich einen anderen Zeitvertreib suchen und nicht nachts auf Schweinejagd gehen sollen. Sie kam zu dem Schluss, dass es ihr egal war, ob er wieder gesund wurde. Man würde sie beide töten, ob er nun aufwachte oder nicht.

Der Lärm der Stadt ließ sie hochschrecken. Sie konnte sich nur vorstellen, wie es aussah, die Leute, die ihre Besorgungen machten, die belebten Läden, die Einspänner und Karren, die einander passierten. Die Stimmen waren ganz nah, das Redegewirr einer körperlosen Menge. Caesar drückte ihr die Hand. Wegen ihrer Lage zwischen den Kisten konnte sie sein Gesicht nicht sehen, aber sie wusste, welchen Ausdruck es trug. Dann hielt Fletcher den Wagen an. Cora rechnete damit, dass im nächsten Moment die Decke heruntergerissen wurde, und malte sich das folgende Chaos aus. Das gleißende Sonnenlicht. Fletcher ausgepeitscht und verhaftet, oder eher gelyncht, weil er nicht bloß Sklaven, sondern Mördern Unterschlupf gewährt hatte. Cora und Caesar von der Menge gründlich verprügelt, zur Vorbereitung auf ihre Auslieferung an Terrance und auf das, was auch immer ihr Herr sich ausgedacht hatte, um Big Anthonys Qualen noch zu übertreffen. Und was er Lovey bereits zugefügt hatte, falls er nicht die Wiedervereinigung der drei Entlaufenen abwarten wollte. Sie hielt den Atem an.

Fletcher hatte auf den Zuruf eines Bekannten hin gehalten. Cora gab ein Geräusch von sich, als der Mann sich gegen den Karren lehnte und ihn zum Schaukeln brachte, aber er hörte es nicht. Der Mann begrüßte Fletcher und brachte ihn auf den neuesten Stand, was die Suchtrupps und ihre Jagd anging – die Mörder seien gefasst worden! Fletcher dankte Gott. Eine andere Stimme schaltete sich ein und wies das Gerücht zurück. Die Sklaven seien immer noch auf freiem Fuß, hätten auf einem morgendlichen Raubzug bei einem Farmer Hühner gestohlen, aber die Hunde hätten die Fährte aufgenommen. Fletcher wiederholte seinen Dank an einen Gott, der über einen weißen Mann und seine Interessen wachte. Von dem Jungen gebe es nichts Neues. Ein Jammer, sagte Fletcher.

Gleich darauf befand sich der Wagen wieder auf der stillen County-Straße. Fletcher sagte: »Sie rennen sich selbst hinterher.« Es war nicht klar, ob er mit den Sklaven oder mit seinen Pferden redete. Cora döste wieder ein, die Härten ihrer Flucht forderten immer noch ihren Tribut. Zu schlafen hielt Gedanken an Lovey fern. Als sie das nächste Mal die Augen aufschlug, war es dunkel. Caesar tätschelte sie beruhigend. Man hörte ein Poltern und Klirren und das Geräusch eines Riegels. Fletcher zog die Decke weg, und die Flüchtigen streckten die schmerzenden Glieder, während sie die Scheune in Augenschein nahmen.

Als Erstes sah sie die Ketten. Tausende davon hingen an Nägeln an den Wänden, ein morbides Inventar von Hand- und Fußfesseln, von Schellen für Knöchel, Handgelenke und Hälse in allen Variationen und Kombinationen. Schellen, um zu verhindern, dass ein Mensch floh oder die Hände bewegte, oder um ihn für eine Auspeitschung in der Luft aufzuhängen. Eine Reihe war Kinderketten vorbehalten und den winzigen Fesseln und Gliedern, die sie miteinander verbanden. Eine andere Reihe präsentierte Eisenmanschetten, die so dick waren, dass keine Säge sie durchdrang, und andere, die so dünn waren, dass nur der Gedanke an Bestrafung den Träger davon abhielt, sie zu sprengen. Ein eigener Bereich galt einer Reihe kunstvoll gearbeiteter Maulkörbe, und in der Ecke befand sich ein Haufen Kugel- und Kettenfesseln. Die Kugeln waren zu einer Pyramide geschichtet, die Ketten wanden sich s-förmig davon weg. Manche Fesseln waren verrostet, manche waren zerbrochen, und andere sahen aus, als wären sie erst am Morgen geschmiedet worden. Cora trat vor einen Teil der Sammlung und berührte einen Metallreifen mit Stacheln, die strahlenförmig zur Mitte wiesen. Sie kam zu dem Schluss, dass er dazu gedacht war, um den Hals getragen zu werden.

»Eine fürchterliche Schau«, sagte ein Mann. »Ich habe die Sachen da und dort erstanden.«

Sie hatten ihn nicht hereinkommen hören; war er schon die ganze Zeit da gewesen? Er trug graue Hosen und ein Hemd aus löchrigem Tuch, das seine ausgemergelte Gestalt nicht kaschierte. Cora hatte schon hungernde Sklaven gesehen, die mehr Fleisch auf den Knochen gehabt hatten. »Ein paar Erinnerungsstücke von meinen Reisen«, sagte der Weiße. Er hatte eine merkwürdige Art zu reden, einen sonderbaren Singsang, der Cora daran erinnerte, wie diejenigen auf der Plantage redeten, die den Verstand verloren hatten.

Fletcher stellte ihn als Lumbly vor. Er schüttelte ihnen schwächlich die Hand.

»Sind Sie der Zugführer?«, fragte Caesar.

»Ich hab's nicht so mit Dampf«, sagte Lumbly. »Bin eher so was wie ein Stationsvorsteher.« Wenn er sich nicht mit Railroad-Angelegenheiten beschäftige, sagte er, führe er ein ruhiges Leben auf seiner Farm. Dies sei sein Land. Cora und Caesar hätten unter der Decke oder aber mit verbundenen Augen hierherkommen müssen, erklärte er. Am besten, sie erführen nicht, wo sie sich befänden. »Ich habe heute mit drei Passagieren gerechnet«, sagte er. »Ihr werdet euch ausstrecken können.«

Während sie noch rätselten, was er damit meinte, teilte Fletcher ihnen mit, es werde Zeit für ihn, zu seiner Frau zurückzukehren: »Meine Rolle ist hier zu Ende, meine Freunde.« Er umarmte die Entlaufenen mit verzweifelter Zuneigung. Cora schrak unwillkürlich zurück. Binnen zwei Tagen legte nun schon zum zweiten Mal ein Weißer die Arme um sie. War das eine Bedingung ihrer Freiheit?

Schweigend sah Caesar zu, wie der Ladenbesitzer und sein Wagen sich entfernten. Fletcher gab seinen Pferden ein Kommando, dann verklang seine Stimme. Das Gesicht von Coras Begleiter zeigte Betroffenheit. Fletcher war ein großes Risiko für sie eingegangen, auch als die Situation komplizierter wurde, als er erwartet hatte. Die einzige Währung, mit der sich diese Schuld begleichen ließ, war ihr Überleben und die Bereitschaft, anderen zu helfen, wenn die Umstände es erlaubten. Jedenfalls nach ihrer, Coras, Rechnung. Caesar schuldete dem Mann viel mehr, weil dieser ihn schon vor Monaten in seinen Laden aufgenommen hatte. Das war es, was sie in seinem Gesicht sah – nicht Betroffenheit, sondern Anteilnahme. Lumbly schloss das Scheunentor, sodass die Ketten von der Erschütterung leise klirrten.

Lumbly war nicht so sentimental. Er entzündete eine Laterne und gab sie Caesar, während er mit dem Fuß etwas Heu zur Seite scharrte und eine in den Boden eingelassene Falltür öffnete. Angesichts ihrer Beklommenheit sagte er: »Ich gehe voran, wenn ihr wollt.« Der Treppenschacht war mit Steinen ausgemauert, und von unten stieg ein säuerlicher Geruch empor. Der Schacht führte nicht in einen Keller, sondern weiter nach unten. Cora wusste zu würdigen, wie viel Arbeit in seinem Bau steckte. Die Treppe war steil, aber die Stufen waren gleichmäßig ausgerichtet und ermöglichten einen mühelosen Abstieg. Dann erreichten sie den Tunnel, und mit einem Mal war Würdigung ein zu blasses Wort, um zu fassen, was vor ihr lag.

Die Treppe führte auf einen kleinen Bahnsteig. Zu beiden Seiten öffneten sich die schwarzen Mündungen des riesigen Tunnels. Er musste an die sieben Meter hoch sein, die Wände waren in wechselndem Muster mit dunklen und hellen Steinen verkleidet. Der schiere Fleiß, der ein solches Projekt ermöglicht hatte. Cora und Caesar bemerkten die Schienen. Zwei Stahlschienen, mit Holzschwellen am Boden fixiert, liefen durch den sichtbaren Teil des Tunnels. Vermutlich verlief der Stahl von Süden nach Norden, ging von irgendeinem unvorstellbaren Ursprung aus und schoss irgendeiner wundersamen Endstation entgegen. Irgendwer war so aufmerksam gewesen, auf dem Bahnsteig eine kleine Bank aufzustellen. Cora war schwindelig, und sie setzte sich.

Caesar konnte kaum sprechen. »Wie weit reicht der Tunnel?«

Lumbly zuckte mit den Schultern. »Weit genug für euch.«

»Das muss Jahre gedauert haben.«

»Mehr, als ihr euch vorstellen könnt. Das Belüftungsproblem zu lösen hat ganz schön lange gedauert.«

»Wer hat das gebaut?«

»Wer baut denn irgendwas in diesem Land?«

Cora sah, dass Lumbly ihre Verblüffung genoss. Das war nicht sein erster Auftritt.

Caesar sagte: »Aber wie?«

»Mit ihren Händen, wie denn sonst? Wir müssen über eure Abreise reden.« Lumbly zog einen gelben Zettel aus der Tasche und kniff die Augen zusammen. »Ihr habt zwei Möglichkeiten. Wir haben einen Zug, der in einer Stunde fährt, und einen weiteren in sechs Stunden. Nicht der praktischste Fahrplan. Wenn unsere Passagiere doch nur ihre Ankunft günstiger legen könnten, aber wir arbeiten unter gewissen Zwängen.«

»Wir nehmen den nächsten«, sagte Cora und stand auf. Das war keine Frage.

»Das Dumme ist, dass sie nicht an denselben Ort fahren«, sagte Lumbly. »Der eine fährt in die eine Richtung, und der andere …«

»Wohin?«, fragte Cora.

»Weg von hier, mehr kann ich euch nicht sagen. Ihr versteht sicher, wie schwierig es ist, sämtliche Streckenänderungen zu übermitteln. Nahverkehrszüge, Expresszüge, welche Station geschlossen ist, wohin der Tunnel vorgetrieben wird. Das Problem ist, dass euch ein Ziel vielleicht eher behagt als ein anderes. Stationen werden entdeckt, Strecken eingestellt. Ihr wisst nicht, was euch oben erwartet, bis ihr ankommt.«

Die Geflüchteten verstanden nicht. Aus den Worten des Stationsvorstehers ging hervor, dass eine Strecke vielleicht direkter, dafür aber gefährlicher war. Wollte er damit andeuten, dass eine andere Strecke länger war? Lumbly wollte sich nicht weiter äußern. Er habe ihnen alles gesagt, was er wisse, behauptete er. Am Ende blieb ihnen wie stets nur die Sklavenalternative: ganz gleich wohin, bloß nicht an den Ort, von dem sie geflohen waren. Nachdem er sich mit Cora beraten hatte, sagte Caesar: »Wir nehmen den nächsten.«

»Das liegt ganz bei euch«, sagte Lumbly. Er bedeutete ihnen, sich auf die Bank zu setzen.

Sie warteten. Auf Caesars Bitte erzählte der Stationsvorsteher, wie er dazu gekommen war, für die Underground Railroad zu arbeiten. Cora konnte nicht zuhören. Der Tunnel ließ sie nicht los. Wie viele Hände waren erforderlich gewesen, um diesen Ort zu schaffen? Und die Tunnel dahinter, wohin und wie weit führten sie? Sie dachte an das Pflücken, wie es zur Erntezeit förmlich die Furchen entlangraste, die afrikanischen Leiber wie ein einziger arbeiteten, so schnell es ihre Kraft zuließ. Die riesigen Felder strotzten von Hunderttausenden weißer Samenkapseln, wie Sterne am Himmel prangend in der klarsten aller klaren Nächte. Wenn die Sklaven fertig waren, hatten sie den Feldern die Farbe genommen. Es war, vom Saatkorn bis zum Ballen, ein großartiges Unternehmen, aber keiner von ihnen konnte auf seine Arbeit stolz sein. Man hatte sie ihnen gestohlen. Sie ihnen abgepresst. Der Tunnel, das Gleis, die verzweifelten Seelen, die in der Koordination von Stationen und Fahrplänen Erlösung fanden – das war ein

Wunder, auf das man stolz sein konnte. Sie fragte sich, ob denjenigen, die dieses Ding gebaut hatten, der angemessene Lohn dafür zuteilgeworden war.

»In jedem Staat ist es anders«, sagte Lumbly gerade. »Jeder bietet mit seinen eigenen Bräuchen und Gepflogenheiten bestimmte Möglichkeiten. Auf der Fahrt durch die Staaten hindurch werdet ihr die ganze Breite des Landes zu Gesicht bekommen, ehe ihr euer endgültiges Ziel erreicht.«

Bei diesen Worten begann die Bank zu vibrieren. Sie verstummten, und das Vibrieren wurde zu einem Geräusch. Lumbly führte sie an die Kante des Bahnsteigs. Das Ding kam in seiner ganzen ungeschlachten Fremdartigkeit eingefahren. Caesar hatte in Virginia Züge gesehen; Cora hatte von den Maschinen nur reden hören. Es entsprach nicht dem, was sie sich vorgestellt hatte. Die Lokomotive war schwarz, ein plumpes Ungetüm, am vorderen Ende die dreieckige Schnauze des Kuhfängers, obwohl es dort, wo sie hinfuhr, nur wenige Tiere geben würde. Als Nächstes kam der knollenförmige Schornstein, ein mit Ruß bedeckter Strunk. Der Hauptteil bestand aus einem großen, schwarzen Gehäuse, auf dem das Führerhaus saß. Darunter Kolben und dicke Zylinder in unablässigem Tanz mit den zehn Rädern, zwei Gruppen von kleineren vorn und drei dahinter. Die Lokomotive zog einen einzigen Waggon, einen heruntergekommenen Güterwagen, dessen Wänden zahlreiche Bretter fehlten.

Der farbige Lokomotivführer winkte ihnen mit zahnlosem Grinsen aus seinem Führerhaus zu. »Alle einsteigen«, sagte er.

Um Caesars lästige Fragerei abzukürzen, hakte Lumbly rasch die Tür des Güterwagens los und schob sie weit auf. »Seid ihr bereit?«

Cora und Caesar stiegen in den Wagen, und Lumbly schloss sie abrupt darin ein. Er spähte zwischen den Lücken im Holz hindurch. »Wenn man sehen will, was es mit diesem Land auf sich hat, sage ich immer, dann muss man auf die Schiene. Schaut hinaus, während ihr hindurchrast, und ihr werdet das wahre Gesicht Amerikas sehen.« Als

Signal schlug er mit der flachen Hand gegen die Wand des Güterwagens. Der Zug ruckte vorwärts.

Die Geflüchteten verloren das Gleichgewicht und stolperten zu dem Nest aus Heuballen, das ihnen als Sitzgelegenheit dienen sollte. Der Waggon knarrte und rüttelte. Es war kein neues Modell, und während ihrer Fahrt befürchtete Cora öfter, dass er kurz vor dem Auseinanderfallen war. Abgesehen von Heuballen, toten Mäusen und krummen Nägeln war der Wagen leer. Später entdeckte sie einen verkohlten Fleck, wo jemand ein Feuer gemacht hatte. Caesar war von den vielen merkwürdigen Ereignissen benommen und rollte sich auf dem Boden zusammen. Cora hielt sich an Lumblys letzte Anweisung und schaute zwischen den Latten hindurch. Sie sah nur Dunkelheit, Meile um Meile.

Als sie das nächste Mal ins Sonnenlicht traten, waren sie in South Carolina. Sie blickte zu dem Hochhaus auf und taumelte, während sie sich fragte, wie weit sie gefahren war.

RIDGEWAY

Arnold Ridgeways Vater war Schmied. Die Sonnenuntergangsglut von geschmolzenem Eisen zog ihn in ihren Bann, die Art und Weise, wie die Farbe im Werkstück erst langsam, dann schnell hervortrat, es übermannte wie ein Gefühl, die plötzliche Biegsamkeit des Dings und sein unruhiges Sichwinden, während es auf seine Zweckbestimmung wartete. Ridgeways Esse war ein Fenster in die urtümlichen Energien der Welt.

Er hatte einen Zechkumpan namens Tom Bird, ein Halbblut, das sentimental wurde, wenn Whiskey ihm die Zunge löste. In Nächten, in denen Tom Bird sich mit seinem Lebensplan uneins fühlte, gab er Geschichten vom Großen Geist zum Besten. Der Große Geist lebte in allen Dingen – in der Erde, dem Himmel, den Tieren und Wäldern – und durchfloss und verband sie zu einem göttlichen Strang. Obwohl Ridgeways Vater religiöses Geschwätz verachtete, erinnerte ihn Tom Birds Zeugnis vom Großen Geist daran, wie er selbst dem Eisen gegenüber empfand. Er beugte sich vor keinem Gott außer dem glühenden Eisen, um das er sich in seiner Schmiede kümmerte. Er hatte über die großen Vulkane gelesen, über den Untergang der Stadt Pompeji, zerstört von Feuer, das von tief unten aus Bergen geströmt war. Flüssiges Feuer war das Blut der Erde. Seine Aufgabe war es, das Metall aufzustauchen, abzuflachen und zu den nützlichen Gegenständen zu recken, die die Gesellschaft am Laufen hielten: Nägel, Hufeisen, Pflüge, Messer, Schusswaffen. Ketten. Den Geist bearbeiten, nannte er das.

Wenn der junge Ridgeway durfte, stand er in der Ecke, während sein Vater Pennsylvania-Eisen bearbeitete. Schmolz, hämmerte, um seinen

Amboss herumtanzte. Mit schweißüberströmtem Gesicht, rußbedeckt von Kopf bis Fuß, schwärzer als ein afrikanischer Teufel. »Man muss diesen Geist bearbeiten, Junge.« Eines Tages würde er seinen eigenen Geist finden, sagte sein Vater zu ihm.

Das war als Ermutigung gedacht. Ridgeway lud es sich als einsame Last auf. Für die Sorte Mensch, die er werden wollte, gab es kein Vorbild. Dem Amboss konnte er sich nicht zuwenden, weil die Fertigkeit seines Vaters unmöglich zu übertreffen war. In der Stadt musterte er die Gesichter von Männern auf die gleiche Weise, auf die sein Vater nach Unreinheiten im Metall suchte. Überall beschäftigten sich die Menschen mit albernen, wertlosen Tätigkeiten. Der Farmer wartete wie ein Schwachköpfiger auf Regen, der Ladenbesitzer stellte Reihe um Reihe nützlicher, aber langweiliger Waren auf. Handwerker und Arbeiter brachten Stücke hervor, die vergängliche Gerüchte waren verglichen mit den eisernen Fakten seines Vaters. Selbst die reichsten Männer, die die fernen Londoner Börsen und den örtlichen Handel gleichermaßen beeinflussten, boten keine Inspiration. Er anerkannte ihren Platz im System, in dem sie ihre Herrenhäuser auf einem Fundament von Zahlen errichteten, aber er respektierte sie nicht. Wenn man am Ende des Tages nicht ein bisschen schmutzig war, taugte man als Mann nicht viel.

Jeden Morgen waren die Hammerschläge seines Vaters auf Metall die Schritte eines Schicksals, das niemals näher kam.

Ridgeway war vierzehn, als er bei der Sklavenpatrouille eintrat. Er war ein ungeschlachter Vierzehnjähriger, sechseinhalb Fuß groß, kräftig und entschlossen. Sein Körper bot keinerlei Hinweis auf die in ihm herrschende Verwirrung. Er verprügelte seine Mitmenschen, wenn er seine eigenen Schwächen bei ihnen entdeckte. Ridgeway war jung für die Patrouille, aber das Geschäft wandelte sich gerade. König Baumwolle bevölkerte das Land mit Sklaven. Die Aufstände in den Westindischen Inseln und beunruhigende Vorfälle näher der Heimat machten den lokalen Plantagenbesitzern Sorgen. Welcher klardenkende weiße Mann, ob Sklavenbesitzer oder nicht, würde sich keine Sorgen machen? Die Patrouillen wurden größer, ihr Mandat erweiterte sich. Ein junger Bursche konnte dort etwas werden.

Angeführt wurde die Patrouille im County von dem übelsten Kerl, den Ridgeway je zu Gesicht bekommen hatte. Chandler war ein Streithahn und Schläger, der Schrecken anständiger Menschen, die die Straßenseite wechselten, um ihm aus dem Weg zu gehen, selbst wenn der Regen die Straße in tiefen Morast verwandelt hatte. Er verbrachte mehr Tage im Gefängnis als die Entlaufenen, die er einlieferte, und schnarchte oft in einer Zelle neben dem Übeltäter, den er Stunden zuvor angehalten hatte. Ein unvollkommenes Vorbild, das jedoch der Art, die Ridgeway suchte, nahekam. Er hielt sich an die Regeln und setzte sie durch, verstieß aber auch gegen sie. Es half, dass Ridgeways Vater Chandler hasste, weil er ihm immer noch einen Streit nachtrug, den er vor Jahren mit ihm gehabt hatte. Ridgeway liebte seinen Vater, aber dessen ständiges Gerede von Geistern erinnerte ihn an seine eigene Ziellosigkeit.

Die Patrouille war keine schwierige Arbeit. Sie hielten sämtliche Nigger an, die sie sahen, und verlangten deren Passierscheine. Nigger, von denen sie wussten, dass sie frei waren, hielten sie ebenfalls an, zu ihrem Vergnügen, aber auch, um den Afrikanern zu zeigen, welche Kräfte gegen sie aufgeboten wurden, egal ob sie einem weißen Mann gehörten oder nicht. Gingen Streife in den Sklavendörfern, auf der Suche nach Auffälligkeiten wie einem Lächeln oder einem Buch. Sie peitschten die auf Abwege geratenen Nigger, ehe sie sie ins Gefängnis brachten oder auch zu ihrem Besitzer, falls sie Lust dazu hatten und der Feierabend noch nicht allzu nahe war.

Die Nachricht von einem Entlaufenen versetzte sie in fröhliche Betriebsamkeit. Sie veranstalteten Razzien auf den Plantagen, verhörten unzählige zitternde Schwarze. Freigelassene wussten, was ihnen blühte, versteckten ihre Wertsachen und stöhnten, wenn die Weißen ihre Möbel und ihr Glas zerschlugen. Beteten darum, dass sie ihre Gewalttätigkeit auf Gegenstände beschränkten. Es gab Vergünstigungen, abgesehen von dem Kitzel, der darin lag, einen Mann vor seiner Familie zu demütigen oder einen noch nicht handzahmen jungen Kerl zu verprügeln, der einen falsch anschaute. Auf der alten Mutter-Farm gab es die ansehnlichsten farbigen Dirnen – Mr Mutter hatte entsprechende Vorlieben –, und die Erregung der Hatz versetzte einen jungen Sklavenjäger in lüsterne Stimmung. Manche behaupteten, die abgelegenen Brennereien der alten Männer auf der Stone-Plantage produzierten den besten Mais-Whiskey im ganzen County. Sie aufzuscheuchen ermöglichte Chandler, seine Krüge aufzufüllen.

In jenen Tagen beherrschte Ridgeway seine Gelüste und beteiligte sich nicht an den eher zügellosen Zurschaustellungen seiner Bundesgenossen. Die anderen Angehörigen der Patrouille waren Jungen und Männer von schlechtem Charakter; die Arbeit zog einen bestimmten Typus an. In einem anderen Land wären sie Verbrecher geworden, aber das hier war Amerika. Am besten gefiel ihm die nächtliche Arbeit, wenn sie auf einen jungen Kerl lauerten, der durch den Wald schlich, um seine Frau auf einer anderen Plantage zu besuchen, oder auf einen Eichhörnchenjäger, der seinen täglichen Fraß aufbessern wollte. Andere Mitglieder der Patrouille trugen Waffen und schossen mit Vergnügen jeden Schurken nieder, der so dumm war zu fliehen, aber Ridgeway tat es Chandler nach. Die Natur hatte ihn mit genügend Waffen ausgestattet. Er hetzte sie, als wären sie Kaninchen, dann bändigten seine Fäuste sie. Schlugen sie, weil sie sich draußen herumtrieben, schlugen sie, weil sie davongelaufen waren, obwohl die Jagd das einzige Heilmittel gegen seine Unruhe war. Durchs Dunkel zu stürmen, sodass ihm Zweige ins Gesicht peitschten und Baumstümpfe ihn lang hinschlagen ließen, bevor er wieder auf die Füße kam. Bei der Jagd sang und glühte sein Blut.

Wenn sein Vater seinen Arbeitstag beendete, lag die Frucht seiner Mühen vor ihm: eine Muskete, ein Rechen, eine Wagenfeder. Ridgeway stand vor dem Mann oder der Frau, die er gefangen genommen hatte. Der eine stellte Werkzeuge her, der andere holte sie zurück. Sein Vater hänselte ihn, was den Geist anging. Was denn das für ein Beruf sei, Nigger zur Strecke zu bringen, die kaum so viel Verstand hätten wie ein Hund?

Ridgeway war mittlerweile achtzehn, ein Mann. »Wir arbeiten beide für Mr Eli Whitney«, sagte er. Das stimmte; sein Vater hatte gerade zwei Lehrlinge eingestellt und Aufträge an kleinere Schmieden vergeben. Die Egreniermaschine bedeutete größere Baumwollerträge und eiserne Werkzeuge, um sie zu ernten, Hufeisen für die Pferde, die die Wagen mit eisernen Radreifen und Beschlägen zogen, mit denen die Baumwolle zum Markt gebracht wurde. Mehr Sklaven und das Eisen, um sie festzuhalten. Die Baumwolle gebar Gemeinden, die Nägel und Streben für Häuser brauchten, Werkzeuge, um sie zu bauen, Straßen, die sie miteinander verbanden, und noch mehr Eisen, um alles am Laufen zu halten. Sein Vater konnte seine Verachtung und auch seinen Geist behalten. Die beiden Männer waren Teil desselben Systems und dienten einer Nation, die ihrer Bestimmung gerecht wurde.

Ein entlaufener Sklave konnte nur zwei Dollar bringen, wenn der Besitzer ein Geizhals oder der Nigger verbraucht war, und bis zu hundert Dollar oder das Doppelte, wenn man ihn außerhalb des Staates fing. Zum richtigen Sklavenfänger machte Ridgeway seine erste Reise nach New Jersey, die er antrat, um das Eigentum eines örtlichen Plantagenbesitzers zurückzuholen. Betsy schaffte die ganze Strecke von den Tabakfeldern Virginias bis nach Trenton. Sie versteckte sich bei Verwandten, bis eine Bekannte ihres Besitzers sie auf dem Markt erkannte. Ihr Herr bot den Jungs vor Ort zwanzig Dollar für ihre Ablieferung plus sämtliche angemessenen Spesen.

Er war noch nie so weit gereist. Je weiter nördlich er kam, desto weniger taugte seine bisherige Begriffswelt. Wie groß das Land war! Jede Stadt verrückter und komplizierter als die vorherige. Von dem Rummel in Washington, D. C., wurde ihm schwindelig. Er erbrach, als er um eine Ecke bog und die Baustelle des Kapitols sah, gab seinen Mageninhalt entweder wegen einer verdorbenen Auster von sich oder wegen der Riesigkeit des Dings, das sein Innerstes in Aufruhr versetzte. Er suchte die billigsten Schenken auf und wendete die Geschichten der Männer in Gedanken hin und her, während er an Läusebissen kratzte. Noch die kürzeste Überfahrt mit einer Fähre brachte ihn zu einer neuen Inselnation, grellbunt und imposant.

Der Deputy im Gefängnis von Trenton behandelte ihn wie einen gestandenen Mann. Hier ging es nicht darum, in der Dämmerung irgendeinen farbigen Jungen auszupeitschen oder zum Vergnügen ein Sklavenfest zu sprengen. Das hier war Männerarbeit. In einem Wäldchen außerhalb von Richmond machte ihm Betsy ein lüsternes Angebot im Tausch für die Freiheit und zog mit schlanken Fingern ihr Kleid hoch. Sie hatte schmale Hüften, einen breiten Mund und graue Augen. Er versprach nichts. Es war das erste Mal, dass er bei einer Frau lag. Sie spuckte ihn an, als er sie wieder in Ketten legte, und noch einmal, als sie beim Haus ihres Besitzers ankamen. Der Herr und seine Söhne lachten, als er sich das Gesicht abwischte, aber die zwanzig Dollar gingen für neue Stiefel und einen Brokatrock drauf, wie er sie in D. C. einige bessere Herren hatte tragen sehen. Die Stiefel trug er viele Jahre lang. Sein Bauch wuchs eher aus dem Rock heraus.

New York war der Beginn einer wilden Zeit. Ridgeway arbeitete bei der Rückholung und fuhr in den Norden, wenn Constables Nachricht schickten, dass sie einen Entlaufenen aus Virginia oder North Carolina gefasst hatten. New York wurde ein häufiges Ziel, und nachdem er neue Aspekte seiner Persönlichkeit erkundet hatte, brach Ridgeway seine Zelte im Süden ab. Das Flüchtlingsgeschäft dort war überschaubar. Kräftiges Dreinschlagen. Hier oben im Norden trafen die gewaltige Metropole, die Freiheitsbewegung und die Findigkeit der farbigen Bevölkerung zusammen und machten die wahre Größenordnung der Jagd deutlich.

Er lernte rasch. Es war eher ein Sichmerken als ein Lernen. Sympathisanten und käufliche Schiffskapitäne schmuggelten Flüchtige in die Hafenstädte. Schauerleute, Hafenarbeiter und Handlungsgehilfen wiederum versorgten ihn mit Informationen, und er schnappte sich die Schurken auf der Schwelle zur Errettung. Freigelassene denunzierten ihre afrikanischen Brüder und Schwestern, verglichen die Beschreibungen von Entlaufenen in den Gazetten mit den verstohlenen Geschöpfen, die um die Kirchen, Saloons und Gebetshäuser der Farbigen herumschlichen. *Barry ist ein stämmiger, gut gebauter Bursche, fünf Fuß sechs oder sieben Zoll groß, mit hohen, kleinen Augen und unverschämter Miene. Hasty ist hochschwanger und vermutlich von irgendwem weggeschafft worden, da die Reisestrapazen sie überfordert hätten.* Barry brach wimmernd zusammen. Hasty und ihr Balg heulten den ganzen Weg bis Charlotte.

Bald besaß er drei schöne Röcke. Er schloss sich einem Kreis von Sklavenfängern an, in schwarze Anzüge gestopften Gorillas mit lächerlichen Melonen. Er musste beweisen, dass er kein Hinterwäldler war, aber nur ein einziges Mal. Zusammen beschatteten sie Entlaufene tagelang, versteckten sich außerhalb von Arbeitsstätten, bis sich eine Gelegenheit bot, brachen nachts in ihre Negerhütten ein, um sie zu entführen. Nachdem sie jahrelang von der Plantage weg gewesen waren, sich ein Weib genommen und eine Familie gegründet hatten, hatten sie sich eingeredet, sie wären frei. Als ob Besitzer ihr Eigentum vergäßen. Ihre Illusionen machten sie zur leichten Beute. Den Sklavenhändlern und den Banden aus Five Points, die Freigelassene an Händen und Füßen zusammenbanden und zur Versteigerung in den Süden verschleppten, zeigte er die kalte Schulter. Das war schändliches Verhalten, Patrouillen-Verhalten. Er war jetzt ein Sklavenfänger.

Die Stadt New York war eine Brutstätte der Anti-Sklaverei-Bewegung. Ridgeway brauchte eine gerichtliche Genehmigung, ehe er seine Schützlinge in den Süden bringen durfte. Abolitionistische Anwälte errichteten Barrikaden aus Papierkram, jede Woche ein neuer Kniff. New York sei ein Staat, in dem es keine Sklaverei gebe, argumentierten sie, und jeder Farbige werde mit Überschreiten der Grenze auf wundersame Weise frei. Im Gerichtssaal nutzten sie verständliche Diskrepanzen zwischen den Steckbriefen und dem Individuum – gebe es denn einen Beweis, dass es sich bei diesem Benjamin Jones um den fraglichen Benjamin Jones handele? Die meisten Plantagenbesitzer konnten einen Sklaven nicht vom anderen unterscheiden, selbst nachdem sie mit ihnen ins Bett gegangen waren. Kein Wunder, dass sie den Überblick über ihr Eigentum verloren. Es wurde ein Spiel, Nigger aus dem Gefängnis loszueisen, ehe die Anwälte ihren neuesten Schachzug offenbarten. Hochgesinnte Schwachköpfigkeit stand der Macht barer Münze gegenüber. Gegen ein Entgelt wies ihn der Stadtschreiber auf frisch eingelieferte Flüchtige hin und stellte umgehend Entlassungsscheine für sie aus. Dann befanden sie sich schon auf halbem Weg durch New Jersey, ehe die Sklavereigegner auch nur aus dem Bett aufgestanden waren.

Wenn nötig, umging Ridgeway den Gerichtssaal, aber nicht oft. In einem Freien Staat angehalten zu werden, wenn das verlorene Eigentum ein geschicktes Mundwerk hatte, war lästig. Kaum waren sie weg von der Plantage, lernten sie lesen, es war eine Krankheit.

Während Ridgeway am Hafen auf Schmuggler wartete, warfen die prächtigen Schiffe aus Europa Anker, und ihre Passagiere gingen von Bord. Ihre gesamte Habe in Säcken und halb verhungert. Nach allen Maßstäben so unglückselig wie Nigger. Aber sie würden an ihren angestammten Platz berufen werden, genau wie er. Seine ganze Welt als Heranwachsender im Süden war eine Folge dieser ersten Ankunft. Dieser schmutzigen weißen Flut, die nirgendwohin konnte außer hinaus. Nach Süden. Nach Westen. Abfall und Menschen funktionierten nach den gleichen Gesetzen. Die Gossen der Stadt quollen über von Unrat und Müll – aber im Lauf der Zeit fand die Schweinerei ihren Platz.

Ridgeway sah zu, wie sie die Gangways herabwankten, verschnupft und verstört, von der Stadt überwältigt. Die Möglichkeiten boten sich diesen Pilgern dar wie ein Festmahl, und sie waren ihr Leben lang so hungrig gewesen. Sie hatten dergleichen noch nie gesehen, aber sie würden diesem neuen Land ebenso gewiss ihren Stempel aufdrücken wie jene berühmten Seelen in Jamestown und es sich kraft unaufhaltsamer rassischer Logik zu eigen machen. Wenn die Nigger frei sein sollten, dann lägen sie nicht in Ketten. Wenn der rote Mann sein Land behalten sollte, dann besäße er es immer noch. Wenn es dem weißen Mann nicht bestimmt wäre, diese neue Welt in Besitz zu nehmen, dann würde sie ihm jetzt nicht gehören.

Hier lag der wahre Große Geist, der göttliche Strang, der alles menschliche Streben miteinander verband – wenn du es halten kannst, gehört es dir. Dein Eigentum, ob Sklave oder Kontinent. Der amerikanische Imperativ.

Ridgeway machte sich einen Namen mit seiner Fähigkeit, zu gewährleisten, dass Eigentum Eigentum blieb. Wenn ein Entlaufener eine Gasse hinunterrannte, wusste er, wohin der Mann unterwegs war. Richtung und Ziel. Sein Kniff: Spekuliere nicht darüber, wohin der Sklave als Nächstes will. Konzentriere dich stattdessen darauf, dass er vor dir wegläuft. Nicht vor einem grausamen Herrn oder dem System der Sklaverei insgesamt, sondern speziell vor dir. Es funktionierte immer wieder, seine ureigene eiserne Gegebenheit, in Gassen, Kiefernwäldern und Sümpfen. Er ließ seinen Vater schließlich hinter sich, und mit ihm die Last seiner Weltanschauung. Ridgeway bearbeitete nicht den Geist. Er war nicht der Schmied, der Ordnung herstellte. Nicht der Hammer, nicht der Amboss. Er war die Hitze.

Sein Vater starb, und der Schmied am anderen Ende der Straße übernahm sein Geschäft. Es war Zeit, in den Süden zurückzukehren – nach Hause, nach Virginia, und weiter, je nachdem, wohin die Arbeit ihn führte –, und er kam mit einer Gang. Zu viele Flüchtige, als dass er allein damit fertigwürde. Eli Whitney hatte Ridgeways Vater verheizt – der Alte hustete auf dem Sterbebett Ruß – und schickte ihn selbst ständig auf die Jagd. Die Plantagen waren doppelt so groß und doppelt so zahlreich, die Flüchtigen vielzähliger und geschickter, die

Kopfgelder höher. Unten im Süden gab es weniger Einmischung vonseiten der Gesetzgeber und der Abolitionisten, dafür sorgten die Plantagenbesitzer. Die Underground Railroad unterhielt keine nennenswerten Verbindungen. Die Lockvögel in Negerkleidung, die Geheimcodes auf den hinteren Seiten von Zeitungen. Sie brüsteten sich ganz offen ihrer Subversion, schoben einen Sklaven rasch zur Hintertür hinaus, während die Sklavenfänger die Vordertür einschlugen. Es war eine kriminelle Verschwörung zum Diebstahl von Eigentum, und Ridgeway litt unter ihrer Unverfrorenheit wie unter einer persönlichen Kränkung.

Ein Kaufmann aus Delaware ärgerte ihn besonders: August Carter. Nach angelsächsischer Tradition kernig, mit kühlen blauen Augen, die kleinere Geister veranlassten, seinen fadenscheinigen Argumenten Aufmerksamkeit zu schenken. Die schlimmste Sorte, ein Abolitionist mit einer Druckerpresse. »Um 14 Uhr findet in der Miller's Hall eine Massenversammlung der Freunde der Freiheit statt, um Zeugnis gegen das schändliche Sklavenregime abzulegen, das die Nation beherrscht.« Alle Welt wusste, das Carters Haus eine Station war – nur hundert Yards trennten es vom Fluss –, auch wenn Razzien erfolglos blieben. In ihren Reden in Boston würdigten zu Aktivisten gewordene Entflohene seine Großzügigkeit. Der abolitionistische Flügel der Methodisten verteilte sonntagmorgens seine Pamphlete, und Londoner Zeitschriften veröffentlichten ohne Gegendarstellung seine Argumente. Eine Druckerpresse und Freunde unter den Richtern, die Ridgeway nicht weniger als dreimal zwangen, seine Ansprüche aufzugeben. Wenn er Ridgeway vor dem Gefängnis begegnete, tippte er sich jedes Mal an die Hutkrempe.

Dem Sklavenfänger blieb wenig anderes übrig, als dem Mann nach Mitternacht einen Besuch abzustatten. Penibel nähte er sich und seiner Gang aus weißen Mehlsäcken Kapuzen, aber nach ihrem Besuch konnte er kaum die Finger bewegen – nachdem er dem Mann das Gesicht eingeschlagen hatte, waren seine Fäuste zwei Tage lang geschwollen. Er erlaubte seinen Leuten, Carters Frau auf eine Weise zu entehren, wie er sie nicht einmal ein Niggermädchen benutzen ließ. Noch Jahre später, wenn Ridgeway ein Feuer sah, erinnerte ihn der Geruch jedes Mal an den süßen Rauch von Carters in Flammen aufgehendem Haus, und sein Mund verzog sich zur Andeutung eines Lächelns. Später hörte er, der Mann sei nach Worcester gezogen und Flickschuster geworden.

Die Sklavenmütter sagten: Gib ja acht, sonst kommt dich Mister Ridgeway holen.

Die Sklavenherren sagten: Holt Ridgeway.

Als er zum ersten Mal auf die Randall-Plantage gerufen wurde, stand ihm eine Herausforderung bevor. Ab und zu entkamen ihm Sklaven. Er war außergewöhnlich, aber nicht übermenschlich. Er scheiterte, und Mabels Verschwinden nagte länger an ihm, als es hätte der Fall sein sollen, schwirrte in seinem Kopf.

Bei seiner Rückkehr, nun damit beauftragt, die Tochter jener Frau zu finden, wusste er, warum der frühere Auftrag ihn so geärgert hatte. So unmöglich es auch erschien, die Underground Railroad hatte ein Nebengleis in Georgia. Er würde es finden. Er würde es zerstören.

SOUTH CAROLINA

30 DOLLAR BELOHNUNG

erhält jeder, der ein eher hellhäutiges NEGERMÄDCHEN, 18 Jahre alt, das vor neun Monaten entlaufen ist, an mich übergibt oder in einem Gefängnis des Staates festsetzt, sodass ich es wiederbekomme. Das Mädchen ist auf durchtriebene Weise aufgeweckt und wird zweifellos versuchen, sich als Freigelassene auszugeben, hat eine auffällige Narbe am Ellbogen, die von einer Verbrennung herrührt. Ich habe erfahren, dass sie sich in und um Edenton herumtreibt.

BENJ. P. WELLS
Murfreesboro, 5. Jan. 1812

Die Andersons wohnten in einem schönen, holzverschalten Haus Ecke Washington und Main, einige Häuserblocks vom Trubel der Läden und Geschäfte entfernt, wo die Stadt in ein Wohnviertel mit Privathäusern für die Wohlhabenden überging. Hinter der breiten Veranda, wo Mr und Mrs Anderson abends gern saßen, er in seinem seidenen Tabaksbeutel grabend, sie mit zusammengekniffenen Augen auf ihre Näharbeit schauend, lagen Wohnzimmer, Esszimmer und Küche. Dort im Erdgeschoss verbrachte Bessie die meiste Zeit, jagte den Kindern nach, kochte Essen und machte sauber. Am oberen Ende der Treppe befanden sich die Schlafzimmer – Maisie und der kleine Raymond teilten sich eines – und der zweite Waschraum. Raymond machte einen langen Mittagsschlaf, und Bessie saß gern auf dem Fenstersitz und sah zu, wie er in seine Träume hinüberglitt. Sie konnte gerade noch die beiden oberen Stockwerke des Griffin Building mit seinen weißen Gesimsen sehen, die im Sonnenlicht gleißten.

An diesem Tag richtete sie ein aus Brot mit Marmelade bestehendes Lunchpaket für Maisie, machte einen Spaziergang mit dem Jungen und reinigte das Silberbesteck und die Gläser. Danach wechselte sie die Bettwäsche, sie und Raymond holten Maisie von der Schule ab, und sie gingen in den Park. Am Springbrunnen spielte ein Fiddler die letzten Melodien, während die Kinder und ihre Freunde sich mit Verstecken und Ringsuchen vergnügten. Sie musste Raymond von einem Rabauken weglotsen, ohne die Mutter des kleinen Schurken zu verärgern, die sie nicht ausmachen konnte. Es war Freitag, und das hieß, dass sie den Tag mit dem Einkauf beschloss. Es hatte sich ohnehin zugezogen. Sie ließ das Salzfleisch, die Milch und die übrigen Zutaten des Abendessens auf die Familie anschreiben. Sie unterzeichnete mit einem X.

Mrs Anderson kam um sechs Uhr nach Hause. Der Hausarzt hatte ihr geraten, mehr Zeit außer Haus zu verbringen. Ihre Arbeit, die darin bestand, Geld für das neue Krankenhaus zu sammeln, war in dieser Hinsicht hilfreich, genau wie ihre Nachmittagsmahlzeiten mit den anderen Damen der Nachbarschaft. Sie war guter Stimmung, trommelte zwecks Umarmungen und Küssen ihre Kinder zusammen und versprach eine Leckerei nach dem Essen. Maisie hüpfte und quiekte. Mrs Anderson bedankte sich bei Bessie für ihre Hilfe und wünschte ihr eine gute Nacht.

Der Gang zu den Wohnheimen auf der anderen Seite der Stadt war nicht weit. Es gab Abkürzungen, aber Bessie ließ abends gern das lebhafte Treiben der Main Street auf sich wirken und mischte sich unter die Stadtbewohner, weiße wie farbige. Sie schlenderte an der Reihe der Geschäfte entlang und versäumte niemals, vor den großen Glasfenstern zu verweilen. Die Schneiderei mit ihren gerüschten, bunten Kreationen, drapiert über Draht, der zu Reifen gebogen war, die übervollen Kaufhäuser mit ihrem Wunderland der Waren, die konkurrierenden Gemischtwarenläden auf beiden Seiten der Main Street. Sie machte sich ein Vergnügen daraus, die neuesten Ergänzungen der Auslagen zu entdecken. Die Fülle verblüffte sie immer noch. Am eindrucksvollsten von allem war das Griffin Building.

Mit seinen zwölf Stockwerken war es eines der höchsten Gebäude im Land und überragte mit Sicherheit jedes Bauwerk im Süden. Der Stolz der Stadt. Die Bank beherrschte das Erdgeschoss mit seiner gewölbten Decke und dem Marmor aus Tennessee. Bessie hatte dort nichts verloren, dennoch waren die Etagen darüber ihr nicht fremd. Vergangene Woche hatte sie mit den Kindern deren Vater an seinem Geburtstag besucht und das Klacken ihrer Schritte in der schönen Eingangshalle zu hören bekommen. Der Fahrstuhl, der einzige auf Hunderte von Meilen, beförderte sie in den siebten Stock. Maisie und Raymond beeindruckte die Anlage nicht, denn sie waren schon oft hier gewesen, aber Bessie entzückte und erschreckte deren Zauber jedes Mal, und sie hielt sich für den Fall einer Katastrophe am Messinggeländer fest.

Sie passierten Etagen mit Versicherungen, Regierungsbüros und Exportfirmen. Leerstände gab es kaum; eine Adresse im Griffin war ein großer Segen für den Ruf eines Geschäfts. Mr Andersons Etage bestand aus einem Gewirr von Anwaltsbüros mit üppigen Teppichen, Wänden aus dunklem Holz und Türen mit Mattglasscheiben. Mr Anderson selbst hatte mit Verträgen, vorwiegend im Baumwollhandel, zu tun. Er war sehr überrascht, seine Familie zu sehen. Er freute sich durchaus über den kleinen Kuchen seiner Kinder, machte jedoch deutlich, dass ihm daran gelegen war, wieder zu seinen Papieren zurückzukommen. Einen Moment lang fragte sich Bessie, ob ihr Schelte drohte, aber es kam keine. Mrs Anderson hatte auf dem Ausflug bestanden. Mr Andersons Sekretärin hielt die Tür auf, und Bessie scheuchte die Kinder hinaus zum Konditor.

An diesem Abend kam Bessie an den glänzenden Messingtüren der Bank vorbei und setzte ihren Nachhauseweg fort. Jeden Abend diente ihr das bemerkenswerte Gebäude als Denkmal der grundlegenden Veränderung ihrer Lebensumstände. Sie ging als freie Frau den Bürgersteig entlang. Niemand verfolgte oder misshandelte sie. Einige aus Mrs Andersons Bekanntenkreis, die Bessie als ihr Dienstmädchen erkannten, lächelten manchmal sogar.

Bessie wechselte die Straßenseite, um den Wirrwarr der Saloons und deren anrüchige Kundschaft zu meiden. Sie verkniff es sich, unter den Betrunkenen nach Sams Gesicht zu suchen. Um die Ecke lagen die bescheideneren Unterkünfte der weniger begüterten weißen Einwohner. Sie beschleunigte ihre Schritte. Hier standen ein graues Haus, dessen Besitzer sich nicht darum scherten, wenn ihr Hund sich wild gebärdete, und eine Reihe von Cottages, wo die Frauen mit steinerner

Miene aus den Fenstern starrten. Von den weißen Männern in diesem Teil der Stadt waren viele als Vor- oder Hilfsarbeiter in den größeren Fabriken angestellt. Dort beschäftigte man in aller Regel keine Farbigen, deshalb wusste Bessie nur wenig über ihren Alltag.

Bald darauf kam sie bei den Wohnheimen an. Die zweistöckigen roten Ziegelsteingebäude waren erst kurz vor Bessies Eintreffen fertiggestellt worden. Im Lauf der Zeit würden die Bäumchen und Hecken am Grundstücksrand Schatten und Charakter bieten; einstweilen sprachen sie von guten Absichten. Die Ziegel waren von reiner und unbefleckter Farbe und wiesen nicht den kleinsten Schlammspritzer vom Regen auf. Nicht einmal eine Raupe krabbelte in irgendeinem Winkel. Drinnen roch die weiße Tünche in den Gemeinschafts-, Ess- und Schlafräumen immer noch frisch. Bessie war nicht die Einzige, die sich davor fürchtete, irgendetwas außer den Türklinken anzufassen. Auch nur einen Fleck oder Kratzer zu hinterlassen.

Bessie begrüßte die anderen Bewohnerinnen, die auf dem Bürgersteig an ihr vorbeigingen. Die meisten kamen von der Arbeit. Andere waren am Gehen, um auf Kinder aufzupassen, damit deren Eltern den angenehmen Abend genießen konnten. Nur die Hälfte der farbigen Bewohner arbeitete samstags, deshalb herrschte freitagabends viel Betrieb.

Sie erreichte Nummer 18. Sie sagte hallo zu den Mädchen, die sich im Gemeinschaftsraum die Haare flochten, und flitzte nach oben, um sich vor dem Essen umzuziehen. Bei ihrer Ankunft in der Stadt waren die achtzig Betten im Schlafsaal größtenteils belegt gewesen. Einen Tag früher hätte sie vielleicht in einem Bett an einem der Fenster schlafen können. Es würde einige Zeit dauern, bis jemand wegzog und sie auf einen besseren Platz wechseln konnte. Bessie mochte den von den Fenstern gespendeten Lufthauch. Wenn sie sich in die andere Richtung drehte, würde sie in manchen Nächten vielleicht sogar Sterne sehen.

Sie öffnete die Truhe am Fußende des Bettes und nahm das blaue

Kleid heraus, das sie sich in ihrer zweiten Woche in South Carolina gekauft hatte. Sie strich es an ihren Beinen glatt. Die weiche Baumwolle auf ihrer Haut begeisterte sie immer noch. Sie knüllte ihre Arbeitskleidung zusammen und stopfte sie in den Sack unter ihrem Bett. In letzter Zeit wusch sie ihre Wäsche samstagnachmittags, nach ihren Unterrichtsstunden. Mit der Arbeit machte sie wieder gut, dass sie ausschlief, ein Luxus, den sie sich an diesen Vormittagen gestattete.

Das Abendessen bestand aus Brathähnchen mit Karotten und Kartoffeln. Margaret, die Köchin, wohnte drüben in Nummer 8. Die Betreuer, Proktoren genannt, hielten es für klug, dass die Leute, die in den Wohnheimen saubermachten und kochten, dies nicht in den Gebäuden taten, in denen sie wohnten. Das war ein kleiner, aber sinnvoller Gedanke. Margaret salzte gern kräftig, obwohl ihr Fleisch und ihr Geflügel außergewöhnlich zart waren. Bessie stippte das Fett mit einem Stück Brot auf, während sie den Gesprächen über abendliche Pläne lauschte. Die meisten Mädchen blieben an dem Abend vor dem Beisammensein zu Hause, aber einige von den jüngeren gingen in den Saloon für Farbige, der kürzlich eröffnet hatte. Obwohl es eigentlich nicht vorgesehen war, konnte man dort mit Kassenscheinen bezahlen. Noch ein Grund, den Ort zu meiden, dachte Bessie. Sie brachte ihr Geschirr in die Küche und machte sich wieder auf den Weg nach oben.

»Bessie?«

»Guten Abend, Miss Lucy«, sagte Bessie.

Es kam selten vor, dass Miss Lucy freitags so lange blieb. Die meisten Proktoren verschwanden um sechs Uhr. Nach allem, was man von den Mädchen aus anderen Wohnheimen hörte, beschämte Miss Lucys Fleiß ihre Kolleginnen. Bessie allerdings hatte schon oft von ihrem Rat profitiert. Sie bewunderte, wie frisch Miss Lucys Kleider immer aussahen und wie gut sie saßen. Miss Lucy trug ihr Haar in einem Dutt, und der dünne Metallrahmen ihrer Brille verlieh ihr etwas Strenges, doch ihr rasches Lächeln erzählte die Geschichte der Frau dahinter.

»Wie geht es?«, fragte Miss Lucy.

»Ich glaub, ich mach mir 'n ruhigen Abend im Quartier, Miss Lucy«, sagte Bessie.

»*Wohnheim*, Bessie. Nicht *Quartier*.«

»Ja, Miss Lucy.«

»*Mache mir einen*, nicht *mach mir 'n*.«

»Ich bemühe mich.«

»Und du machst ausgezeichnete Fortschritte!« Miss Lucy tätschelte Bessies Arm. »Ich möchte dich Montagmorgen gern sprechen, bevor du zur Arbeit gehst.«

»Stimmt irgendwas nicht, Miss Lucy?«

»Nein, alles bestens, Bessie. Wir unterhalten uns dann.« Sie verbeugte sich leicht und ging zum Büro.

Verbeugte sich vor einem farbigen Mädchen.

Bessie Carpenter lautete der Name auf den Papieren, die Sam ihr an der Station gab. Monate später wusste Cora immer noch nicht, wie sie die Fahrt aus Georgia überlebt hatte. Die Dunkelheit des Tunnels verwandelte den Waggon rasch in ein Grab. Das einzige Licht kam aus dem Führerhaus und drang zwischen den Latten auf der Vorderseite des baufälligen Wagens hindurch. An einer Stelle wackelte er so sehr, dass Cora die Arme um Caesar legte und die beiden, gegen das Heu gepresst, eine ganze Weile so verharrten und einander drückten, wenn heftigere Erschütterungen auftraten. Es fühlte sich gut an, ihn festzuhalten, den warmen Druck seiner sich hebenden und senkenden Brust zu erwarten.

Dann bremste die Lokomotive ab. Caesar sprang auf. Sie konnten es kaum glauben, obwohl ihre Begeisterung gedämpft war. Jedes Mal, wenn sie eine Etappe ihrer Reise hinter sich gebracht hatten, begann der nächste unerwartete Teil. Die Scheune mit den Fesseln, das Loch im Boden, dieser heruntergekommene Güterwagen – die Strecke der Underground Railroad verlief in Richtung des Bizarren. Cora erzählte Caesar, sie habe beim Anblick der Ketten befürchtet, Fletcher habe von

Anfang an mit Terrance unter einer Decke gesteckt und sie in eine Schreckenskammer geschafft. Ihr Plan, ihre Flucht und Ankunft seien Teil einer ausgeklügelten Inszenierung.

Die Station glich ihrem Abfahrtsort. Statt einer Bank standen auf dem Bahnsteig ein Tisch und Stühle. An der Wand hingen zwei Laternen, und neben den Stühlen stand ein kleiner Korb.

Der Lokomotivführer ließ sie aus dem Waggon heraus. Er war ein großer Mann mit einem Kranz weißer Haare und der gebeugten Haltung, die von jahrelanger Feldarbeit herrührte. Er wischte sich Schweiß und Ruß vom Gesicht und wollte gerade etwas sagen, als ein heftiger Husten ihn durchschüttelte. Nach ein paar Schlucken aus seiner Taschenflasche gewann er die Fassung wieder.

Er schnitt ihre Dankesworte ab. »Das ist mein Job«, sagte er. »Den Kessel heizen, dafür sorgen, dass sie läuft. Die Passagiere dahin bringen, wo sie hinmüssen.« Er ging zu seinem Führerhaus. »Ihr wartet hier, bis sie euch holen kommen.« Nur Augenblicke später war der Zug in einem Wirbel von Dampf und Lärm verschwunden.

Der Korb enthielt Lebensmittel: Brot, ein halbes Hähnchen, Wasser und eine Flasche Bier. Sie hatten solchen Hunger, dass sie noch die Krumen aus dem Korb herausschüttelten und aufteilten. Cora nahm sogar einen Schluck von dem Bier. Als sie Schritte auf der Treppe hörten, machten sie sich auf den neuesten Vertreter der Underground Railroad gefasst.

Sam war ein weißer Mann von fünfundzwanzig Jahren, der nichts von den wunderlichen Manieriertheiten seiner Kollegen zur Schau trug. Er war von kräftiger Gestalt und fröhlich, trug hellbraune Hosen mit Hosenträgern und ein dickes rotes Hemd, das am Waschbrett schwer gelitten hatte. Sein Schnurrbart war an den Enden aufgezwirbelt und wippte vor Begeisterung. Er schüttelte ihnen die Hand und musterte sie ungläubig. »Ihr habt es geschafft«, sagte er. »Ihr seid wirklich hier.«

Er hatte noch mehr Essen mitgebracht. Sie setzten sich an den wackeligen Tisch, und Sam beschrieb die Welt an der Oberfläche. »Ihr seid weit weg von Georgia«, sagte er. »South Carolina hat eine sehr viel aufgeklärtere Einstellung zum Aufstieg der Farbigen als der Rest des Südens. Hier werdet ihr sicher sein, bis wir die nächste Etappe eurer Reise organisieren können. Das kann dauern.«

»Wie lange?«, fragte Caesar.

»Das lässt sich nicht sagen. Es gibt so viele, die befördert werden, immer nur von einer Station zur nächsten. Es ist schwierig, Nachrichten durchzukriegen. Die Railroad ist Gottes Werk, aber ihr Betrieb ist zum Verrücktwerden.« Er sah zu, wie sie mit offensichtlichem Vergnügen das Essen hinunterschlangen. »Wer weiß?«, sagte er. »Vielleicht beschließt ihr ja auch zu bleiben. Wie gesagt, South Carolina ist mit nichts zu vergleichen, was ihr je gesehen habt.«

Er ging nach oben und kam mit Kleidungsstücken und einem kleinen Wasserfass wieder. »Ihr müsst euch waschen«, sagte er. »Ich meine das nicht böse.« Er setzte sich auf die Treppe, damit sie ungestört waren. Caesar forderte Cora auf, sich zuerst zu waschen, und setzte sich zu Sam. Ihre Nacktheit war ihm nicht neu, aber sie wusste die Geste zu schätzen. Cora fing mit ihrem Gesicht an. Sie war schmutzig, sie roch, und als sie den Lappen auswrang, rann dunkles Wasser heraus. Die neuen Kleider waren nicht aus grobem Negertuch, sondern aus einer Baumwolle, die so weich war, dass sich ihr Körper sauber anfühlte, als hätte sie sich tatsächlich mit Seife geschrubbt. Das Kleid war schlicht, hellblau, von einfachem Schnitt, mit nichts zu vergleichen, was sie je zuvor getragen hatte. Die Baumwolle kam anders aus der Fabrik als hinein.

Als Caesar mit Waschen fertig war, gab Sam ihnen ihre Papiere.

»Die Namen sind falsch«, sagte Caesar.

»Ihr seid Entlaufene«, sagte Sam. »So heißt ihr jetzt. Ihr müsst die Namen und die Geschichte auswendig lernen.«

Mehr als Entlaufene – vielleicht Mörder. Cora hatte nicht mehr an den Jungen gedacht, seit sie unter die Erde gegangen waren. Caesars

Augen wurden schmal, während er die gleiche Überlegung anstellte. Sie beschloss, Sam von dem Kampf im Wald zu erzählen.

Der Stationsvorsteher fällte keine Urteile und schien von Loveys Schicksal aufrichtig bekümmert. »Davon hatte ich nichts gehört. Im Gegensatz zu manchen anderen Orten erreichen uns solche Nachrichten nicht. Vielleicht hat sich der Junge ja erholt, was weiß ich, aber das ändert nichts an eurer Lage. Umso besser, dass ihr neue Namen habt.«

»Hier steht, wir sind Eigentum der Regierung der Vereinigten Staaten«, gab Caesar zu bedenken.

»Das ist eine bloße Formalität«, sagte Sam. Weiße Familien packten ihre Siebensachen und strömten nach South Carolina, um ihr Glück zu machen, laut den Gazetten von so weit her wie New York. Das Gleiche galt für freigelassene Männer und Frauen, in einer Wanderbewegung, wie sie das Land noch nie erlebt hatte. Ein Teil der Farbigen waren entlaufene Sklaven, obwohl man aus naheliegenden Gründen nicht sagen konnte, wie viele. Die meisten Farbigen im Staat seien von der Regierung gekauft worden. In einigen Fällen vom Auktionspodest gerettet oder bei Haushaltsauflösungen erstanden. Agenten beobachteten die großen Auktionen. Die Mehrheit wurde von Weißen erworben, die der Landwirtschaft den Rücken gekehrt hatten. Das Landleben war nichts für sie, auch wenn sie auf der Plantage groß geworden waren und diese ihr Familienerbe darstellte. Eine neue Ära war angebrochen. Die Regierung bot sehr großzügige Bedingungen und Anreize für einen Umzug in die großen Städte, Hypotheken und Steuererleichterungen.

»Und die Sklaven?«, fragte Cora. Sie verstand das Gerede von Geld nicht, aber dass Menschen als Eigentum verkauft wurden, begriff sie, wenn sie davon reden hörte.

»Sie bekommen Essen, Arbeitsstellen und Unterkunft. Können nach Belieben kommen und gehen, heiraten, wen sie wollen, und Kinder aufziehen, die ihnen niemals weggenommen werden. Und zwar gute Arbeitsstellen, keine Sklavenarbeit. Aber das werdet ihr ja bald selbst sehen.« Irgendwo in einer Akte in einem Kasten gebe es eine Kaufurkunde, soweit er wisse, aber das sei auch schon alles. Nichts, was gegen sie verwendet werde. Eine Vertraute im Griffin Building habe diese Papiere für sie gefälscht.

»Seid ihr so weit?«, fragte Sam.

Caesar und Cora sahen einander an. Dann streckte er ihr wie ein Gentleman die Hand entgegen. »Meine Dame?«

Sie konnte sich ein Lächeln nicht verkneifen, und gemeinsam traten sie ins Tageslicht.

Die Regierung hatte Bessie Carpenter und Christian Markson bei einem Konkursverfahren in North Carolina gekauft. Sam half ihnen, sich ihre Geschichte einzuprägen, während sie zur Stadt gingen. Er wohnte zwei Meilen außerhalb, in einem Cottage, das sein Großvater gebaut hatte. Seine Eltern hatten den Kochgeschirrladen in der Main Street betrieben, aber Sam schlug nach ihrem Tod einen anderen Weg ein. Er verkaufte das Geschäft an einen der vielen Zugezogenen, die nach South Carolina gekommen waren, um einen Neuanfang zu wagen, und arbeitete inzwischen in einem der Saloons, dem Drift. Ein Freund von ihm war der Besitzer des Lokals, und die Atmosphäre entsprach seiner Persönlichkeit. Sam besah sich das Spektakel des Menschentiers gern aus der Nähe, und dass er Einsichten in die Mechanismen der Stadt gewann, sobald der Alkohol die Zungen löste, gefiel ihm ebenfalls. Er bestimmte seine Arbeitszeiten selbst, was für sein anderes Unternehmen von Vorteil war. Genau wie bei Lumbly verbarg sich die Station unter seiner Scheune.

Am Stadtrand gab Sam ihnen eine genaue Wegbeschreibung zur Vermittlungsstelle. »Und wenn ihr euch verlauft, haltet ihr einfach darauf zu« – er deutete auf das in den Himmel ragende Wunder – »und biegt nach rechts ab, wenn ihr zur Main Street kommt.« Er werde sich mit ihnen in Verbindung setzen, sobald er mehr Informationen habe.

Immer noch ungläubig gingen Caesar und Cora die staubige Straße entlang in die Stadt. Eine Kutsche kam um die Biegung, und die beiden hätten beinahe Deckung im Wald gesucht. Der Kutscher war ein farbiger Junge, der sich keck an die Mütze tippte. Nonchalant, als ob es nichts wäre. In so jungen Jahren schon so eine Haltung an den Tag zu legen! Als er außer Sicht war, mussten sie über ihr albernes Verhalten lachen. Cora straffte den Rücken und hielt den Kopf gerade. Sie würden lernen müssen, wie Freie zu gehen.

In den folgenden Monaten meisterte Cora die Körperhaltung. Das Alphabet und ihre Sprechweise erforderten mehr Aufmerksamkeit. Nach ihrem Gespräch mit Miss Lucy nahm sie ihre Fibel aus der Truhe. Während die anderen Mädchen tratschten und eines nach dem anderen gute Nacht sagten, übte Cora das Alphabet. Wenn sie das nächste Mal für die Lebensmittel der Andersons unterschrieb, würde sie in sorgfältigen Druckbuchstaben *Bessie* schreiben. Sie blies die Kerze aus, als sie einen Krampf in der Hand bekam.

Es war das weichste Bett, in dem sie je gelegen hatte. Aber es war auch das einzige Bett, in dem sie je gelegen hatte.

Miss Handler musste im Schoß von Heiligen groß geworden sein. Obwohl der alte Mann nicht einmal die elementarsten Grundlagen des Schreibens und Sprechens beherrschte, blieb die Lehrerin stets höflich und nachsichtig. Die ganze Klasse – samstagmorgens war das Schulhaus voll – bewegte sich unruhig in den Bänken, während der Alte stammelte und sich an den Übungsaufgaben verschluckte. Die zwei Mädchen vor Cora sahen einander mit verdrehten Augen an und kicherten über sein Gestümper.

Cora teilte die Verzweiflung der Klasse. Unter normalen Umständen war es fast unmöglich, Howards Sprechweise zu verstehen. Er bevorzugte ein Pidgin, das aus seiner verlorenen afrikanischen Sprache und dem Sklavenidiom bestand. Früher, hatte ihre Mutter ihr erzählt, war diese Halbsprache die Stimme der Plantage gewesen. Sie waren aus Dörfern überall in Afrika geraubt worden und sprachen eine Vielzahl von Sprachen. Mit der Zeit hatte man die Worte aus Übersee aus ihnen herausgeprügelt. Zwecks Vereinfachung, um ihre Identität auszulöschen, um Aufstände zu ersticken. Sämtliche Worte außer denen, die jene bewahrt hatten, die sich noch daran erinnerten, wer sie zuvor gewesen waren. »Sie halten sie versteckt wie kostbares Gold«, hatte Mabel gesagt.

Aber die Zeiten ihrer Mutter und ihrer Großmutter waren vorbei. Howards Versuche, »Ich bin« zu sagen, nahmen kostbare Unterrichtszeit in Anspruch, die nach der Arbeitswoche ohnehin schon zu kurz war. Cora war zum Lernen hierhergekommen.

Ein Windstoß ließ die Fensterläden an den Angeln ächzen. Miss

Handler legte die Kreide hin. »In North Carolina«, sagte sie, »ist das, was wir hier tun, ein Verbrechen. Ich müsste hundert Dollar Strafe bezahlen, und ihr bekämt neununddreißig Peitschenhiebe. Das ist das, was das Gesetz vorsieht. Euer Herr würde euch wahrscheinlich noch strenger bestrafen.« Sie fing Coras Blick auf. Die Lehrerin war nur ein paar Jahre älter als sie, aber in ihrer Gegenwart kam sich Cora wie ein unwissendes kleines Kind vor. »Bei null zu beginnen ist schwer. Noch vor wenigen Wochen waren einige von euch da, wo Howard jetzt ist. Es braucht Zeit. Und Geduld.«

Sie beendete die Stunde. Beschämt raffte Cora hastig ihre Sachen an sich, wollte als Erste zur Tür hinaus. Howard wischte sich mit dem Ärmel die Tränen ab.

Das Schulhaus lag südlich der Reihe von Mädchenwohnheimen. Wie Cora feststellte, wurde es außerdem für Zusammenkünfte benutzt, die eine ernsthaftere Atmosphäre verlangten, als sie in den Gemeinschaftsräumen herrschte, wie etwa die Veranstaltungen über Hygiene und Frauenangelegenheiten. Von dem Gebäude bot sich ein Ausblick auf das Grün, den Park für die farbige Bevölkerung. Heute Abend spielte im Pavillon eine der Kapellen aus dem Männerwohnheim für das Beisammensein.

Sie verdienten Miss Handlers Schelte. South Carolina vertrat eine andere Einstellung zum Aufstieg von Farbigen, wie Sam auf dem Bahnsteig zu ihr gesagt hatte. Im Lauf der Monate hatte Cora diesen Umstand auf vielfältige Weise ausgekostet, doch mit am gehaltvollsten war das Unterrichtsangebot für Farbige. Connelly hatte einmal einem Sklaven die Augen ausgestochen, weil dieser geschriebene Wörter betrachtet hatte. Der Aufseher hatte Jacob als Arbeitskraft verloren, hätte ihn allerdings auch einer weniger drastischen Strafe unterworfen, wenn der Mann tüchtiger gewesen wäre. Er gewann dafür die ewige Angst eines jeden Sklaven, der das Bedürfnis hatte, das Alphabet zu lernen.

Braucht keine Augen, um Mais zu schälen, hatte Connelly ihnen gesagt. Oder um sich zu Tode zu hungern, wie Jacob es bald darauf getan hatte.

Sie ließ die Plantage hinter sich. Sie lebte dort nicht mehr.

Eine Seite rutschte aus ihrer Fibel, und sie lief ihr auf den Rasen nach. Das Buch fiel auseinander, vom Gebrauch durch sie und frühere Besitzer. Cora hatte gesehen, wie kleine Kinder, teils jünger als Maisie, die gleiche Fibel für ihren Unterricht verwendeten. Neue Exemplare mit unversehrtem Rücken. Diejenigen vom Schulhaus für Farbige waren zerlesen, und sie musste ihre Buchstaben über und zwischen das Gekritzel anderer Leute quetschen, aber das bloße Ansehen zog keine Auspeitschung nach sich.

Ihre Mutter wäre stolz auf sie. Genauso stolz wie Loveys Mutter wahrscheinlich auf ihre Tochter, weil diese für anderthalb Tage geflohen war. Cora legte die Seite in das Buch zurück. Wieder schob sie den Gedanken an die Plantage von sich. Allmählich gelang ihr das besser. Aber ihr Verstand war hinterhältig, tückisch. Gedanken, die sie nicht mochte, schlichen sich von den Seiten her ein, von unten, durch die Ritzen, von Stellen, die sie eingekapselt hatte.

An ihre Mutter, zum Beispiel. In ihrer dritten Woche im Wohnheim klopfte sie an die Tür von Miss Lucys Büro. Falls die Regierung Aufzeichnungen über die farbigen Ankömmlinge führte, fände sich unter den vielen Namen vielleicht auch der ihrer Mutter. Mabels Leben nach ihrer Flucht war ein Rätsel. Möglicherweise gehörte sie zu den Freien, die die sich bietende Gelegenheit genutzt und nach South Carolina gekommen waren.

Miss Lucy arbeitete in einem Zimmer, das auf demselben Flur lag wie der Gemeinschaftsraum von Nummer 18. Cora traute ihr nicht, dennoch stand sie hier. Miss Lucy bat sie herein. Das Büro war beengt, voller Aktenschränke, zwischen denen sich die Proktorin hindurchquetschen musste, um an ihren Schreibtisch zu gelangen, aber sie hatte es mit Mustertüchern an den Wänden verschönert, die Szenen aus dem bäuerlichen Leben wiedergaben.

Sie betrachtete Cora über ihre Brille hinweg. »Wie heißt sie?«

»Mabel Randall.«

»Du heißt Carpenter«, sagte Miss Lucy.

»Das ist der Name von mei'm Daddy. Meine Mutter, die's 'ne Randall.«

»*Von meinem*«, sagte Miss Lucy. »*Sie ist eine.*«

Sie bückte sich vor einem der Aktenschränke, ließ die Finger über die blau eingefärbten Papiere gleiten und warf ab und zu einen Blick in Coras Richtung. Sie hatte erwähnt, dass sie zusammen mit einer Gruppe von Proktoren in einer Pension in der Nähe des Platzes wohnte. Cora versuchte sich vorzustellen, was die Frau tat, wenn sie nicht das Wohnheim verwaltete, wie sie ihre Sonntage verbrachte. Hatte sie einen jungen Gentleman, der sie ausführte? Wie beschäftigte sich eine alleinstehende weiße Frau in South Carolina? Cora wurde allmählich mutiger, wagte sich aber noch immer nicht weit von den Wohnheimen weg, wenn sie sich nicht um die Andersons kümmerte. In jenen Anfangstagen nach dem Tunnel erschien ihr das klug.

Miss Lucy trat an einen anderen Aktenschrank und zog eine Reihe von Schubladen auf, ohne jedoch fündig zu werden. »Diese Aufzeichnungen betreffen nur diejenigen, die hier in unseren Wohnheimen leben«, sagte sie. »Aber wir haben überall im Staat Einrichtungen.« Sie schrieb den Namen von Coras Mutter auf und versprach, im Hauptarchiv im Griffin Building nachzusehen. Zum zweiten Mal erinnerte sie Cora an den Lese- und Schreibunterricht, der freiwillig war, getreu dem Ziel der Förderung von Farbigen jedoch empfohlen wurde, besonders für Begabte. Dann machte sich Miss Lucy wieder an ihre Arbeit.

Es war ein verrückter Einfall gewesen. Sobald Mabel geflohen war, dachte Cora so wenig wie möglich an sie. Nach ihrer Ankunft in South Carolina wurde ihr klar, dass sie ihre Mutter nicht aus Traurigkeit, sondern aus Zorn verbannt hatte. Sie hasste sie. Nachdem sie selbst vom Geschenk der Freiheit gekostet hatte, war ihr unverständlich, wie Mabel sie jener Hölle hatte überlassen können. Ein Kind. Ihr Beisein hätte die Flucht schwieriger gemacht, aber Cora war kein Baby mehr gewesen. Wenn sie Baumwolle pflücken konnte, konnte sie auch laufen. Sie wäre, nach unsäglichen Brutalitäten, an jenem Ort gestorben, wenn Caesar nicht gekommen wäre. Im Zug, im endlosen Tunnel, hatte sie ihn schließlich gefragt, warum er sie mitgenommen hatte. »Weil ich gewusst habe, dass du es schaffen kannst«, hatte Caesar gesagt.

Wie sie sie hasste. Die zahllosen Nächte, die sie oben auf dem elenden Dachboden verbracht, sich hin und her geworfen, die Frau neben ihr getreten und sich Möglichkeiten überlegt hatte, von der Plantage wegzukommen. Sich in eine Wagenladung Baumwolle schmuggeln und außerhalb von New Orleans auf die Straße springen. Einen Aufseher mit ihren Gefälligkeiten bestechen. Ihr Beil nehmen und durch den Sumpf laufen, wie es ihre Mutter getan hatte. Im Morgenlicht überzeugte sie sich dann, dass ihr Pläneschmieden ein Traum gewesen war. Das waren nicht ihre Gedanken, überhaupt nicht. Denn mit ihnen im Kopf herumzulaufen und nichts zu unternehmen hieß zu sterben.

Sie wusste nicht, wohin ihre Mutter geflohen war. Mabel hatte ihre Freiheit nicht genutzt, um Geld zu sparen, damit sie ihre Tochter aus der Sklaverei freikaufen konnte, so viel stand fest. Randall hätte es ohnehin nicht zugelassen, aber trotzdem. Miss Lucy fand den Namen von Coras Mutter nicht in ihren Akten. Wenn sie ihn gefunden hätte, wäre Cora vor Mabel hingetreten und hätte sie zu Boden geschlagen.

»Bessie – alles in Ordnung mit dir?«

Das war Abigail aus Nummer 6, die gelegentlich zum Abendessen vorbeikam. Sie hatte ein freundschaftliches Verhältnis zu den Mädchen, die in der Montgomery Street arbeiteten. Cora hatte mitten auf dem Rasen gestanden und ins Leere gestarrt. Sie sagte zu Abigail, dass alles bestens sei, und ging ins Wohnheim zurück, um ihre Hausarbeiten zu erledigen. Sie musste ihre Gedanken besser unter Kontrolle halten.

Zwar verrutschte Coras eigene Maske gelegentlich, aber sie erwies sich als sehr versiert darin, die Tarnung von Bessie Carpenter, bis vor kurzem in North Carolina, aufrechtzuerhalten. Sie hatte sich auf Miss Lucys Frage nach dem Nachnamen ihrer Mutter vorbereitet, genau wie auf andere Verläufe, die die Unterhaltung hätte nehmen können. Das Gespräch in der Vermittlungsstelle an jenem ersten Tag war nach ein paar kurzen Fragen zu Ende gewesen. Die Neuankömmlinge hatten entweder im Haus oder auf dem Feld geschuftet. So oder so, die meisten Stellenangebote gab es für Hausarbeit. Die Familien wurden aufgefordert, mit unerfahrenem Personal Nachsicht zu üben.

Die Untersuchung des Arztes machte ihr Angst, aber nicht wegen der Fragen. Die schimmernden Stahlinstrumente im Sprechzimmer sahen aus wie Werkzeuge, die Terrance Randall zu unheimlichen Zwecken beim Schmied hätte bestellen haben können.

Die Arztpraxis lag im neunten Stock des Griffin. Cora überlebte den Schock ihrer ersten Fahrstuhlfahrt und trat in einen langen Flur mit Stühlen an den Wänden, alle von farbigen Männern und Frauen besetzt, die darauf warteten, untersucht zu werden. Nachdem eine Schwester in gestärkter weißer Tracht ihren Namen auf einer Liste abgehakt hatte, setzte sich Cora zur Gruppe der Frauen. Die nervösen Gespräche waren verständlich; für die meisten war das der erste Arztbesuch. Auf der Randall-Plantage wurde der Arzt nur gerufen, wenn die Sklaven-Heilmittel, die Wurzeln und Salben, nicht angeschlagen hatten und ein wertvoller Arbeiter dem Tode nahe war. Meistens gab es für den Arzt zu diesem Zeitpunkt nichts mehr zu tun, als sich über die schlammigen Straßen zu beschweren und sein Honorar zu kassieren.

Man rief ihren Namen auf. Das Fenster im Untersuchungszimmer gewährte ihr einen meilenweit reichenden Blick auf die Anlage der Stadt und das umliegende Grün. Dass Menschen so etwas gebaut hatten, einen Trittstein in den Himmel. Sie hätte den ganzen Tag hierbleiben und die Landschaft betrachten können, aber die Untersuchung schnitt ihre Träumerei ab. Dr. Campbell war ein tüchtiger Mensch, ein korpulenter Gentleman, der durchs Zimmer sauste, sein weißer Kittel flatterte wie ein Cape hinter ihm her. Er fragte nach ihrem allgemeinen Gesundheitszustand, während seine junge Gehilfin alles auf blauem Papier festhielt. Aus welchem Stamm kämen ihre Vorfahren, und was wisse sie über deren Konstitution? Sei sie je krank gewesen? In welchem Zustand sei ihr Herz, ihre Lunge? Ihr wurde bewusst, dass die Kopfschmerzen, unter denen sie seit Terrance' Schlägen gelitten hatte, nach ihrer Ankunft in South Carolina verschwunden waren.

Der Intelligenztest war kurz und bestand aus einem Spiel mit hölzernen Formen und einer Reihe illustrierter Denkaufgaben. Dr. Campbell besah sich ihre Hände. Sie waren weicher geworden, aber immer noch die einer Feldarbeiterin. Seine Finger fuhren den Narben von ihren Auspeitschungen nach. Er wagte eine Schätzung, was die Anzahl der Peitschenhiebe anging, und vertat sich um zwei. Mit seinen Instrumenten untersuchte er ihre Geschlechtsteile. Die Untersuchung war schmerzhaft, sie schämte sich deswegen, und die sachliche Haltung des Arztes trug nicht dazu bei, ihr Unbehagen zu lindern. Sie beantwortete seine Fragen zu der Vergewaltigung. Dr. Campbell wandte sich der Schwester zu, und sie schrieb seine Mutmaßungen darüber nieder, ob sie ein Kind bekommen konnte.

Auf einem Tablett neben ihm lag eine Sammlung imponierender Metallinstrumente. Er griff nach einem der furchterregendsten, einem dünnen, an einem Glaszylinder befestigten Stachel. »Wir werden etwas Blut abnehmen«, sagte er.

»Wozu?«

»Blut erzählt uns eine Menge«, sagte der Doktor. »Über Krankheiten. Wie sie sich ausbreiten. Die Erforschung des Blutes ist noch Neuland.« Die Schwester packte Coras Arm, und Dr. Campbell stach die Nadel ein. Das erklärte das Geheul, das sie draußen auf dem Flur gehört hatte. Sie leistete selbst einen Beitrag dazu. Dann war sie fertig. Im Flur waren nur noch Männer da. Sämtliche Stühle waren besetzt.

Das war ihr letzter Besuch im neunten Stockwerk des Gebäudes. Sobald das neue Krankenhaus eröffnete, erzählte Mrs Anderson ihr eines Tages, würden die staatlichen Ärzte mit ihren Praxen umziehen. Die Etage sei bereits wieder komplett vermietet, fügte Mr Anderson hinzu. Mrs Andersons Arzt hatte seine Praxis in der Main Street, über dem Optiker. Ein fähiger Mann, nach allem, was sie hörte. In den Monaten, die Cora nun schon für die Familie arbeitete, waren die schlechten Tage der Mutter deutlich weniger geworden. Die Anfälle, die Nachmittage, an denen sie sich bei zugezogenen Vorhängen in ihrem Zimmer einschloss, ihre strenge Art gegenüber den Kindern – das alles kam nicht mehr so häufig vor. Dass sie mehr Zeit außer Haus verbrachte, hatte zusammen mit den Pillen Wunder gewirkt.

Als Cora mit ihrer Samstagswäsche fertig war und zu Abend gegessen hatte, war es schon fast Zeit für das Beisammensein. Sie zog ihr neues blaues Kleid an. Es war das hübscheste im Warenhaus für Farbige. Wegen der erhöhten Preise kaufte sie dort so wenig wie möglich. Beim Einkaufen für Mrs Anderson hatte sie zu ihrem Entsetzen festgestellt, dass die Sachen in ihrem lokalen Geschäft zwei- bis dreimal so viel kosteten wie in den Läden für Weiße. Das Kleid hatte einen Wochenlohn verschlungen, und sie hatte mit Kassenscheinen bezahlen müssen. Meistens hatte sie sich mit ihren Ausgaben zurückgehalten. Geld war neu und launenhaft und ging, wohin es ihm beliebte. Einige von den Mädchen schuldeten bereits mehrere Monatslöhne und griffen mittlerweile für alles auf Kassenscheine zurück. Cora verstand auch, warum – nachdem die Stadt die Unkosten für Ernährung, Unterbringung und Verschiedenes wie etwa Instandhaltung der Wohnheime und Schulbücher abgezogen hatte, blieb wenig übrig. Am besten, man nahm den Kredit der Kassenscheine so wenig wie möglich in Anspruch. Das Kleid war eine einmalige Sache, versicherte sich Cora.

Die Mädchen im Schlafsaal waren ganz aus dem Häuschen über die abendliche Veranstaltung. Cora bildete keine Ausnahme. Sie legte letzte Hand an ihr Äußeres. Vielleicht war Caesar schon auf dem Grün.

Er saß auf einer der Bänke, die einen Blick auf den Pavillon und die Musiker boten. Er wusste, dass sie nicht tanzen würde. Von der anderen Seite des Grüns aus wirkte er älter als in seiner Zeit in Georgia. Sie erkannte seine Abendkleidung von den Stapeln im Warenhaus für Farbige, aber er trug sie mit mehr Selbstbewusstsein als andere Männer seines Alters, die von Plantagen stammten. Die Fabrikarbeit bekam ihm. Das galt natürlich auch für die anderen Faktoren ihrer verbesserten Lebensumstände. In der Woche seit ihrem letzten Wiedersehen hatte er sich einen Schnurrbart stehenlassen.

Dann sah sie die Blumen. Sie bewunderte den Strauß und bedankte sich dafür. Er machte ihr ein Kompliment über ihr Kleid. Einen Monat nachdem sie aus dem Tunnel gekommen waren, hatte er versucht, sie zu küssen. Sie hatte so getan, als wäre nichts geschehen, und er spielte das Spiel mit. Eines Tages würden sie sich damit beschäftigen. Vielleicht würde ja dann sie ihn küssen, sie wusste es nicht.

»Die kenne ich«, sagte Caesar. Er deutete auf die Kapelle, die gerade ihre Plätze einnahm. »Ich glaube, die sind vielleicht sogar besser als George und Wesley.«

Im Lauf der Monate achteten Cora und Caesar immer weniger darauf, Randall nicht zu erwähnen. Vieles von dem, was sie sagten, traf auf jeden früheren Sklaven zu, es spielte also keine Rolle, ob jemand ihre Unterhaltung zufällig mit anhörte. Eine Plantage war eine Plantage; man mochte seine Leiden für einmalig halten, aber der wahre Horror lag in ihrer Universalität. Jedenfalls würde die Musik ihr Gespräch über die Underground Railroad bald übertönen. Cora hoffte, die Musiker würden sie wegen ihrer Unaufmerksamkeit nicht für unhöflich halten. Das war unwahrscheinlich. Dass sie ihre Musik als freie Menschen und nicht als bewegliches Eigentum spielten, war vermutlich immer noch eine hochgeschätzte Neuheit. Die Melodie in Angriff zu nehmen, ohne dass sie die Last spürten, eine der wenigen Tröstungen ihres Sklavendorfs zu bieten. Ihre Kunst mit Freiheit und Freude zu praktizieren.

Die Proktoren organisierten diese Veranstaltungen, um gesunde Beziehungen zwischen farbigen Männern und Frauen zu fördern und um einige der Schäden zu beheben, die die Sklaverei ihrer Psyche zugefügt hatte. Nach ihren Überlegungen bildeten die Musik und der Tanz, das Essen und der Punsch, alles im flackernden Laternenlicht auf dem Grün dargeboten, ein Tonikum für die misshandelte Seele. Für Caesar und Cora war es eine der wenigen Gelegenheiten, einander auf dem Laufenden zu halten.

Caesar arbeitete in der Maschinenfabrik außerhalb der Stadt, und seine wechselnde Freizeit überschnitt sich kaum einmal mit ihrer. Er mochte die Arbeit. Wenn es die Auftragslage hergab, baute die Fabrik jede Woche eine andere Maschine zusammen. Die Männer reihten sich vor dem Förderband auf, und der Einzelne war dafür zuständig, das ihm zugewiesene Teil an die Form, die sich das Band entlangbewegte, anzubauen. Am Anfang des Bandes war nichts, ein Haufen wartender Bauelemente, und wenn der letzte Mann fertig war, lag das Ergebnis vor ihnen, ein Ganzes. Das fertige Produkt zu sehen, sagte Caesar, habe etwas unerwartet Erfüllendes, ganz im Gegensatz zur isolierten Schufterei auf der Randall-Plantage.

Die Arbeit war monoton, aber nicht anstrengend; die wechselnden Produkte wirkten der Langweile entgegen. Ausgedehnte Ruhepausen waren über die ganze Schicht verteilt, mit ihrer Anordnung folgte man einem Arbeitstheoretiker, den die Vorarbeiter und die Direktoren häufig zitierten. Die anderen Männer waren feine Kerle. Einige zeigten noch Spuren von Plantagenverhalten, waren eifrig darauf bedacht, vermeintliche Kränkungen wiedergutzumachen, und benahmen sich, als lebten sie immer noch unter dem Joch einer reduzierten Existenz. Doch bestärkt von den Möglichkeiten ihres neuen Lebens, ging es diesen Männern mit jeder Woche besser.

Die ehemaligen Flüchtigen tauschten Neuigkeiten. Maisie hatte einen Zahn verloren. In dieser Woche stellte die Fabrik Lokomotivenantriebe her – Caesar fragte sich, ob sie eines Tages von der Underground

Railroad verwendet werden würden. Die Preise im Warenhaus waren schon wieder gestiegen, bemerkte er. Das war für Cora nichts Neues.

»Wie geht es Sam?«, fragte Cora. Für Caesar war es einfacher, sich mit dem Stationsvorsteher zu treffen.

»In seiner üblichen Stimmung – fröhlich, ohne dass man einen Grund dafür nennen könnte. Einer von den Rüpeln in der Kneipe hat ihm ein blaues Auge verpasst. Er ist stolz darauf. Sagt, er hätte schon immer eins haben wollen.«

»Und der andere?«

Er verschränkte die Hände auf den Oberschenkeln. »In ein paar Tagen geht wieder ein Zug. Wenn wir ihn nehmen wollen.« Den zweiten Satz sagte er, als kenne er ihre Haltung bereits.

»Vielleicht den nächsten.«

»Ja, vielleicht den nächsten.«

Seit der Ankunft der beiden waren drei Züge durchgekommen. Beim ersten Mal hatten sie stundenlang darüber gesprochen, ob es klüger war, den finsteren Süden sofort zu verlassen oder abzuwarten, was South Carolina sonst noch zu bieten hatte. Zu dieser Zeit hatten sie bereits ein paar Pfund zugenommen, ein paar Löhne bekommen und begonnen, den täglichen Stachel der Plantage zu vergessen. Es war eine echte Auseinandersetzung gewesen, wobei Cora für den Zug warb und Caesar sich für die Möglichkeiten vor Ort aussprach. Sam war keine Hilfe – er liebte seinen Geburtsort und war ein Befürworter von South Carolinas Entwicklung in der Rassenfrage. Er wusste nicht, was bei dem Experiment herauskommen würde, und entstammte einer langen Linie von Aufrührern, die der Regierung misstrauten, aber er war voller Hoffnung. Sie blieben. Vielleicht den nächsten.

Der nächste kam und ging mit kürzerer Diskussion. Cora hatte gerade ein köstliches Essen in ihrem Wohnheim verspeist. Caesar hatte sich ein neues Hemd gekauft. Der Gedanke, wieder auf der Flucht zu sein und zu hungern, war so wenig verlockend wie die Aussicht, die Dinge zurückzulassen, die sie von ihrer Hände Arbeit gekauft hatten.

Der dritte Zug kam und ging, und das würde nun auch für diesen vierten gelten.

»Vielleicht sollten wir endgültig hierbleiben«, sagte Cora.

Caesar blieb stumm. Es war eine wunderschöne Nacht. Wie er versprochen hatte, waren die Musiker sehr begabt und spielten die Rags, die schon bei früheren Veranstaltungen allen Vergnügen gemacht hatten. Der Fiddler kam von dieser oder jener Plantage, der Banjospieler aus einem anderen Staat: Jeden Tag tauschten die Musiker in den Wohnheimen die Melodien ihrer Regionen, und das Repertoire wuchs. Die Zuhörer trugen Tänze von ihren jeweiligen Plantagen bei und ahmten einander im Rund nach. Der leichte Wind kühlte sie ab, wenn sie ausscherten, um sich auszuruhen und zu flirten. Dann begannen sie erneut, lachend und händeklatschend.

»Vielleicht sollten wir bleiben«, sagte Caesar. Es war entschieden.

Die Veranstaltung endete um Mitternacht. Die Musiker ließen einen Hut herumgehen, aber die meisten Leute waren samstagabends tief verschuldet, deshalb blieb er leer. Cora sagte Caesar gute Nacht und war auf dem Nachhauseweg, als sie Zeugin eines Vorfalls wurde.

Die Frau rannte durch das Grün in der Nähe des Schulhauses. Sie war Mitte zwanzig, von schlanker Gestalt, mit wild zerzaustem Haar. Ihre Bluse klaffte bis zum Nabel auf und zeigte ihre entblößten Brüste. Einen Moment lang fühlte sich Cora auf die Randall-Plantage zurückversetzt, im Begriff, von einem weiteren Gräuel zu erfahren.

Zwei Männer packten die Frau und bändigten die wild um sich Schlagende so sanft es ging. Leute liefen zusammen. Ein Mädchen ging drüben im Schulhaus die Proktoren holen. Cora drängte sich nach vorn. Die Frau schluchzte Unverständliches, dann sagte sie plötzlich: »Meine Babys, sie nehmen mir meine Babys weg!«

Die Zuschauer seufzten angesichts des vertrauten Refrains. Sie hatten sie so oft im Plantagenleben gehört, die Klage der Mutter um ihre gequälten Kinder. Cora erinnerte sich an Caesars Worte über die Männer in der Fabrik, die heimgesucht wurden von der Plantage, sie trotz der Entfernung hierher mitgebracht hatten. Sie lebte in ihnen weiter. Sie lebte in ihnen allen weiter und wartete nur darauf, sie zu misshandeln und zu verhöhnen, wenn sich eine Gelegenheit dazu bot.

Die Frau beruhigte sich ein wenig und wurde in ihr Wohnheim ganz am Ende der Häuserreihe zurückgebracht. Trotz des Trostes, den ihre Entscheidung zu bleiben gebracht hatte, wurde es eine lange Nacht für Cora, deren Gedanken immer wieder zu den Schreien der Frau zurückkehrten und zu den Geistern, die sie ihre eigenen nannte.

Werde ich mich verabschieden können? Von den Andersons und den Kindern?«, fragte Cora.

Miss Lucy versicherte ihr, dass sich das regeln ließe. Die Familie habe sie in ihr Herz geschlossen, sagte sie.

»Habe ich schlechte Arbeit geleistet?« Cora fand, dass sie sich den heikleren Rhythmen der Hausarbeit gut angepasst hatte. Sie strich sich über die Fingerballen. Inzwischen waren sie ganz weich.

»Du hast hervorragende Arbeit geleistet, Bessie«, sagte Miss Lucy. »Deswegen haben wir auch an dich gedacht, als sich diese neue Stelle ergeben hat. Es war meine Idee, und Miss Handler hat sie unterstützt. Das Museum braucht jemand Besonderen«, sagte sie, »und nicht viele von den Bewohnern haben sich so gut angepasst wie du. Du solltest es als Kompliment auffassen.«

Cora war beruhigt, verharrte aber noch in der Tür.

»Gibt es noch etwas, Bessie?«, fragte Miss Lucy, während sie ihre Papiere ordnete.

Zwei Tage nach dem Vorfall beim Beisammensein war Cora immer noch aufgewühlt. Sie fragte nach der schreienden Frau.

Miss Lucy nickte mitfühlend. »Du meinst Gertrude«, sagte sie. »Ich weiß, das war verstörend. Sie bekommt ein paar Tage Bettruhe, bis sie wieder bei sich ist.« Miss Lucy erklärte, es stehe eine Krankenschwester zur Verfügung, die nach Gertrude sehe. »Deswegen haben wir dieses Wohnheim für Bewohner mit Nervenleiden reserviert. Für sie ist es nicht sinnvoll, sich unter die Allgemeinheit zu mischen. In Nummer 40 bekommen sie die Pflege, die sie brauchen.«

»Ich habe nicht gewusst, dass Nummer 40 etwas Besonderes ist«, sagte Cora. »Es ist eure Hob.«

»Wie bitte?«, fragte Miss Lucy, aber Cora ging nicht weiter darauf ein.

»Sie sind nur für kurze Zeit dort«, fügte die weiße Frau hinzu. »Wir sind optimistisch.«

Cora wusste nicht, was *optimistisch* bedeutete. Abends fragte sie die anderen Mädchen, ob sie das Wort kannten. Keines von ihnen hatte es schon einmal gehört. Sie kam zu dem Schluss, dass es *bemüht* hieß.

Der Weg zum Museum war die gleiche Strecke, die sie auch zu den Andersons nahm, nur dass sie beim Gerichtsgebäude rechts abbog. Die Aussicht, die Familie zu verlassen, bekümmerte sie. Zum Vater hatte sie wenig Kontakt, da er früh aus dem Haus ging und sein Bürofenster im Griffin zu denen gehörte, die am längsten erleuchtet blieben. Die Baumwolle hatte auch ihn zum Sklaven gemacht. Aber Mrs Anderson war, zumal seit den Verordnungen ihres Arztes, eine geduldige Arbeitgeberin gewesen, und die Kinder waren angenehm. Maisie war zehn. In diesem Alter hatte man ihnen auf der Randall-Plantage bereits jede Freude ausgetrieben. Einen Tag war ein kleines Kind noch glücklich, und am nächsten war das Licht in ihm erloschen; dazwischen war es mit einer neuen Wirklichkeit von Sklaverei bekanntgemacht worden. Maisie war zweifellos verzogen, aber wenn man farbig war, gab es Schlimmeres, als verzogen zu sein. Jedes Mal, wenn Cora die Kleine sah, fragte sie sich, wie wohl ihre eigenen Kinder eines Tages sein mochten.

Sie hatte das Museum der Naturwunder auf ihren Spaziergängen schon viele Male gesehen, ohne zu wissen, wozu das gedrungene Kalksteingebäude diente. Es nahm einen ganzen Häuserblock ein. Statuen von Löwen bewachten die lange, flache Treppe und starrten scheinbar durstig auf den großen Springbrunnen. Sobald Cora in seinen Einflussbereich trat, dämpfte das Geräusch des plätschernden Wassers den Straßenlärm und hob sie in die Sphäre des Museums.

Drinnen führte man sie durch einen für die Öffentlichkeit verbotenen Zugang in ein Labyrinth von Fluren. Durch halboffene Türen erspähte Cora flüchtig merkwürdige Aktivitäten. Ein Mann machte sich mit Nadel und Faden an einem toten Dachs zu schaffen. Ein anderer hielt gelbe Steine vor ein helles Licht. In einem Raum voller langer Holztische und Geräte sah sie ihre ersten Mikroskope. Sie hockten wie schwarze Frösche auf den Tischen. Dann wurde sie Mr Fields vorgestellt, dem Kurator für Lebendige Geschichte.

»Du bist genau die Richtige«, sagte er, während er sie genauso studierte, wie die Männer in den Räumen ihre Projekte studiert hatten. Er sprach durchweg rasch und energisch, ohne eine Spur von Süden. Später erfuhr sie, dass man Mr Fields von einem Museum in Boston abgeworben hatte, damit er die hiesigen Präsentationsformen modernisierte. »Hast seit deiner Ankunft hier besser gegessen, wie ich sehe«, sagte er. »War zu erwarten, aber du bist trotzdem die Richtige.«

»Fange ich hier drin mit Putzen an, Mr Fields?« Auf dem Weg hierher hatte Cora beschlossen, den Tonfall der Plantagensprache so gut es ging zu vermeiden.

»Putzen? Aber nein. Du weißt doch, was wir hier machen –« Er hielt inne. »Warst du schon einmal hier?« Er erklärte, was es mit Museen auf sich hatte. Bei diesem hier liege der Schwerpunkt auf amerikanischer Geschichte – für eine junge Nation gebe es noch so vieles, worin man das Publikum weiterbilden müsse. Die ungezähmte Flora und Fauna des amerikanischen Kontinents, die Mineralien und anderen Herrlichkeiten unter ihren Füßen. Manche Menschen verließen niemals das Land, in dem sie geboren seien, sagte er. Wie eine Eisenbahn erlaube ihnen das Museum, über ihre kleine Lebenswirklichkeit hinaus auch den Rest des Landes zu sehen, von Florida bis nach Maine und ins Grenzgebiet. Und seine Menschen zu sehen. »Menschen wie dich«, sagte Mr Fields.

Cora arbeitete in drei Räumen. An jenem ersten Tag bedeckten graue Vorhänge die großen Glasfenster, die sie vom Publikum trennten. Am nächsten Morgen waren die Vorhänge verschwunden, und die Zuschauer kamen.

Der erste Raum präsentierte »Szenen aus dem finstersten Afrika«. Eine Hütte beherrschte die Ausstellungsfläche, ihre Wände miteinander verzurrte Holzstangen unter einem spitzen Strohdach. Cora zog sich in ihre Schatten zurück, wenn sie eine Pause von den Gesichtern brauchte. Es gab ein Kochfeuer, dessen Flammen mit Scherben aus rotem Glas dargestellt waren; eine kleine, grob gezimmerte Bank; und diverse Werkzeuge, Flaschenkürbisse und Muschelschalen. Drei große schwarze Vögel hingen an einem Draht von der Decke. Der gewünschte Effekt war der eines Schwarms, der über dem Treiben der Eingeborenen kreiste. Sie erinnerten Cora an die Geier, die auf der Plantage das Fleisch der Toten fraßen, wenn sie zur Schau gestellt wurden.

Die wohltuenden blauen Wände von »Leben auf dem Sklavenschiff« beschworen den Himmel über dem Atlantik herauf. Hier schritt Cora über einen Ausschnitt aus dem Deck einer Fregatte, um den Mast und verschiedene kleine Fässer und Taurollen herum. Ihr afrikanisches Kostüm war ein buntes Wickelkleid; in ihrer Matrosenkleidung – Kittel, Hose und Lederstiefel – sah sie aus wie ein Straßengauner. Die Geschichte des afrikanischen Jungen ging so, dass er, nachdem er an Bord gekommen war, an Deck bei verschiedenen kleinen Arbeiten half, eine Art Lehrling. Cora stopfte sich das Haar unter die rote Mütze. An der Reling lehnte das Standbild eines Seemanns, der durch ein Fernrohr schaute. Augen, Mund und Hautfarbe waren seinem Wachskopf in knalligen Tönen aufgemalt.

»Ein typischer Tag auf der Plantage« ermöglichte ihr, an einem Spinnrad zu sitzen und die Füße auszuruhen, und der Sitz war so solide wie ihr alter Ahornholzblock. Am Boden pickten mit Sägemehl ausgestopfte Hühner; hin und wieder warf Cora ihnen imaginäre Körner zu. Was die Genauigkeit der Afrika- und der Schiffsszene anging, hatte sie zahlreiche Zweifel, aber in diesem Raum war sie eine Autorität. Sie äußerte ihre Kritik. Mr Fields räumte ein, dass Spinnräder nicht oft im Freien und vor einer Sklavenhütte verwendet würden, hielt ihr jedoch entgegen, dass die räumlichen Verhältnisse bei allem Augenmerk auf Authentizität gewisse Zugeständnisse erzwängen. Er wollte, er könnte ein ganzes Baumwollfeld in der Ausstellung unterbringen und hätte das Budget für ein Dutzend Darsteller, um sie darauf arbeiten zu lassen. Eines Tages vielleicht.

Coras Kritik erstreckte sich nicht auf die Garderobe von »Ein typischer Tag«, denn die bestand aus grobem, authentischem Negertuch. Zweimal am Tag, wenn sie sich auszog und ihr Kostüm anlegte, empfand sie brennende Scham.

Mr Fields hatte das Budget für drei Darsteller oder Typen, wie er sie nannte. Isis und Betty, ebenfalls aus Miss Handlers Schulhaus rekrutiert, waren von ähnlichem Alter und ähnlicher Statur wie Cora. Sie teilten sich die Kostüme. In ihren Pausen redeten sie über die Vor- und Nachteile ihrer neuen Stelle. Nach ein, zwei Eingewöhnungstagen ließ Mr Fields sie in Ruhe. Betty gefiel, dass er nie aus der Haut fuhr, ganz im Gegensatz zu der Familie, für die sie bis vor kurzem gearbeitet hatte: Dort war man zwar im Allgemeinen nett zu ihr gewesen, aber es waren auch Missverständnisse oder Missstimmungen möglich, für die sie nichts gekonnt hatte. Isis genoss, dass sie nicht reden musste. Sie stammte von einer kleinen Farm, wo man sie oft sich selbst überlassen hatte, außer in den Nächten, in denen der Herr Gesellschaft brauchte und sie gezwungen war, vom Kelch des Lasters zu trinken. Cora vermisste die Läden der Weißen und die Fülle auf deren Regalen, aber ihr blieben immer noch ihre abendlichen Spaziergänge nach Hause und ihr Spiel mit den wechselnden Schaufensterauslagen.

Andererseits erforderte es gewaltige Anstrengungen, die Museumsbesucher zu ignorieren. Die Kinder klopften gegen das Glas und zeigten auf respektlose Weise mit dem Finger auf die Typen, sodass diese immer wieder zusammenzuckten, während sie so taten, als beschäftigten sie sich mit Seemannsknoten. Manchmal johlten die Besucher während ihrer pantomimischen Darstellungen, Kommentare, die die

Mädchen zwar nicht verstanden, bei denen es sich jedoch allen Anzeichen nach um derbe Anspielungen handelte. Die Typen wechselten jede Stunde die Ausstellungsfläche, um die Monotonie abzumildern, die damit verbunden war, so zu tun, als schrubbte man das Deck, schnitzte Jagdwerkzeuge oder hätschelte Yamswurzeln aus Holz. Wenn es eine ständige Anweisung von Mr Fields gab, dann die, dass sie nicht so oft sitzen sollten, aber er übte keinen Druck aus. Sie neckten Skipper John, wie sie die Seemannsfigur nannten, von ihren Hockern aus, während sie mit dem Hanftau herumfummelten.

Die Ausstellungsräume eröffneten am selben Tag wie das Krankenhaus, Teil einer Jubelfeier, mit der die jüngsten Errungenschaften der Stadt herausgestrichen wurden. Der neue Bürgermeister war wegen seines fortschrittlichen Denkens gewählt worden und wollte sicherstellen, dass die Einwohner ihn mit den zukunftsorientierten Initiativen seines Vorgängers assoziierten, die noch während seiner Zeit als Anwalt für Eigentumsrecht im Griffin Building umgesetzt worden waren. Cora blieb den Feierlichkeiten fern, sah jedoch das prächtige Feuerwerk an jenem Abend vom Wohnheimfenster aus und bekam das Krankenhaus von nahem zu sehen, als ihre Untersuchung fällig war. Während die farbigen Bewohner sich in South Carolina einlebten, wachten die Ärzte mit ebenso viel Hingabe über ihr körperliches Wohlergehen wie die Proktoren, die ihre seelischen Anpassungen einschätzten. Irgendwann, sagte Miss Lucy eines Nachmittags zu Cora, als sie auf dem Grün spazieren gingen, würden sämtliche Zahlen, Darstellungen und Aufzeichnungen einen großen Beitrag zu ihrem Verständnis des Lebens von Farbigen leisten.

Von vorn war das Krankenhaus ein gepflegter, ausgedehnter, einstöckiger Komplex, der so lang zu sein schien, wie das Griffin Building hoch war. In seinem Bau war es auf eine Weise nüchtern und schmucklos, wie Cora es noch nie gesehen hatte, als wollte es durch seine bloße Erscheinung seine Effizienz hervorheben. Der Eingang für Farbige lag um die Ecke, unterschied sich abgesehen davon jedoch nicht vom Eingang für Weiße und war, anders als häufig der Fall, Bestandteil des Originalentwurfs, kein nachträglicher Gedanke.

Im Flügel für Farbige herrschte Hochbetrieb, als Cora am Empfang ihren Namen nannte. Im angrenzenden Raum wartete eine Gruppe Männer, die sie teilweise von geselligen Veranstaltungen und Nachmittagen auf dem Grün kannte, auf ihre Blutbehandlung. Vor ihrer Ankunft in South Carolina hatte sie nie etwas von einer Blutkrankheit gehört, aber in den Wohnheimen litten viele Männer darunter, und ihre Bekämpfung erforderte ungeheure Anstrengungen vonseiten der Stadtärzte. Wie es schien, hatten die Spezialisten ihre eigene Abteilung, und die Patienten verschwanden einen langen Gang entlang, wenn ihr Name aufgerufen wurde.

Diesmal wurde sie von einem anderen Arzt untersucht, der angenehmer war als Dr. Campbell. Er hieß Stevens. Er war ein Nordstaatler mit schwarzen, fast schon weibischen Locken, ein Effekt, den er durch seinen sorgfältig gepflegten Bart abmilderte. Für einen Arzt wirkte Dr. Stevens jung. In Coras Augen sprach sein jugendliches Alter für seine Fähigkeiten. Im Lauf der Untersuchung wurde ihr zumute, als beförderte man sie wie eines von Caesars Produkten auf einem Fließband weiter und nähme sich sorgfältig und gewissenhaft ihrer an.

Die körperliche Untersuchung war weniger gründlich als beim ersten Mal. Er konsultierte die Aufzeichnungen von ihrem vorherigen Besuch und fügte auf blauem Papier seine eigenen Anmerkungen hinzu. Zwischendurch erkundigte er sich nach ihrem Leben im Wohnheim. »Scheint gut zu funktionieren«, sagte er. Die Arbeit im Museum erklärte er zu einem »faszinierenden Dienst an der Öffentlichkeit«.

Nachdem sie sich angekleidet hatte, zog er einen Holzstuhl heran. Sein Verhalten blieb ungezwungen, als er sagte: »Du hast intime Beziehungen gehabt. Hast du schon einmal über Geburtenkontrolle nachgedacht?«

Er lächelte. South Carolina führe gerade ein öffentliches Gesundheitsprogramm durch, erklärte er, mit dem man die Menschen über eine neue chirurgische Technik aufklären wolle, bei der die Eileiter im Körper einer Frau durchtrennt würden, um zu verhindern, dass ein Baby entstehen könne. Der Eingriff sei einfach und risikolos, das Ergebnis endgültig. Das neue Krankenhaus sei speziell dafür ausgestattet, er, Dr. Stevens, habe bei dem Mann studiert, der der Technik den Weg bereitet habe, und diese sei an den farbigen Insassen einer Bostoner Irrenanstalt vervollkommnet worden. Man habe ihn unter anderem eingestellt, damit er den hiesigen Ärzten das chirurgische Verfahren beibringe und man dessen Segnungen der farbigen Bevölkerung anbieten könne.

»Und wenn ich nicht will?«

»Die Entscheidung liegt natürlich bei dir«, sagte der Arzt. »Seit dieser Woche ist die Operation für einige im Staat zwingend vorgeschrieben. Für farbige Frauen, die schon mehr als zwei Kinder geboren haben, im Sinne der Bevölkerungskontrolle. Für Schwachsinnige und anderweitig geistig Ungeeignete, aus naheliegenden Gründen. Für Gewohnheitsverbrecher. Aber für dich gilt das nicht, Bessie. Das sind Frauen, die schon genug Lasten zu tragen haben. Für dich ist es einfach eine Möglichkeit, dein Schicksal selbst in die Hand zu nehmen.«

Sie war nicht seine erste widerspenstige Patientin. Dr. Stevens ließ die Sache auf sich beruhen, ohne seine Freundlichkeit einzubüßen. Ihre Proktorin habe weitere Informationen über das Programm, sagte er zu Cora, und stehe für Gespräche über sämtliche Anliegen zur Verfügung.

Rasch ging sie den Krankenhausflur entlang, begierig nach frischer Luft. Sie hatte sich zu sehr daran gewöhnt, unversehrt aus Begegnungen mit weißen Autoritätspersonen hervorzugehen. Die Direktheit seiner Fragen und seine nachfolgenden Erklärungen hatten sie aus der Fassung gebracht. Was damals hinter dem Räucherhaus passiert war mit dem zu vergleichen, was sich zwischen einem Mann und einer Frau abspielte, die ineinander verliebt waren. Bei dem Gedanken drehte sich ihr der Magen um. Dann war da die Sache mit der *zwingenden Vorschrift*, was sich so anhörte, als hätten die Frauen, diese Hob-Frauen mit unterschiedlichen Gesichtern, nichts zu sagen. Als wären sie Eigentum, mit dem die Ärzte verfahren konnten, wie es ihnen beliebte. Mrs Anderson litt unter dunklen Stimmungen. War sie deshalb ungeeignet? Machte ihr Arzt ihr den gleichen Vorschlag? Nein.

Während sie diese Gedanken hin und her wälzte, fand sie sich plötzlich vor dem Haus der Andersons wieder. Ihre Füße hatten sich selbständig gemacht, während sie mit den Gedanken woanders gewesen war. Vielleicht dachte sie unterschwellig an Kinder. Maisie hatte bestimmt Schule, aber Raymond war vielleicht zu Hause. Sie hatte in den letzten beiden Wochen zu viel um die Ohren gehabt, um sich richtig zu verabschieden.

Das Mädchen, das die Tür öffnete, sah Cora auch dann noch argwöhnisch an, als sie erklärt hatte, wer sie war.

»Ich dachte, sie hieß Bessie«, sagte das Mädchen. Sie war klein und mager, hielt aber an der Tür fest, als würde sie sich am liebsten mit ihrem ganzen Gewicht dagegenstemmen, um Eindringlinge draußen zu halten. »Du hast gesagt, du heißt Cora.«

Innerlich verfluchte Cora die Ablenkung des Doktors. Sie erklärte, ihr Herr habe sie Bessie genannt, doch im Quartier habe jeder sie Cora gerufen, weil sie ihrer Mutter so ähnlich gesehen habe.

»Mrs Anderson ist nicht zu Hause«, sagte das Mädchen. »Und die Kinder spielen mit ihren Freunden. Am besten kommst du wieder, wenn sie zu Hause ist.« Sie schloss die Tür.

Ausnahmsweise nahm Cora diesmal den kürzesten Weg nach Hause. Mit Caesar zu reden hätte geholfen, aber er war in der Fabrik. Sie lag bis zum Abendessen in ihrem Bett. Von diesem Tag an nahm sie zum Museum einen Weg, der nicht am Haus der Andersons vorbeiführte.

Zwei Wochen später beschloss Mr Fields, mit seinen Typen einen richtigen Rundgang durch das Museum zu machen. Isis' und Bettys

Zeit hinter dem Glas hatte ihre schauspielerischen Fähigkeiten verbessert, und das Duo täuschte glaubwürdiges Interesse vor, während Mr Fields sich über die Querschnitte von Kürbissen, die Jahresringe ehrwürdiger weißer Eichen, die aufgebrochenen Geoden mit ihren purpurroten, wie Zähne wirkenden Kristallen und die winzigen Käfer und Ameisen ausließ, die die Wissenschaftler mit einem speziellen Präparat konserviert hatten. Die Mädchen kicherten über das gefrorene Grinsen des ausgestopften Vielfraßes, den mitten im Flug dargestellten Rotschwanzbussard und den schwerfälligen Schwarzbären, der das Fenster attackierte. Raubtiere, eingefangen in dem Augenblick, in dem sie die Beute schlugen.

Cora starrte auf die wächsernen Gesichter der Weißen. Mr Fields' Typen waren die einzigen lebendigen Ausstellungsstücke. Die Weißen bestanden aus Gips, Draht und Farbe. In einem Fenster deuteten zwei Pilger in dicken Wollhosen und Wämsern auf den Plymouth Rock, während ihre Mitreisenden von Schiffen auf dem Wandbild aus zusahen. Nach abenteuerlicher Überfahrt zu einem Neuanfang endlich in Sicherheit. In einem anderen Fenster hatte das Museum eine Hafenszene nachgebildet, in der weiße, als Mohawk-Indianer verkleidete Kolonisten mit übertriebener Schadenfreude Teekisten über Bord warfen. Menschen trugen im Laufe ihres Lebens verschiedene Arten von Ketten, aber es war nicht schwer, Rebellion zu interpretieren, auch wenn die Rebellen sich verkleideten, um von ihrer Schuld abzulenken.

Die Typen traten wie zahlende Besucher vor die Schaukästen. Zwei entschlossene Forscher posierten auf einem Höhenrücken und schauten auf die Berge im Westen, vor sich das geheimnisvolle Land mit seinen Gefahren und Entdeckungen. Wer wusste, was dort draußen lag? Sie waren Herren ihres Lebens und machten sich furchtlos in ihre Zukunft auf.

Im letzten Fenster nahm ein Indianer ein Stück Pergament von drei weißen Männern entgegen, die in edlen Haltungen dastanden, die Hände einladend geöffnet.

»Was ist das?«, fragte Isis.

»Das ist ein echtes Tipi«, sagte Mr Fields. »Wir erzählen immer gern eine Geschichte, um zu erhellen, was Amerika ausmacht. Jeder kennt die Wahrheit der historischen Begegnung, aber sie vor sich zu sehen –«

»Die schlafen dadrin?«, fragte Isis.

Er erklärte, was es damit auf sich hatte. Und dann kehrten die Mädchen in ihre eigenen Fenster zurück.

»Was meinst du, Skipper John?«, fragte Cora ihren Mitmatrosen. »Ist das die Wahrheit unserer historischen Begegnung?« In letzter Zeit hatte sie sich angewöhnt, Gespräche mit der Puppe zu führen, um den Besuchern ein bisschen zusätzliches Theater zu bieten. Von seiner linken Wange war Farbe abgeblättert, sodass das graue Wachs darunter zum Vorschein kam.

Die ausgestopften Kojoten auf ihren Gestellen logen nicht, nahm Cora an. Und die Ameisenhügel und die Felsen sagten die Wahrheit über sich selbst. Aber die weißen Ausstellungsstücke enthielten so viele Ungenauigkeiten und Widersprüche wie Coras drei Dioramen. Es hatte keine entführten Jungen gegeben, die die Decks geschrubbt hatten und dafür von weißen Entführern den Kopf getätschelt bekamen. Der anstellige afrikanische Junge, dessen schöne Lederstiefel sie trug, wäre unter Deck angekettet gewesen und hätte sich in seinem eigenen Dreck gewälzt. Sklavenarbeit bestand manchmal im Spinnen von Faden, ja; meistens jedoch nicht. Kein Sklave war jemals an einem Spinnrad tot zusammengebrochen oder wegen eines verhedderten Fadens abgeschlachtet worden. Aber über den wahren Zustand der Welt wollte niemand sprechen. Und davon hören wollte auch niemand. Jedenfalls nicht die weißen Monster auf der anderen Seite des Dioramas in ebendiesem Moment, da sie ihre fettigen Schnauzen gegen das Fenster drückten, grinsten und johlten. Die Wahrheit war eine wechselnde Auslage in einem Schaufenster, von menschlicher Hand verfälscht, wenn man gerade nicht hinsah, verlockend und stets außer Reichweite.

Die Weißen kamen in dieses Land, um einen Neuanfang zu machen und um der Tyrannei ihrer Herren zu entfliehen, genau wie die Freigelassenen vor ihren geflohen waren. Aber die Ideale, die sie für sich selbst hochhielten, enthielten sie anderen vor. Damals auf der Plantage hatte Cora Michael oft die Unabhängigkeitserklärung aufsagen hören, und seine Stimme war wie ein zorniges Phantom durchs Dorf geschwebt. Sie verstand die Worte nicht, jedenfalls die meisten, aber *gleich geschaffen* entging ihr nicht. Wenn *alle Menschen* nicht tatsächlich alle Menschen hieß, verstanden die weißen Männer, die sie geschrieben hatten, sie auch nicht. Nicht, wenn sie anderen Menschen entrissen, was diesen gehörte, ob es nun etwas war, was man in den Händen halten konnte, wie Erde, oder etwas, was man nicht in den Händen halten konnte, wie die Freiheit. Das Land, das sie beackert und bearbeitet hatte, war indianisches Land gewesen. Sie wusste, die Weißen prahlten mit der Gründlichkeit der Massaker, bei denen sie Frauen und kleine Kinder getötet und deren Zukunft in der Wiege erstickt hatten.

Geraubte Körper bearbeiteten geraubtes Land. Es war eine Maschine, die niemals stillstand, ihr gieriger Kessel wurde mit Blut beschickt. Mit den chirurgischen Eingriffen, die Dr. Stevens beschrieb, dachte Cora, hatten die Weißen ernsthaft begonnen, Menschen ihre Zukunft zu rauben. Einen aufzuschneiden und sie herauszureißen, triefend. Denn das tat man, wenn man Menschen ihre Kinder wegnahm – man stahl ihnen ihre Zukunft. Man quälte sie nach Kräften, solange sie auf dieser Erde waren, und nahm ihnen dann die Hoffnung, dass ihre Leute es eines Tages besser haben würden.

»Ist es nicht so, Skipper John?«, fragte Cora. Manchmal, wenn sie rasch den Kopf drehte, sah es so aus, als blinzelte das Ding ihr zu.

Ein paar Tage später fiel ihr auf, dass die Lichter in Nummer 40 aus waren, obwohl es noch früh am Abend war. Sie fragte die anderen Mädchen. »Die sind ins Krankenhaus verlegt worden«, sagte eine. »Damit es ihnen bald wieder bessergeht.«

An dem Abend, bevor Ridgeway ihrem Aufenthalt in South Carolina ein Ende machte, hielt sich Cora auf dem Dach des Griffin Building auf und versuchte zu sehen, woher sie gekommen war. Bis zu ihrem Treffen mit Caesar und Sam war es noch eine Stunde, und sie hatte keine Lust, auf dem Bett zu liegen, sich Gedanken zu machen und dem Geplapper der anderen Mädchen zuzuhören. Letzten Samstag nach dem Unterricht hatte einer der Männer, die im Griffin arbeiteten, ein ehemaliger Tabakarbeiter namens Martin, ihr gesagt, dass die Tür zum Dach nicht verschlossen sei. Man komme ohne weiteres hinauf. Falls sie sich Sorgen mache, dass einer der Weißen, die im dreizehnten Stock arbeiteten, sie ins Verhör nehmen würde, wenn sie aus dem Fahrstuhl stieg, könne sie am Schluss ja die Treppe nehmen.

Das war ihr zweiter Besuch in der Dämmerung. Von der Höhe wurde ihr schwindelig. Sie hatte Lust, aufzuspringen und nach den grauen Wolken zu greifen, die sich über ihr dahinwälzten. Miss Handler hatte im Unterricht von den Großen Pyramiden in Ägypten und von den Wundern erzählt, die die Sklaven mit ihren Händen und ihrem Schweiß geschaffen hatten. Waren die Pyramiden so hoch wie dieses Gebäude, saßen die Pharaonen obendrauf, um ihre Reiche zu überschauen und festzustellen, wie klein die Welt wurde, wenn man die entsprechende Distanz gewann? In der Main Street unten errichteten Arbeiter drei- und vierstöckige Gebäude, die höher waren als die alte Zeile aus zweistöckigen Häusern. Cora kam jeden Tag an der Baustelle vorbei. Noch war nichts so hoch wie das Griffin, aber eines Tages würde das Gebäude Brüder und Schwestern haben, die das Land überragten. Jedes Mal, wenn sie sich von ihren Träumen auf hoffnungs-volle Wege führen ließ, bewegte sie diese Vorstellung: dass die Stadt zeigte, was in ihr steckte.

Auf der Ostseite des Griffin lagen die Häuser der Weißen und ihre neuen Projekte – der erweiterte Marktplatz, das Krankenhaus und das Museum. Cora ging zur Westseite hinüber, wo die Wohnheime der Farbigen lagen. Aus dieser Höhe betrachtet, schoben sich die roten Kästen in eindrucksvollen Reihen den ungerodeten Wäldern entgegen. Würde sie eines Tages dort leben? In einem kleinen Cottage an einer Straße, die noch gar nicht angelegt war? Den Jungen und das Mädchen oben zu Bett bringen. Cora versuchte, das Gesicht des Mannes vor sich zu sehen, die Namen der Kinder heraufzubeschwören. Ihre Vorstel-lungskraft ließ sie im Stich. Mit zusammengekniffenen Augen spähte sie nach Süden in Richtung Randall. Was erwartete sie zu sehen? Die Nacht tauchte den Süden in Dunkelheit.

Und der Norden? Vielleicht würde sie ihn eines Tages kennenler-nen.

Der leichte Wind ließ sie frösteln, und sie machte sich auf den Weg zur Straße. Jetzt konnte man gefahrlos zu Sam gehen.

Caesar wusste nicht, warum der Stationsvorsteher sie sprechen wollte. Als er am Saloon vorbeigekommen war, hatte Sam ihm das entsprechende Zeichen gegeben und »Heute Abend« gesagt. Cora war seit ihrer Ankunft nicht noch einmal zur Station zurückgekehrt, aber der Tag ihrer Errettung stand ihr noch so lebhaft vor Augen, dass sie keine Mühe hatte, den Weg zu finden. Die Tierlaute im dunklen Wald, das Knacken und Singen der Äste erinnerten sie an ihre Flucht und dann daran, wie Lovey in der Nacht verschwunden war.

Sie ging schneller, als das Licht aus Sams Fenstern zwischen den Ästen hindurchflackerte. Sam umarmte sie mit seinem üblichen En-thusiasmus, sein Hemd war feucht und roch nach Schnaps. Bei ihrem früheren Besuch war sie zu abgelenkt gewesen, um die Unordnung im Haus zu bemerken, die verschmutzten Teller, das Sägemehl, die Klei-

derhaufen. Um in die Küche zu gelangen, musste sie über einen um-
gekippten Werkzeugkasten hinwegsteigen, dessen Inhalt verstreut auf
dem Boden lag, wie Mikadostäbe aufgefächerte Nägel. Bevor sie ging,
würde sie ihm empfehlen, sich wegen einer Haushaltshilfe an die Vermittlungsstelle zu wenden.

Caesar war schon da und nippte am Küchentisch an einer Flasche
Ale. Er hatte Sam eine seiner Holzschalen mitgebracht und strich mit
den Fingern über deren Boden, als ertastete er einen unsichtbaren
Riss. Cora hatte schon fast vergessen, dass er gern mit Holz arbeitete.
In letzter Zeit hatte sie ihn nicht oft gesehen. Wie sie mit Freude feststellte, hatte er sich im Warenhaus für Farbige bessere Kleidung gekauft, einen dunklen Anzug, der ihm gut stand. Irgendwer hatte ihm
beigebracht, wie man eine Krawatte band, vielleicht war das aber auch
ein Andenken an seine Zeit in Virginia, als er überzeugt gewesen war,
dass die alte weiße Frau ihn freilassen würde, und er an seiner äußeren
Erscheinung gearbeitet hatte.

»Kommt ein Zug?«, fragte Cora.

»In ein paar Tagen«, sagte Sam.

Caesar und Cora rutschten auf ihren Stühlen hin und her.

»Ich weiß, dass ihr ihn nicht nehmen wollt«, sagte Sam. »Darum
geht es nicht.«

»Wir haben beschlossen, hierzubleiben«, sagte Caesar.

»Wir wollten erst ganz sicher sein, bevor wir es dir sagen«, fügte
Cora hinzu.

Sam schnaubte und lehnte sich auf dem knarrenden Stuhl zurück.
»Mich hat es gefreut, dass ihr die Züge ausgelassen und es hier ge-
schafft habt«, sagte er. »Aber vielleicht überlegt ihr neu, wenn ihr meine
Geschichte gehört habt.«

Er bot ihnen Zuckerwerk an – er war treuer Kunde der Ideal Bakery
in einer Nebenstraße der Main Street – und offenbarte, was er auf dem
Herzen hatte. »Ich möchte euch raten, euch vom Red's fernzuhalten«,
sagte Sam.

»Fürchtest du dich vor der Konkurrenz?«, scherzte Caesar. Die Frage stellte sich nicht. In Sams Saloon wurden keine farbigen Kunden bedient. Nein, das Red's hatte einen Exklusivanspruch auf die Bewohner der Wohnheime, die es nach Alkohol und Tanz verlangte. Dass man dort Kassenscheine nahm, schadete nicht.

»Nein, es geht um was Schlimmeres«, sagte Sam. »Ich werde selber nicht so recht schlau daraus, um ehrlich zu sein.« Es war eine seltsame Geschichte. Caleb, der Besitzer des Drift, war von notorisch mürrischer Wesensart; Sam hatte einen Ruf als der Barkeeper, der Gespräche genoss. »Man erfährt, wie es wirklich an einem Ort zugeht, wenn man dort arbeitet«, sagte Sam gern. Einer von Sams Stammkunden war ein Arzt namens Bertram, der seit kurzem im Krankenhaus arbeitete. Er verkehrte nicht mit den anderen Nordstaatlern, sondern bevorzugte die Atmosphäre und die eher derbe Gesellschaft im Drift. Er hatte einen ziemlichen Whiskeydurst. »Um seine Sünden zu ersäufen«, sagte Sam.

Üblicherweise behielt Bertram seine Gedanken bis zum dritten Glas für sich, dann löste der Whiskey ihm die Zunge, und er schwafelte angeregt über Schneestürme in Massachusetts, Einführungsrituale für Studenten der Medizin oder die relative Intelligenz des Virginia-Opossums. Am Vorabend sei er auf das Thema weibliche Gesellschaft zu sprechen gekommen, sagte Sam. Der Doktor sei häufiger Besucher von Miss Trumballs Etablissement, das er dem Lanchester House vorzog, wo die Mädchen seiner Meinung nach von finsterer Gemütsverfassung seien, als wären sie aus Maine oder anderen trübsinnigen Gegenden importiert worden.

»Sam?«, sagte Cora.

»Entschuldigung, Cora.« Er kürzte die Geschichte ab. Dr. Bertram habe einige Vorteile von Miss Trumballs Haus aufgezählt und dann hinzugefügt: »Ganz gleich, was du machst, Mann, halte dich von Red's Café fern, wenn du eine Vorliebe für Niggermädchen hast.« Mehrere seiner männlichen Patienten frequentierten den Saloon und ließen sich mit den weiblichen Gästen ein. Seine Patienten glaubten, sie würden wegen Blutkrankheiten behandelt. Bei den im Krankenhaus verabreichten Mitteln handele es sich jedoch lediglich um Zuckerwasser. In Wirklichkeit seien die Nigger Teilnehmer einer Studie über das Primär-, Sekundär- und Tertiärstadium der Syphilis.

»Sie glauben, ihr helft ihnen?«, hatte Sam gefragt. Er bemühte sich um einen neutralen Ton, obwohl sein Gesicht heiß wurde.

»Das sind wichtige Forschungen«, teilte Bertram ihm mit. »Wir stellen fest, wie eine Krankheit sich ausbreitet, wie die Ansteckung verläuft, und nähern uns so einem Heilmittel.« Das Red's sei der einzige Saloon für Farbige in der Stadt; der Eigentümer bekomme einen Mietnachlass dafür, dass er ein wachsames Auge auf die Dinge habe. Das Syphilis-Programm sei nur eine von vielen Studien und Experimenten, die im farbigen Flügel des Krankenhauses durchgeführt würden. Ob Sam wisse, dass der auf dem afrikanischen Kontinent beheimatete Stamm der Igbo für Nervenleiden anfällig sei? Für Selbstmord und düstere Stimmungen? Der Doktor erzählte die Geschichte von vierzig Sklaven, die auf einem Schiff aneinandergekettet gewesen und lieber alle zusammen über Bord gesprungen seien, als in Gefangenschaft zu leben. Wie musste man beschaffen sein, um auf einen derart aberwitzigen Schritt zu kommen und ihn auch noch auszuführen! Und wenn wir Anpassungen an den Fortpflanzungsmustern der Nigger vornähmen und diejenigen mit melancholischen Neigungen ausmerzten? Und auch andere Verhaltensweisen steuerten, zum Beispiel sexuelle Aggressivität und gewalttätige Veranlagung? Wir könnten unsere Frauen und Töchter vor ihren Dschungeltrieben schützen, vor denen sich, soviel er, Dr. Bertram, höre, weiße Männer im Süden ja besonders fürchteten.

Der Doktor beugte sich vor. Ob Sam die heutige Zeitung gelesen habe?

Sam schüttelte den Kopf und füllte das Glas des Mannes auf.

Trotzdem, er, der Barkeeper, müsse im Lauf der Jahre doch die Leitartikel gesehen haben, beharrte der Doktor, die Sorge über ebendieses Thema zum Ausdruck brachten. Amerika habe so viele Afrikaner importiert und gezüchtet, dass sie die Weißen in vielen Staaten zahlenmäßig überträfen. Schon aus diesem Grund sei eine Gleichberechtigung unmöglich. Mithilfe strategischer Sterilisation – zuerst bei den Frauen, mit der Zeit aber bei beiden Geschlechtern – könnten wir sie aus der Sklaverei befreien, ohne befürchten zu müssen, dass sie uns irgendwann im Schlaf abschlachteten. Die Urheber der Aufstände auf Jamaika stammten aus dem Königreich Benin und dem Kongo, sie seien eigensinnig und gerissen gewesen. Und wenn wir diese Charakterzüge im Lauf der Jahre sorgfältig abschwächten? Die über Jahre und Jahrzehnte gesammelten Daten zu den farbigen Pilgern und ihren Nachkommen, sagte der Doktor, würden sich als eines der kühnsten wissenschaftlichen Unternehmen der Geschichte erweisen. Kontrollierte Sterilisation, die Erforschung übertragbarer Krankheiten, die Vervollkommnung chirurgischer Verfahren bei den gesellschaftlich Untauglichen – ob es denn ein Wunder sei, dass die besten medizinischen Begabungen nach South Carolina strömten?

An dieser Stelle sei eine Gruppe von Radaubrüdern hereingewankt gekommen und habe Bertram ans Ende des Tresens verdrängt. Er, Sam, sei beschäftigt gewesen. Der Doktor habe noch eine Zeitlang still getrunken und sei dann gegangen. »Ihr beide seid nicht die Sorte, die ins Red's geht«, sagte Sam, »aber ich wollte, dass ihr Bescheid wisst.«

»Red's«, sagte Cora. »Hier geht es um mehr als den Saloon, Sam. Wir müssen ihnen sagen, dass sie belogen werden. Sie sind krank.«

Caesar pflichtete ihr bei.

»Werden sie euch eher glauben als ihren weißen Ärzten?«, fragte Sam. »Mit welchen Beweisen? Es gibt keine Behörde, an die man sich wegen Entschädigung wenden kann – die Stadt finanziert das alles. Und dann gibt es noch all die anderen Städte, in denen farbige Pilger im gleichen System untergebracht worden sind. Das hier ist nicht der einzige Ort mit einem neuen Krankenhaus.«

Am Küchentisch spekulierten sie weiter darüber. War es möglich, dass nicht nur die Ärzte, sondern alle, die sich um die farbige Bevölkerung kümmerten, an diesem unglaublichen Vorhaben beteiligt waren? Dass sie die farbigen Pilger auf diesen oder jenen Weg lotsten, sie aus Nachlässen oder bei Auktionen kauften, um dieses Experiment durchzuführen? All die weißen Helfer, die zusammenarbeiteten, ihre Fakten und Zahlen auf blauem Papier festhielten. Nach Coras Gespräch mit Dr. Stevens hatte Miss Lucy sie eines Morgens auf ihrem Weg zum Museum angesprochen. Ob Cora sich schon Gedanken über das Programm des Krankenhauses zur Geburtenkontrolle gemacht habe? Vielleicht könne sie ja mit anderen Mädchen darüber sprechen, in Worten, die diese verstehen könnten. Dafür wäre man sehr dankbar, sagte die weiße Frau. In der Stadt entstünden alle möglichen neuen Stellen, Gelegenheiten für Menschen, die ihren Wert unter Beweis gestellt hätten.

Cora dachte an den Abend zurück, an dem sie und Caesar zu bleiben beschlossen hatten, an die schreiende Frau, die auf das Grün geirrt kam, als die Veranstaltung zu Ende gegangen war. »Sie nehmen mir meine Babys weg.« Die Frau hatte nicht über ein altes, auf Plantagen begangenes Unrecht geklagt, sondern über ein Verbrechen, das hier in South Carolina verübt wurde. Nicht ihre früheren Herren, sondern die Ärzte raubten ihr ihre Babys.

»Sie wollten wissen, aus welchem Teil von Afrika meine Eltern stammten«, sagte Caesar. »Woher soll ich das wissen? Sie haben gesagt, meine Nase wäre typisch für Benin.«

»Nichts als Schmeichelei, bevor sie einen kastrieren«, sagte Sam.

»Ich muss es Meg sagen«, sagte Caesar. »Einige von ihren Freundinnen sind abends öfter im Red's. Ich weiß, dass sie sich dort auch mit Männern treffen.«

»Wer ist Meg?«, fragte Cora.

»Eine Bekannte, mit der ich mich ab und zu treffe.«

»Neulich habe ich euch die Main Street entlanggehen sehen«, sagte Sam. »Sie sieht umwerfend aus.«

»Das war ein schöner Nachmittag«, sagte Caesar. Er nahm einen Schluck von seinem Bier, fixierte die schwarze Flasche und wich Coras Blick aus.

Was ihr Vorgehen anlangte, kamen sie nicht recht weiter: Sie schlugen sich mit dem Problem herum, an wen sie sich wenden könnten und wie die anderen farbigen Einwohner wohl reagieren würden. Vielleicht wollten sie ja lieber nicht Bescheid wissen, sagte Caesar. Was waren schon diese Gerüchte im Vergleich zu dem, wovon sie befreit worden waren? Was für Überlegungen würden ihre Nachbarn anstellen, wenn sie all die Verheißungen ihrer neuen Lebensumstände gegen die Unterstellungen und gegen die Wahrheit ihrer Vergangenheit abwogen? Nach geltendem Recht waren sie größtenteils immer noch Eigentum, und ihre Namen standen auf Blättern in Aktenschränken, die der Regierung der Vereinigten Staaten gehörten. Vorderhand blieb ihnen nur, Leute zu warnen.

Cora und Caesar waren schon fast wieder in der Stadt, als er sagte: »Meg arbeitet für eine der Familien in der Washington Street. Eines der großen Häuser, weißt du?«

Cora sagte: »Es freut mich, dass du Freunde hast.«

»Wirklich?«

»War es falsch von uns, hierzubleiben?«, fragte Cora.

»Vielleicht ist das der Zeitpunkt, wo wir uns davonmachen sollten«, sagte Caesar. »Vielleicht aber auch nicht. Was würde Lovey sagen?«

Cora wusste keine Antwort. Sie sprachen nicht weiter miteinander.

Sie schlief schlecht. Die Frauen in den achtzig Betten schnarchten und bewegten sich unter den Laken. Sie waren in dem Glauben zu Bett gegangen, dass sie frei waren von der Herrschaft und den Befehlen weißer Menschen, die ihnen vorschrieben, was sie zu tun und zu sein hatten. Dass sie ihre Angelegenheiten selbst regelten. Aber die Frauen wurden nach wie vor gehütet und domestiziert. Nicht mehr reine

Ware wie ehedem, sondern Vieh: gezüchtet, kastriert. Eingepfercht in Wohnheimen, die Hühner- oder Kaninchenställen glichen.

Am Morgen ging Cora mit den übrigen Mädchen zu der ihr zugewiesenen Arbeit. Während sie und die anderen Typen dabei waren, sich umzuziehen, fragte Isis, ob sie den Raum mit Cora tauschen könne. Sie fühle sich unwohl und wolle sich am Spinnrad ausruhen. »Wenn ich einfach ein Weilchen sitzen könnte.«

Nach sechs Wochen im Museum verfiel Cora auf einen Turnus, der ihr entgegenkam. Wenn sie in »Ein typischer Tag auf der Plantage« anfing, konnte sie kurz nach dem Mittagessen mit ihren beiden Plantagen-Schichten fertig sein. Cora hasste die lächerliche Sklavendarstellung und wollte sie am liebsten so schnell wie möglich hinter sich bringen. Die Reihenfolge, die von »Plantage« über »Sklavenschiff« zu »Finsterstes Afrika« führte, schuf eine beruhigende Logik. Es war wie eine Rückkehr in die Vergangenheit, ein Sichlösen von Amerika. Wenn sie ihren Tag in »Szenen aus dem finstersten Afrika« beschloss, tauchte sie jedes Mal in einen Fluss von Ruhe ein, und das schlichte Theater wurde über das Theater hinaus zu einer echten Zuflucht. Aber Cora kam Isis' Bitte nach. Sie würde den Tag als Sklavin beenden.

Auf den Feldern hatte sie ständig unter den mitleidlosen Augen des Aufsehers oder des Bosses gestanden. »Macht den Rücken krumm!« »Hackt diese Reihe!« Bei den Andersons, wenn Maisie in der Schule oder bei ihren Spielkameradinnen war und Raymond schlief, arbeitete Cora unbehelligt und unbeaufsichtigt. Das war ein kleiner Schatz in der Tagesmitte. Ihr Mitwirken in der Ausstellung versetzte sie zurück zu den Ackerfurchen von Georgia, und das dümmliche Geglotze der Besucher ließ sie wieder spüren, wie ausgeliefert sie war.

Eines Tages beschloss sie, es einer rothaarigen weißen Frau heimzuzahlen, die beim Anblick von Coras Pflichten »auf See« ein finsteres Gesicht machte. Vielleicht hatte die Frau einen Seemann mit hartnäckigen Gelüsten geheiratet und wurde nicht gern daran erinnert – Cora wusste nicht, woher ihre Feindseligkeit rührte, und es war ihr auch egal. Die Frau ärgerte sie. Cora starrte ihr unverwandt und grimmig in die Augen, bis die Frau sich schließlich abwandte und fast im Laufschritt die landwirtschaftliche Abteilung ansteuerte.

Von da an suchte sich Cora pro Stunde einen Besucher aus, den sie böse anschaute. Einen jungen Angestellten, der seinem Schreibtisch im Griffin entflohen war, einen unternehmungslustigen Mann; eine gehetzte Matrone, die eine Schar ungebärdiger Kinder zu bändigen versuchte; einen von den verdrießlichen Jugendlichen, die gern gegen das Glas schlugen und die Typen erschreckten. Manchmal diesen, manchmal jenen. Sie griff die schwachen Glieder aus der Menge heraus, diejenigen, die unter ihrem Blick klein beigaben. Das schwache Glied – ihr gefiel, wie das klang. Die Unvollkommenheit in der Kette zu suchen, die einen versklavte. Für sich genommen war das Glied unbedeutend. Aber im Zusammenwirken mit den anderen ein mächtiges Eisen, das trotz seiner Schwäche Millionen knechtete. Die Leute, die sie sich aussuchte – junge und alte, aus dem reichen Teil der Stadt oder aus den bescheideneren Straßen –, verfolgten Cora nicht einzeln. Aber als Gesamtheit waren sie Fesseln. Wenn sie nicht lockerließ, wenn sie an schwachen Gliedern kratzte, wo auch immer sie sie fand, dann könnte etwas dabei herauskommen.

Sie perfektionierte ihren bösen Blick. Vom Sklavenrad oder dem Glasfeuer der Hütte aufzuschauen und jemanden festzunageln wie einen der Käfer oder eine der Milben in den Insekten-Schaukästen. Sie gaben jedes Mal klein bei, die Leute, weil sie nicht mit diesem unheimlichen Angriff rechneten, schraken zurück, schlugen den Blick nieder oder nötigten ihre Begleiter, sie wegzuziehen. Es war eine schöne Lektion, fand Cora, zu lernen, dass der Sklave, der Afrikaner in ihrer Mitte, sie ebenfalls anschaute.

An dem Tag, an dem Isis sich nicht ganz wohlfühlte, sah Cora während ihres zweiten Turnus auf dem Schiff bei einem Blick durch das Glas Maisie mit geflochtenen Zöpfchen und in einem der Kleider, die Cora immer gewaschen und auf die Leine gehängt hatte. Es handelte sich um einen Schulausflug. Cora kannte die Jungen und Mädchen, die sie begleiteten, auch wenn die Kinder sie nicht als die ehemalige Haushaltshilfe der Andersons in Erinnerung hatten. Maisie konnte sie zunächst nicht unterbringen. Dann fixierte Cora sie mit dem bösen Blick, und das Mädchen wusste Bescheid. Die Lehrerin ließ sich über die Bedeutung des Dioramas aus, die anderen Kinder zeigten mit dem Finger und spotteten über Skipper Johns auffälliges Grinsen – und Maisies Gesicht zuckte vor Angst. Von außen konnte niemand sagen, was sich zwischen den beiden abspielte, genau wie an dem Tag des Vorfalls mit der Hundehütte, als sie und Blake einander in die Augen gesehen hatten. Dich kriege ich auch klein, Maisie, dachte Cora, und so war es, die Kleine trippelte aus dem Bild. Cora wusste nicht, warum sie das getan hatte, und war beschämt, bis sie ihr Kostüm auszog und in ihr Wohnheim zurückkehrte.

An diesem Abend suchte sie Miss Lucy auf. Sie hatte den ganzen Tag über Sams Neuigkeiten nachgedacht, sie gleichsam wie ein scheußliches Stück Tinnef gegen das Licht gehalten und gedreht und gewendet. Die Proktorin hatte Cora oft geholfen. Inzwischen nahmen sich ihre Vor- und Ratschläge wie Manöver aus, so wie ein Farmer einen Esel mit List dazu bringt, sich seinen Absichten entsprechend zu bewegen.

Die weiße Frau stapelte gerade einen Schwung ihrer blauen Blätter, als Cora den Kopf in ihr Büro steckte. Stand dort auch ihr Name, und was war daneben notiert? Nein, korrigierte sie sich: Bessies Name, nicht ihrer.

»Ich habe nur einen Moment Zeit«, sagte die Proktorin.

»Ich habe gesehen, dass in Nummer 40 wieder Leute eingezogen sind«, sagte Cora. »Aber keine, die früher dort gewohnt haben. Sind sie immer noch zur Behandlung im Krankenhaus?«

Miss Lucy schaute auf ihre Papiere und versteifte sich. »Sie sind in eine andere Stadt verlegt worden«, sagte sie. »Wir brauchen Platz für all die Neuankömmlinge, deswegen werden Frauen wie Gertrude, diejenigen, die Hilfe brauchen, an Orte geschickt, wo sie eine geeignetere Behandlung bekommen können.«

»Sie kommen also nicht zurück?«

»Nein.« Miss Lucy betrachtete ihre Besucherin abschätzend. »Es beschäftigt dich, das weiß ich. Du bist ein kluges Mädchen, Bessie. Ich hoffe ja immer noch, dass du bei den anderen Mädchen eine Führungsrolle übernimmst, auch wenn du derzeit nicht vom Nutzen der Operation überzeugt bist. Du könntest deiner Rasse alle Ehre machen, wenn du nur wolltest.«

»Ich kann für mich selbst entscheiden«, sagte Cora. »Warum können die das nicht? Auf der Plantage hat der Herr alles für uns entschieden. Ich habe gedacht, das hätten wir hier hinter uns.«

Miss Lucy zuckte angesichts des Vergleichs zusammen. »Wenn du den Unterschied zwischen guten, aufrechten Menschen und Geistesgestörten, Verbrechern und Schwachsinnigen nicht erkennen kannst, dann bist du nicht der Mensch, für den ich dich gehalten habe.«

Ich bin nicht der Mensch, für den du mich gehalten hast.

Eine der Proktorinnen unterbrach sie, eine ältere Frau namens Roberta, die sich oft mit der Vermittlungsstelle abstimmte. Sie hatte Cora vor Monaten bei den Andersons untergebracht. »Lucy? Sie warten auf dich.«

Miss Lucy gab einen Laut des Unmuts von sich. »Ich habe sie alle hier«, sagte sie zu ihrer Kollegin. »Aber die Unterlagen im Griffin enthalten das Gleiche. Laut dem Gesetz über flüchtige Sklaven müssen wir Entlaufene ausliefern und dürfen ihre Gefangennahme nicht behindern – dort steht aber nicht, dass wir alles stehen und liegen lassen müssen, bloß weil irgendein Sklavenfänger glaubt, er wäre seiner Beute auf der Spur. Wir beherbergen keine Mörder.« Sie stand auf und drückte den Stapel Papiere an ihre Brust. »Bessie, wir reden morgen weiter. Bitte denke über unser Gespräch nach.«

Cora zog sich zur Schlafsaaltreppe zurück. Sie setzte sich auf die dritte Stufe. Sie könnten nach sonst wem suchen. Die Wohnheime waren voller Entlaufener, die hier Zuflucht gesucht hatten, ob nach kürzlich erfolgter Flucht vor den Ketten oder nach Jahren, in denen sie sich anderswo durchgeschlagen hatten. Sie könnten nach sonst wem suchen.

Sie jagten Mörder.

Cora ging zuerst zu Caesars Wohnheim. Eigentlich kannte sie seine Arbeitszeiten, aber in ihrer Angst fielen ihr seine Schichten nicht ein. Draußen sah sie keine weißen Männer, jedenfalls keine von der rauen Sorte, nach der Sklavenfänger ihrer Vorstellung nach aussahen. Sie hetzte über das Grün. Der ältere Mann am Wohnheim bedachte sie mit einem anzüglichen Grinsen – es hatte immer etwas Ungehöriges, wenn ein Mädchen die Unterkunft der Männer besuchte – und teilte ihr mit, dass Caesar noch in der Fabrik sei. »Willst du mit mir warten?«, fragte er.

Es wurde allmählich dunkel. Sie überlegte hin und her, ob sie die Main Street riskieren sollte. In den Unterlagen der Stadt stand sie unter dem Namen Bessie. Die Skizzen auf den Flugblättern, die Terrance nach ihrer Flucht hatte drucken lassen, waren primitiv, hatten aber immerhin so viel Ähnlichkeit mit ihnen, dass jeder gewiefte Jäger sie sich zweimal ansehen würde. Sie würde auf keinen Fall ruhen, bis sie sich mit Caesar und Sam beraten hatte. Sie nahm die Elm Street, die parallel zur Main Street verlief, bis sie den Häuserblock erreichte, in dem das Drift lag. Jedes Mal, wenn sie um eine Ecke bog, rechnete sie mit einem berittenen Suchtrupp, mit Fackeln, Musketen und Gesichtern mit verschlagenem Lächeln. Das Drift war voller frühabendlicher Zecher, Männer, die sie zum Teil erkannte. Sie musste zweimal am Fenster des Saloons vorbeigehen, ehe der Stationsvorsteher sie sah und ihr bedeutete, zum Hintereingang zu kommen.

Die Männer im Saloon lachten. Sie schlüpfte durch das Licht, das von drinnen auf die Gasse fiel. Die Tür des Klohäuschens war angelehnt: leer. Sam stand im Schatten, den Fuß auf eine Kiste gestellt, während er sich den Stiefel schnürte. »Ich habe versucht, Näheres in Erfahrung zu bringen«, sagte er. »Der Sklavenfänger heißt Ridgeway. Im Augenblick redet er mit dem Constable, über dich und Caesar. Ich habe zwei von seinen Leuten Whiskey serviert.«

Er reichte ihr ein Flugblatt. Es handelte sich um einen der Steckbriefe, die Fletcher in seinem Cottage beschrieben hatte, mit einer Änderung. Nun, da sie das Alphabet kannte, bohrte sich ihr das Wort *Mord* ins Herz.

Aus der Bar drang Lärm nach draußen, und Cora zog sich tiefer in den Schatten zurück. Sam sagte, er könne erst in einer Stunde gehen. Er werde so viele Informationen wie möglich sammeln und versuchen, Caesar vor der Fabrik abzufangen. Am besten gehe Cora schon einmal zu seinem Haus und warte dort.

Sie rannte, wie sie schon lange nicht mehr gerannt war, hielt sich dabei am Straßenrand und suchte Deckung im Wald, wenn sie jemand anders hörte. Sie betrat Sams Cottage durch die Hintertür und zündete in der Küche eine Kerze an. Nachdem sie, außerstande, stillzusitzen, eine Weile hin und her gegangen war, tat sie schließlich das Einzige, was sie beruhigte. Sie hatte sämtliches Geschirr abgewaschen, als Sam nach Hause zurückkehrte.

»Es ist schlimm«, sagte der Stationsvorsteher. »Einer der Kopfgeldjäger ist hereingekommen, gleich nachdem wir uns unterhalten hatten. Hatte ein Halsband aus Menschenohren um wie ein Indianer, ein brutaler Bursche. Er hat den anderen gesagt, sie wüssten, wo ihr seid. Sie sind hinausgegangen und haben sich vor dem Lokal mit ihrem Mann getroffen, diesem Ridgeway.« Er atmete schwer vom Laufen. »Ich weiß nicht, woher, aber sie wissen, wer ihr seid.«

Cora hatte Caesars Schale gepackt. Sie drehte sie in den Händen hin und her.

»Die haben einen Suchtrupp zusammengestellt«, sagte Sam. »Ich konnte nicht zu Caesar. Er weiß, dass er hierher oder in den Saloon kommen soll – wir hatten einen Plan. Vielleicht ist er ja schon unterwegs.« Sam hatte vor, ins Drift zurückzukehren und dort auf ihn zu warten.

»Glaubst du, dass jemand gesehen hat, wie wir uns unterhalten haben?«

»Vielleicht solltest du auf den Bahnsteig hinuntergehen.«

Sie zerrten den Küchentisch und den dicken grauen Läufer zur Seite. Gemeinsam hoben sie die Falltür im Boden an – sie war genau eingepasst –, und die moderige Luft brachte die Kerze zum Flackern. Cora nahm etwas zu essen und eine Laterne und stieg in die Dunkelheit hinab. Die Falltür schloss sich über ihr, und der Tisch schurrte an Ort und Stelle zurück.

Sie hatte die Gottesdienste der farbigen Kirchen in der Stadt gemieden. Randall hatte Religion auf seiner Plantage verboten, um Gedanken an Erlösung erst gar nicht aufkommen zu lassen, und nach ihrer Ankunft in South Carolina hatte der Kirchgang keinerlei Bedeutung für sie gehabt. Den anderen farbigen Bewohnern war sie deshalb seltsam erschienen, das wusste sie, aber lange Zeit hatte es sie nicht gestört, seltsam zu erscheinen. Sollte sie jetzt beten? Im spärlichen Lampenlicht setzte sie sich an den Tisch. Auf dem Bahnsteig war es zu dunkel, als dass sie erkennen konnte, wo der Tunnel begann. Wie lange würden sie brauchen, um Caesar aufzustöbern? Wie schnell konnte er laufen? Sie war sich darüber im Klaren, auf welche Abmachungen sich Menschen in verzweifelter Lage einließen. Um das Fieber bei einem kranken Baby zu senken, um den Brutalitäten eines Aufsehers ein Ende zu machen, um sich vor einer Unzahl von Sklavenhöllen zu retten. Nach ihrer Beobachtung trugen solche Abmachungen niemals Früchte. Manchmal ließ das Fieber nach, aber die Plantage war jedes Mal immer noch da. Cora betete nicht.

Beim Warten schlief sie ein. Später kroch sie die Treppe hinauf, kauerte direkt unter der Falltür und lauschte. An der Oberfläche mochte es Tag oder Nacht sein. Sie hatte Hunger und Durst. Sie aß etwas von dem Brot und der Wurst. Brachte die Stunden damit zu, die

Treppe hinauf- und hinunterzugehen, das Ohr an die Falltür zu legen und sich nach einer Weile wieder zurückzuziehen. Als sie den letzten Rest gegessen hatte, war ihre Verzweiflung komplett. Sie lauschte an der Falltür. Sie hörte keinen Laut.

Das Donnern über ihr weckte sie und machte der Leere ein Ende. Es war nicht nur ein Mensch oder zwei, sondern viele. Sie verwüsteten das Haus und brüllten, warfen Schränke um und stellten alles auf den Kopf. Der Lärm war laut, heftig und so nah, dass sie sich die Treppe hinunterflüchtete. Was die Männer brüllten, konnte sie nicht verstehen. Dann waren sie fertig.

Die Ritzen in der Falltür ließen weder Licht noch Zugluft durch. Sie roch den Rauch nicht, aber sie hörte das Splittern von Glas und das Knacken und Prasseln des Holzes.

Das Haus brannte.

STEVENS

Das anatomische Institut der Ärzteschule der Proktoren lag drei Häuserblocks vom Hauptgebäude entfernt und war das zweitletzte in der Sackgasse. Die Schule traf keine so strenge Auswahl wie die bekannteren medizinischen Hochschulen in Boston; der daraus resultierende Andrang erforderte eine Erweiterung. Aloysius Stevens arbeitete nachts, um den Bedingungen seines Stipendiums Genüge zu tun. Für eine Ermäßigung der Studiengebühren und einen Arbeitsplatz – die Nachtschicht war ruhig und dem Studium förderlich – bekam die Schule jemanden, der den Leichenräuber hereinließ.

Carpenter lieferte normalerweise kurz vor Morgengrauen, ehe das Viertel aufwachte, doch heute kam er schon um Mitternacht. Stevens blies die Lampe im Sektionsraum aus und rannte die Treppe hinauf. Beinahe vergaß er seinen Schal, dann fiel ihm ein, wie kalt es in letzter Zeit war, da der Herbst sich bemerkbar machte und sie an die bittere Jahreszeit erinnerte, die ihnen bevorstand. Es regnete an jenem Morgen, und er hoffte, es war nicht allzu matschig. Er hatte nur ein Paar Brogues, und die Sohlen waren in erbärmlichem Zustand.

Carpenter und sein Gehilfe Cobb warteten auf dem Kutschbock. Stevens machte es sich auf dem Wagen bei den Werkzeugen bequem. Er rutschte nach unten, bis sie eine ordentliche Entfernung zurückgelegt hatten, für den Fall, dass noch Angehörige des Lehrkörpers oder der Studentenschaft unterwegs waren. Es war spät, aber am Abend hatte ein Knochenexperte aus Chicago vorgetragen, und vielleicht feierten sie noch in den örtlichen Saloons. Stevens war enttäuscht, dass er den Vortrag des Mannes verpasst hatte – sein Stipendium verhinderte häufig, dass er Gastvorlesungen besuchte –, aber dank des Geldes würde er diesen Stachel leichter verschmerzen. Die meisten anderen Studenten entstammten wohlhabenden Familien aus Massachusetts, und Sorgen um Miete oder Essen blieben ihnen erspart. Als der Wagen McGinty's passierte und Stevens das Gelächter drinnen hörte, zog er seinen Hut tiefer ins Gesicht.

Cobb beugte sich nach hinten. »Heute Nacht Concord«, sagte er und hielt ihm seine Taschenflasche hin. Stevens lehnte grundsätzlich ab, wenn Cobb ihm von seinem Schnaps anbot. Er befand sich zwar noch im Studium, war sich jedoch diverser Diagnosen sicher, die er über den Gesundheitszustand des Mannes gestellt hatte. Aber der Wind war frisch und tückisch, und bis zur Rückkehr ins anatomische Institut lagen Stunden in Dunkelheit und Matsch vor ihnen. Stevens nahm einen kräftigen Schluck und erstickte fast an flüssigem Feuer. »Was ist denn das?«

»Eine der Mischungen meines Vetters. Zu stark für Ihren Geschmack?« Er und Carpenter glucksten.

Er hatte wohl eher im Saloon die Reste von vergangener Nacht zusammengeschüttet. Stevens ließ sich den Scherz gutmütig gefallen. Im Lauf der Monate war Cobb mit ihm warmgeworden. Er konnte sich die Einwände des Mannes vorstellen, als Carpenter vorgeschlagen hatte, er, Stevens, könne einspringen, wenn einer von ihnen für ihre nächtlichen Exkursionen zu benebelt, eingesperrt oder anderweitig verhindert war. Woher wollen wir wissen, dass dieser noble reiche Knabe den Mund halten kann? (Stevens war nicht reich und nobel nur in seinen Bestrebungen.) Die Stadt hatte in letzter Zeit damit begonnen, Grabräuber aufzuhängen – was je nach Blickwinkel ironisch oder passend war, da man die Leichen der Erhängten zwecks Sektion medizinischen Hochschulen zur Verfügung stellte.

»Ich hab nichts gegen den Galgen«, hatte Cobb Stevens anvertraut. »Es geht ja ganz schnell. Das Problem sind die Leute – das Ganze sollte nicht öffentlich stattfinden, wenn Sie mich fragen. Zuzuschauen, wie sich einer die Eingeweide ausscheißt, das ist unanständig.«

Gräber zu öffnen hatte die Bande der Freundschaft gefestigt. Wenn Cobb ihn jetzt Doktor nannte, so tat er es mit Respekt und nicht spöttisch. »Sie sind nicht wie die andere Sorte«, sagte Cobb eines Nachts zu ihm, als sie eine Leiche zur Hintertür hineinschafften. »Sie sind ein bisschen zwielichtig.«

Das stimmte. Ein bisschen halbseiden zu sein war nützlich, wenn man ein junger Chirurg war, zumal wenn es um Material für Postmortem-Sektionen ging. Seit das Studium der Anatomie zu seinem Recht gekommen war, hatte es einen Mangel an Leichen gegeben. Die Polizei, das Gefängnis und der Richter lieferten nur soundso viele tote Mörder und Prostituierte. Gewiss, Menschen, die unter seltenen Krankheiten und merkwürdigen Entstellungen litten, verkauften ihren Körper zu Studienzwecken nach ihrem Hinscheiden, und einige Ärzte spendeten ihren Leichnam im Geiste wissenschaftlicher Forschung, aber ihre Zahlen deckten kaum die Nachfrage. Das Leichengeschäft war hart, für Käufer und Verkäufer gleichermaßen. Reiche medizinische Hochschulen überboten die weniger glücklichen. Leichenräuber verlangten eine Gebühr für die Leiche, schlugen dann einen Vorschuss, dann ein Ablieferungshonorar auf. Zu Beginn der Vorlesungszeit, wenn die Nachfrage hoch war, erhöhten sie die Preise, nur um zum Semesterende, wenn kein Bedarf mehr an einem Exemplar bestand, Sonderangebote zu machen.

Stevens sah sich täglich mit morbiden Paradoxien konfrontiert. Sein Berufsstand arbeitete an der Verlängerung des Lebens, während er insgeheim auf eine Zunahme der Toten hoffte. Ein Kunstfehler brachte einen vor den Richter, aber wenn man mit einer illegal beschafften Leiche erwischt wurde, bestrafte einen der Richter dafür, dass man versucht hatte, sich das fehlende Können zu erwerben. An der Ärzteschule der Proktoren mussten die Studenten selbst für ihre Pathologieexemplare aufkommen. Stevens' erster Anatomiekurs erforderte zwei vollständige Sektionen – wie sollte er das bezahlen? Zu Hause, in Maine, hatte ihn die Kochkunst seiner Mutter verwöhnt; die Frauen ihrer Familie waren begnadete Köchinnen. Hier in der Stadt führten Studiengebühren, Kosten für Bücher, Vorlesungen und Miete dazu, dass er sich manchmal tagelang von trockenem Brot ernähren musste.

Als Carpenter ihn aufforderte, für ihn zu arbeiten, zögerte er nicht. In den ersten Liefermonaten machte Carpenters Aussehen ihm Angst. Der Grabräuber war ein irischer Hüne von imposanter Gestalt, ungehobelt in Auftreten und Sprache und mit dem Geruch feuchter Erde behaftet. Carpenter und seine Frau hatten sechs Kinder; als zwei von ihnen am Gelbfieber starben, verkaufte er sie für anatomische Studien. Hieß es jedenfalls. Stevens hatte zu viel Angst, um ihn um eine Richtigstellung zu bitten. Wenn man mit Leichen handelte, half es, gegen Sentimentalität gefeit zu sein.

Er wäre nicht der erste Leichenräuber, der ein Grab öffnete und das Gesicht eines lange vermisst geglaubten Vetters oder lieben Freundes vor sich sah.

Carpenter rekrutierte seine Leute im Saloon, allesamt Krawallmacher. Sie schliefen tagsüber, tranken bis weit in den Abend hinein und machten sich dann auf zu ihrem Zeitvertreib. »Die Arbeitszeiten sind nicht toll, liegen aber einer bestimmten Persönlichkeit.« Der kriminellen, in jeder Hinsicht unverbesserlichen Persönlichkeit. Friedhöfe zu plündern war noch das Geringste. Die Konkurrenz war eine Horde tollwütiger Tiere. Wenn man einen Kandidaten zu lange in den Abend hinein liegen ließ, konnte es einem passieren, dass jemand anders die Leiche vor einem stibitzt hatte. Carpenter zeigte die Kunden seiner Konkurrenz bei der Polizei an und brach in Sektionssäle ein, um ihre Lieferungen zu verstümmeln. Es kam zu Prügeleien, wenn rivalisierende Gangs auf demselben Armenfriedhof zusammentrafen. Zwischen den Grabsteinen schlugen sie einander die Gesichter ein. »Es ist hoch hergegangen«, sagte Carpenter immer, wenn er eine seiner Geschichten erzählt hatte, und grinste dabei mit moosgrünen Zähnen.

In seiner ruhmreichen Zeit erhob Carpenter die Kniffe und Winkelzüge seines Handwerks zu einer teuflischen Kunst. In Schubkarren brachte er Leichenbestattern Steine zum Begraben und nahm den Verstorbenen mit. Ein Schauspieler lehrte seine Nichten und Neffen, bei Bedarf zu weinen, die Fertigkeit des Trauerns. Dann machten sie Rundgänge durch die Leichenhalle und beanspruchten Tote als lange verloren geglaubte Verwandte – obwohl sich Carpenter auch nicht zu schade war, dem Coroner Leichen schlichtweg zu stehlen, wenn er musste. Bei mehr als einer Gelegenheit verkaufte Carpenter einem anatomischen Institut eine Leiche, meldete sie der Polizei und schickte dann seine Frau in Trauerkleidung hin, damit sie den Toten als ihren Sohn beanspruchte. Worauf Carpenter die Leiche an ein anderes anatomisches Institut verkaufte. Das County sparte sich so die Beerdigungskosten; niemand sah allzu genau hin.

Irgendwann wurde das Leichengeschäft derart hemmungslos, dass Verwandte dazu übergingen, am Grab Wache zu halten, damit ihre Angehörigen in der Nacht nicht verschwanden. Plötzlich galt jedes vermisste Kind als Opfer übler Machenschaften – entführt, umgebracht und dann zwecks Sektion verkauft. Die Zeitungen nahmen sich in empörten Leitartikeln der Sache an; die Justiz griff ein. In diesem neuen Klima erweiterten die meisten Leichenräuber ihr Territorium und plünderten auch die Gräber ferner Friedhöfe, um ihre Raubzüge breiter zu streuen. Carpenter verlegte sich exklusiv auf Nigger.

Die Nigger postierten keine Wachen bei ihren Toten. Nigger hämmerten nicht beim Sheriff an die Tür, sie frequentierten nicht die Redaktionen der Zeitungsleute. Kein Sheriff beachtete sie, kein Journalist hörte sich ihre Geschichten an. Die Leichen ihrer Angehörigen verschwanden in Säcken und tauchten in den kühlen Kellern medizinischer Hochschulen wieder auf, wo sie ihre Geheimnisse preisgaben. Jede von ihnen in Stevens' Augen ein Wunder, das Einsichten in die Vielschichtigkeit von Gottes Plan lieferte.

Carpenter knurrte, wenn er das Wort sagte, ein räudiger Hund, der eifersüchtig seinen Knochen hütete: *Nigger.* Stevens benutzte das Wort niemals. Er missbilligte Rassenvorurteile. Tatsächlich hatte ein ungebildeter Ire wie Carpenter, von der Gesellschaft in ein Leben gelenkt, in dem er Gräber durchwühlte, mehr mit einem Neger als mit einem weißen Arzt gemeinsam. Wenn man ausführlich über die Frage nachdachte. Er würde das natürlich niemals laut sagen. Manchmal fragte sich Stevens, ob seine Ansichten angesichts der Beschaffenheit der modernen Welt verschroben waren. Die anderen Studenten äußerten die schrecklichsten Dinge über die Angehörigen der farbigen Bevölkerung von Boston, über ihren Geruch, ihre intellektuellen Defizite, ihre primitiven Triebe. Doch wenn seine Kommilitonen ihr Skalpell bei einer farbigen Leiche ansetzten, taten sie mehr für die Sache des sozialen Aufstiegs der Farbigen als der hochsinnigste Abolitionist. Im Tod wurde der Neger zu einem Menschen. Erst da war er dem Weißen gleichberechtigt.

Am Stadtrand von Concord hielten sie vor dem kleinen Holztor an und warteten auf das Zeichen des Friedhofswärters. Der Mann schwenkte seine Laterne hin und her, und Carpenter fuhr den Wagen auf den Friedhof. Cobb zahlte dem Mann sein Honorar, und er dirigierte sie zur Ausbeute dieser Nacht: zwei große, zwei mittlere und drei Säuglinge. Der Regen hatte den Boden aufgeweicht. In drei Stunden wären sie fertig. Nachdem sie die Gräber wieder zugeschüttet hatten, würde es so sein, als wären sie nie da gewesen.

»Dein Skalpell.« Carpenter reichte Stevens einen Spaten.

Morgen früh würde er wieder Medizinstudent sein. Heute Nacht war er ein Wiedererwecker. Leichenräuber war ein präziser Begriff. Wiedererwecker war ein bisschen blumig, enthielt jedoch ein Körnchen Wahrheit. Er gab diesen Menschen eine zweite Gelegenheit, einen Beitrag zu leisten, eine Gelegenheit, die ihnen zu Lebzeiten verweigert worden war.

Und wenn man die Toten studieren konnte, dachte Stevens ab und zu, dann konnte man auch die Lebenden studieren und ihnen Erkenntnisse abgewinnen, wie sie kein Leichnam lieferte.

Er rieb sich die Hände, um den Kreislauf anzuregen, und begann zu graben.

NORTH CAROLINA

Entlaufen oder fortgeschafft vom Wohnsitz des Unterzeichneten bei Henderson am 16 d. M. ein Negermädchen namens MARTHA, das dem Unterzeichneten gehört. Besagtes Mädchen ist von dunkelbrauner Hautfarbe, schmächtig gebaut und sehr freimütig, etwa 21 Jahre alt; es trägt eine schwarze Seidenhaube mit Federn und hat zwei Kattunbettdecken in seinem Besitz. Ich gehe davon aus, dass es sich als Freigelassene ausgeben wird.

RIGDON BANKS
Granville County, 28. August 1839

———————

Sie verlor die Kerzen. Eine der Ratten weckte Cora mit den Zähnen, und als sie sich wieder beruhigt hatte, kroch sie auf ihrer Suche durch den Schmutz des Bahnsteigs. Sie fand nichts. Es war der Tag, nachdem Sams Haus eingestürzt war, obwohl sie sich dessen nicht sicher sein konnte. Am besten, sie maß die Zeit jetzt mit einer der Baumwollwaagen der Randall-Plantage, bei der sich ihr Hunger und ihre Angst auf einer Schale häuften, während ihre Hoffnungen auf der anderen nach und nach schwanden.

Inzwischen brauchte Cora das Kerzenlicht nur noch zur Gesellschaft, denn sie hatte die Einzelheiten ihres Gefängnisses längst zusammengetragen. Der Bahnsteig war achtundzwanzig Schritte lang und maß fünfeinhalb von der Wand bis an den Rand des Gleises. Bis zur Welt oben waren es sechsundzwanzig Stufen. Die Falltür war warm, wenn sie die Hand daran legte. Sie wusste, an welcher Stufe ihr Kleid hängen blieb, wenn sie hinaufkroch (an der achten), und an welcher sie sich gern die Haut aufschürfte, wenn sie zu schnell hinunterkrabbelte (an der fünfzehnten). Sie erinnerte sich, in einer Ecke des Bahnsteigs einen Besen gesehen zu haben. Sie tappte damit auf den Boden wie die blinde Lady in der Stadt, so wie Caesar während ihrer Flucht das schwarze Wasser erkundet hatte. Dann fiel sie aus Ungeschicklichkeit oder Übermut auf das Gleis und verlor nicht nur den Besen, sondern auch jedes Bedürfnis außer dem, sich auf dem Boden zusammenzukauern.

Sie musste hinaus. In diesen langen Stunden konnte sie nicht umhin, sich grausame Szenen auszumalen, ihr eigenes Museum der schrecklichen Wunder einzurichten. Caesar, von der feixenden Horde aufgeknüpft; Caesar, schwer misshandelt auf dem Boden des Sklavenhändlerwagens, auf halbem Weg zurück zu Randall und den Strafen, die ihn dort erwarteten. Der freundliche Sam im Gefängnis; Sam geteert und gefedert, zur Underground Railroad verhört, mit gebrochenen Knochen und bewusstlos. Ein gesichtsloser weißer Suchtrupp durchkämmte die schwelenden Überreste der Hütte, klappte die Falltür auf und überlieferte sie dem Elend.

Das waren die Szenen, die sie im Wachzustand mit Blut ausschmückte. In Albträumen waren die Exponate grotesker. Sie schlenderte vor dem Glas hin und her, eine Besucherin des Schmerzes. Sie war in »Leben auf dem Sklavenschiff« eingesperrt, nachdem das Museum geschlossen hatte, immerzu zwischen zwei Häfen und auf Wind wartend, während unter Deck Hunderte von Entführten schrien. Hinter dem nächsten Fenster schnitt Miss Lucy ihr mit einem Brieföffner den Bauch auf, und tausend schwarze Spinnen wimmelten aus ihren Eingeweiden. Immer wieder wurde sie zu der Nacht hinter dem Räucherhaus zurückversetzt, festgehalten von Schwestern aus dem Krankenhaus, während Terrance Randall auf ihr ächzte und in sie stieß. Normalerweise weckten sie die Ratten oder die Insekten, wenn die Neugier der Tiere zu groß wurde, unterbrachen ihre Träume und beförderten sie in die Dunkelheit auf dem Bahnsteig zurück.

Ihr Bauch zitterte unter ihren Fingern. Sie hatte schon öfter gehungert, wenn Connelly es sich in den Kopf setzte, das Sklavenquartier wegen irgendeines Fehlverhaltens zu bestrafen, und die Rationen kürzte. Aber sie brauchten Essen, um arbeiten zu können, und die Baumwolle verlangte, dass die Bestrafung von kurzer Dauer war. Hier konnte sie überhaupt nicht wissen, wann sie als Nächstes etwas zu essen bekommen würde. Der Zug hatte Verspätung. An dem Abend, an dem Sam ihnen von dem schlechten Blut erzählt hatte – als das Haus noch stand –, war der nächste Zug in zwei Tagen fällig gewesen. Er hätte also schon kommen müssen. Sie wusste nicht, wie sehr er verspätet war, aber die Verzögerung verhieß nichts Gutes. Vielleicht war diese Strecke geschlossen. Die gesamte Verbindung entdeckt und abgeschafft. Niemand kam. Sie war zu schwach, um die nicht abzuschätzenden Meilen bis zur nächsten Station zu gehen, im Dunkeln, geschweige denn, sich dem zu stellen, was sie beim nächsten Halt erwarten mochte.

Caesar. Wenn sie und er vernünftig gewesen und weitergeflohen wären, befänden sie sich jetzt in den Freien Staaten. Warum hatten sie geglaubt, dass zwei niedrige Sklaven die Wohltätigkeit von South Carolina verdienten? Dass es ganz nahe, gleich jenseits der Grenze, ein neues Leben gab? Es war immer noch der Süden, und der Teufel hatte lange, geschickte Finger. Und dann, nach allem, was die Welt sie gelehrt hatte, Ketten nicht zu erkennen, als sie sich um ihre Hand- und Fußgelenke schlossen. Die Ketten in South Carolina waren von neuer Machart – Schlüssel und Zuhaltungen in ihrer Konstruktion regional geprägt –, erfüllten jedoch den Zweck von Ketten. Sie und Caesar waren gar nicht sehr weit gekommen.

Sie konnte die Hand nicht vor den Augen sehen, doch Caesars Gefangennahme sah sie viele Male vor sich. An seinem Arbeitsplatz in der Fabrik aufgegriffen, geschnappt auf dem Weg zu seinem Treffen mit Sam im Drift. Während er Arm in Arm mit seiner Freundin Meg die Main Street entlangging. Meg schreit auf, als sie ihn ergreifen, und sie stoßen sie zu Boden. Das wenigstens wäre anders, wenn sie Caesar zu ihrem Liebhaber gemacht hätte: Sie wären vielleicht zusammen gefangen genommen worden. Sie wären nicht allein in ihrem jeweiligen Gefängnis. Cora zog die Knie an die Brust und schlang die Arme darum. Am Ende hätte sie ihn enttäuscht. Sie war eben doch eine Einzelgängerin. Eine Einzelgängerin nicht nur in dem Sinne, den das Wort auf der Plantage hatte – verwaist, ohne jemanden, der sich um sie kümmerte –, sondern auch in jeder anderen Sphäre. Irgendwo, vor Jahren, war sie vom Pfad des Lebens abgekommen und fand nicht mehr zur Menschenfamilie zurück.

Der Boden zitterte schwach. Wenn sie in künftigen Tagen an das Nahen des verspäteten Zuges dachte, assoziierte sie das Vibrieren nicht mit der Lokomotive, sondern mit dem heftigen Eintritt einer Wahrheit, die sie schon immer gekannt hatte: Sie war eine Einzelgängerin in jedem Sinne. Die Letzte ihres Stammes.

Das Licht des Zuges kam um die Biegung geruckelt. Cora griff nach ihrem Haar, ehe ihr klarwurde, dass sich ihre Erscheinung nach ihrem Begrabenwerden nicht verbessern ließ. Der Lokomotivführer würde kein Urteil über sie fällen; das geheime Unternehmen war eine Bruderschaft merkwürdiger Seelen. Sie schwenkte lebhaft die Arme und genoss das orangefarbene Licht, das sich wie eine warme Blase auf dem Bahnsteig ausbreitete.

Der Zug sauste am Bahnsteig vorbei und verschwand.

Sie stürzte beinahe aufs Gleis, während sie dem Zug hinterherheulte, ihre Kehle nach tagelangem Darben rau und wund. Ungläubig stand sie da und zitterte, bis sie den Zug anhalten und rückwärtsfahren hörte.

Der Lokomotivführer entschuldigte sich. »Möchtest du auch mein Sandwich?«, fragte er, während Cora an seinem Trinkschlauch schlürfte. Sie bekam seinen Scherz gar nicht mit und aß das Sandwich, obwohl sie Schweinezunge nie sonderlich gemocht hatte.

»Eigentlich dürftest du gar nicht hier sein«, sagte der Junge und rückte sich die Brille zurecht. Er war nicht älter als fünfzehn, knochig und eifrig.

»Na, du siehst mich doch, oder?« Sie leckte sich die Finger ab und schmeckte Schmutz.

Bei jeder Komplikation in ihrer Geschichte rief der Junge »Herrgott!« und »Jesus Maria«, hakte die Daumen in die Taschen seiner Latzhose und wiegte sich auf den Fersen vor und zurück. Er sprach wie eines der weißen Kinder, die Cora auf dem Marktplatz Ballkicken hatte spielen sehen, mit einer unbeschwerten Autorität, die nicht zu seiner Hautfarbe, geschweige denn zur Art seiner Arbeit passte. Wie er dazu kam, die Lokomotive zu führen, war eine Geschichte für sich, doch jetzt war keine Zeit für die unwahrscheinlichen Biographien farbiger Jungen.

»Die Station Georgia ist geschlossen«, sagte er schließlich und kratzte sich unter seiner blauen Mütze die Kopfhaut. »Wir sollen uns davon fernhalten. Die Sklavenpatrouille muss sie ausgeräuchert haben, denke ich.« Er kletterte in sein Führerhaus, holte seinen Nachttopf, ging damit zum Tunneleingang und leerte den Topf aus. »Die Bosse hatten nichts mehr vom Stationsvorsteher gehört, deswegen bin ich express gefahren. Der Halt hier stand nicht auf meinem Plan.« Er wollte sofort weiterfahren.

Cora zögerte, schaute unwillkürlich auf die Treppe, ob nicht in letzter Minute noch jemand eintraf. Der unmögliche Fahrgast. Dann machte sie Anstalten, ins Führerhaus zu klettern.

»Da darfst du nicht rauf!«, sagte der Junge. »Vorschrift.«

»Du erwartest doch wohl nicht, dass ich *darauf* fahre«, sagte Cora.

»In diesem Zug fahren alle Fahrgäste im Waggon, Miss. Die sind da ziemlich streng.«

Den Flachwagen als Waggon zu bezeichnen war ein Missbrauch des Wortes. Es war ein Güterwagen wie der, in dem sie nach South Carolina gefahren war, aber nur seinem Unterbau nach. Die Fläche aus Holzbohlen war an das Fahrgestell genietet und hatte weder Wände noch Dach. Sie stieg darauf, und der Zug ruckte, während der Junge seine Vorbereitungen traf. Er drehte den Kopf und winkte seinem Fahrgast mit unangemessener Begeisterung zu.

Auf dem Boden lagen, lose und gewunden, Gurte und Seile für überdimensionale Frachtstücke. Cora setzte sich mitten auf den Flachwagen, schlang sich eines der Seile dreimal um die Taille, packte zwei weitere und machte sich Zügel. Sie zog sie stramm.

Der Zug ruckelte in den Tunnel. Nordwärts. Der Lokführer rief: »Alles einsteigen!« Der Junge war ungeachtet seines verantwortungsvollen Amtes eher ein schlichtes Gemüt, befand Cora. Sie blickte zurück. Ihr unterirdisches Gefängnis verschwand, von der Dunkelheit verschluckt. Sie fragte sich, ob sie der letzte Fahrgast von dort war. Möge der nächste Reisende nicht zögern, sondern weiterfahren, die ganze Strecke bis in die Freiheit.

Auf der Fahrt nach South Carolina hatte Cora, an Caesars warmen Körper geschmiegt, in dem rüttelnden Wagen geschlafen. Auf ihrer nächsten Zugfahrt schlief sie nicht. Ihr sogenannter Waggon war robuster als der Güterwagen, aber der Fahrtwind machte das Ganze zu einer stürmischen Tortur. Ab und zu musste sich Cora zur Seite drehen, um Atem zu holen. Der Lokomotivführer war waghalsiger als sein Vorgänger, trieb die Maschine zu höchstem Tempo an. Der Flachwagen holperte bei jeder Biegung. Dem Meer war sie nie näher gekommen als während ihrer Zeit im Museum der Naturwunder; diese Planken brachten ihr alles über Schiffe und Sturmböen bei. Das Summen des Lokführers wehte nach hinten, Lieder, die sie nicht kannte, Fragmente aus dem Norden, vom brausenden Wind aufgewirbelt. Irgendwann gab sie es auf und legte sich auf den Bauch, die Finger in die Ritzen gekrallt.

»Wie geht's dahinten?«, fragte der Lokführer, als sie anhielten. Sie befanden sich mitten im Tunnel, eine Station war nicht in Sicht.

Cora schlenkerte mit den Zügeln.

»Gut«, sagte der Junge. Er wischte sich Ruß und Schweiß von der Stirn. »Die Hälfte haben wir geschafft. Musste mir mal die Beine vertreten.« Er schlug mit der flachen Hand auf den Kessel. »Das alte Mädchen bockt manchmal.«

Erst als sie sich wieder in Bewegung gesetzt hatten, wurde Cora klar, dass sie vergessen hatte zu fragen, wohin sie fuhren.

Ein sorgfältiges Muster aus bunten Steinen schmückte die Station unter Lumblys Farm, und die Wände von Sams Station waren mit Holzplatten verkleidet. Die Erbauer dieses Halts hatten ihn aus der unnachgiebigen Erde herausgehackt und -gesprengt und keinerlei Verschönerungsversuch angestellt, um das Schwierige dieses Kraftakts ins rechte Licht zu rücken. Streifen aus weißen, orange- und rostfarbenen Adern durchzogen die Zacken, Kuhlen und Höcker. Cora stand in den Eingeweiden eines Berges.

Der Lokführer entzündete eine der Fackeln an der Wand. Die Arbeiter hatten nicht aufgeräumt, als sie fertiggeworden waren. Die überall herumstehenden Kisten mit Geräten und Bergbauausrüstung machten den Bahnsteig zur Werkstatt. Die Fahrgäste nutzten leere Sprengpulverkisten als Sitzgelegenheit. Cora kostete von dem Wasser in einem der Fässer. Es schmeckte frisch. Nach dem Regen aus fliegenden Körnchen im Tunnel fühlte sich ihr Mund wie ein altes Kehrblech an. Sie trank lange Zeit von der Schöpfkelle, während der Lokführer ihr nervös zusah. »Wo sind wir hier eigentlich?«, fragte sie.

»In North Carolina«, erwiderte der Junge. »Nach allem, was ich gehört habe, war das mal ein sehr beliebter Halt. Jetzt allerdings nicht mehr.«

»Der Stationsvorsteher?«, fragte Cora.

»Ich bin ihm nie begegnet, ist aber bestimmt ein feiner Kerl.«

Um in diesem Loch zurechtzukommen, musste man ein ausgeglichenes Gemüt haben und Dunkelheit ertragen können. Nach ihrer Zeit unter Sams Cottage fühlte sie sich dieser Herausforderung nicht gewachsen. »Ich fahre mit dir«, sagte Cora. »Was ist die nächste Station?«

»Das wollte ich vorhin schon sagen, Miss. Ich bin in der Wartung.« Wegen seines Alters, sagte er ihr, vertraue man ihm zwar die Lokomotive, nicht aber deren menschliche Fracht an. Nachdem die Station in Georgia dichtgemacht habe – die Einzelheiten kenne er nicht, aber es werde gemunkelt, sie sei entdeckt worden –, würden sämtliche Linien überprüft, um den Verkehr umzuleiten. Der Zug, auf den sie gewartet habe, sei gestrichen worden, und er wisse nicht, wann wieder einer komme. Er habe Anweisung, über den Zustand der Strecke zu berichten und dann zum Knotenpunkt zurückzukehren.

»Kannst du mich nicht bis zum nächsten Halt mitnehmen?«

Er winkte sie bis an den Rand des Bahnsteigs und streckte den Arm mit der Laterne aus. Der Tunnel endete fünfzig Fuß weiter an einer zerklüfteten Wand.

»Wir sind vorhin an einem Abzweig vorbeigekommen, der nach Süden führt«, sagte er. »Ich habe gerade genug Kohle, um ihn zu überprüfen und zum Betriebswerk zurückzukommen.«

»Ich kann nicht nach Süden«, sagte Cora.

»Der Stationsvorsteher kommt bestimmt. Da bin ich sicher.«

Sie vermisste ihn, als er fort war, trotz seiner Beschränktheit.

Cora hatte Licht, und sie hatte noch etwas, was ihr in South Carolina gefehlt hatte – Geräusch. Zwischen den Schienen sammelte sich dunkles Wasser, in stetigen Tropfen von der Stationsdecke gespeist. Das Steingewölbe über ihr war weiß mit roten Spritzern, wie Blut, das nach einer Auspeitschung ein Hemd tränkt. Das Geräusch heiterte sie trotzdem auf. Genau wie das reichlich vorhandene Trinkwasser, die Fackeln und die Entfernung, die sie zwischen sich und die Sklavenfänger gelegt hatte. North Carolina war, unter der Oberfläche, eine Verbesserung.

Sie sah sich um. Die Station grenzte an einen grob herausgehauenen Gang. Streben unterfingen die Holzdecke, und in den Lehmboden

174

eingebettete Steine brachten Cora zum Stolpern. Sie entschloss sich, zuerst nach links zu gehen, und stieg über Trümmer, die sich aus den Wänden gelöst hatten. Ihr Weg war von rostenden Werkzeugen übersät. Meißel, Hämmer und Hacken – Waffen, um es mit Bergen aufzunehmen. Die Luft war klamm. Als sie mit der Hand über die Wand fuhr, blieb kühler weißer Staub daran haften. Am Ende des Korridors führte eine im Stein verankerte Leiter nach oben in einen engen Schacht. Sie hob die Fackel. Wie weit die Sprossen reichten, war nicht zu erkennen. Sie wagte den Aufstieg erst, als sie festgestellt hatte, dass das andere Ende des Korridors sich zu einem tristen toten Ende verengte.

Nach nur wenigen Fuß auf der oberen Ebene sah sie, warum die Ausrüstung von den Arbeitstrupps zurückgelassen worden war. Ein vom Boden bis zur Decke reichender, schräg ansteigender Berg aus Steinen und Erde verschloss den Tunnel. Gegenüber der Einsturzstelle endete er nach hundert Fuß und bestätigte damit ihre Angst. Sie war erneut eingeschlossen.

Sie brach auf den Steinen zusammen und weinte, bis der Schlaf sie übermannte.

Der Stationsvorsteher weckte sie. »Oh!«, sagte der Mann. Sein rundes rotes Gesicht schob sich durch das Loch, das er oben in den Schutt gegraben hatte. »Du meine Güte«, sagte er. »Was machst du denn hier?«

»Ich bin ein Fahrgast, Sir.«

»Weißt du denn nicht, dass diese Station geschlossen ist?«

Sie hustete, stand auf und strich ihr schmutziges Kleid glatt.

»Du meine Güte, du meine Güte«, sagte er.

Er hieß Martin Wells. Gemeinsam verbreiterten sie das Loch in der Wand aus Steinen, und sie quetschte sich hindurch auf die andere Seite. Der Mann half ihr, auf ebenen Boden hinunterzusteigen, als hülfe er einer Lady aus der prächtigsten Kutsche. Nach mehreren Biegungen kam schwach das einladende Licht der Tunnelöffnung in Sicht. Ein

Luftzug kitzelte Coras Haut. Sie trank die Luft in tiefen Zügen wie Wasser, der Nachthimmel war die beste Mahlzeit, die sie je gehabt hatte, und die Sterne erschienen ihr nach ihrer Zeit unter der Erde reif und saftig.

Der Stationsvorsteher war ein fassförmiger Mann fortgeschrittenen Alters, schlaff und mit teigiger Haut. Für einen Vertreter der Underground Railroad, dem Gefahr und Risiko vermutlich nicht fremd waren, legte er ein nervöses Gebaren an den Tag. »Du dürftest gar nicht hier sein«, sagte er und wiederholte damit die Einschätzung des Lokomotivführers. »Das ist ein höchst bedauerliches Ereignis.«

Martin schnaufte sich durch seine Erklärung und strich sich beim Reden das verschwitzte graue Haar aus dem Gesicht. Die Nachtreiter seien auf Patrouille, erklärte er, weshalb sich Stationsvorsteher und Fahrgast in gefährlichem Fahrwasser bewegten. Die alte Katzengoldmine sei zwar abgelegen, schon vor langer Zeit von Indianern erschöpft worden und von den meisten längst vergessen, aber die Regulatoren überprüften regelmäßig die Höhlen und Schächte, jeden Ort, wo ein Flüchtling vor ihrer Justiz Zuflucht suchen könnte.

Die Einsturzstelle, die solche Verzweiflung bei Cora ausgelöst hatte, war eine List, um das Unternehmen darunter zu tarnen. Die neuen Gesetze in North Carolina hatten den Betrieb der Station trotz ihres Erfolges unmöglich gemacht – er, Martin, habe die Mine nur betreten, um der Underground Railroad eine Nachricht zu hinterlassen, dass er keine Fahrgäste mehr annehmen könne. Was die Beherbergung von Cora oder etwaigen anderen Entlaufenen anging, war er in jeder Hinsicht unvorbereitet. »Besonders angesichts der gegenwärtigen Umstände«, flüsterte er, als warteten am oberen Ende der Schlucht die Patrouillenreiter.

Er sagte ihr, er müsse einen Wagen holen, und sie war nicht überzeugt, dass er zurückkommen würde. Er beteuerte, er werde nicht lange wegbleiben – die Dämmerung nahte, und danach sei es unmöglich, sie zu transportieren. Sie war so dankbar dafür, wieder draußen in der lebendigen Welt zu sein, dass sie beschloss, ihm zu glauben, und sie schlang beinahe die Arme um ihn, als er wieder auftauchte, auf dem Bock eines verwitterten Wagens, der von zwei knochigen Arbeitspferden gezogen wurde. Um eine schmale Lücke zu schaffen, räumten sie die Säcke mit Korn und Saatgut um. Als sich Cora das letzte Mal so hatte verstecken müssen, hatten sie Platz für zwei gebraucht. Martin breitete eine Plane über seine Fracht, und sie rumpelten aus dem Geländeeinschnitt, während der Stationsvorsteher derbe Kommentare von sich gab, bis sie die Straße erreichten.

Sie waren noch nicht lange gefahren, als Martin die Pferde anhielt. Er zog die Plane weg. »Die Sonne wird bald aufgehen, aber ich wollte, dass du das siehst«, sagte er.

Cora wusste nicht gleich, was er meinte. Auf der Landstraße, die auf beiden Seiten vom Kronendach des Waldes überwölbt wurde, war es ruhig. Cora sah eine Gestalt, dann noch eine. Sie stieg vom Wagen.

Die Leichen hingen wie verrottender Schmuck in den Bäumen. Manche waren nackt, andere teilweise bekleidet, die Hosen schwarz, wo sich die Eingeweide entleert hatten, als das Genick gebrochen war. Schwere Wunden und Verletzungen entstellten die Körper derer, die ihr am nächsten waren, der beiden, die von der Laterne des Stationsvorstehers erfasst wurden. Einer war kastriert worden; wo seine Männlichkeit gewesen war, klaffte ein hässliches Loch. Der andere war eine Frau. Ihr Bauch war gewölbt. Cora hatte sich nie darauf verstanden zu erkennen, ob jemand schwanger war. Die hervorquellenden Augen schienen Coras Blick zu tadeln, doch was war das Augenmerk eines einzigen Mädchens, das ihre Ruhe störte, verglichen damit, wie die Welt ihnen seit dem Tag, an dem sie ihr Licht erblickt hatten, mitgespielt hatte?

»Sie nennen diese Straße jetzt den Freiheitsweg«, sagte Martin, während er den Wagen wieder abdeckte. »Die Leichen hängen den ganzen Weg bis in die Stadt.«

In was für einer Hölle hatte der Zug sie abgesetzt?

Als Cora das nächste Mal vom Wagen stieg, stahl sie sich um Martins gelbes Haus herum nach hinten. Der Himmel wurde allmählich hell. Martin hatte den Wagen so weit, wie er sich traute, auf sein Grundstück gefahren. Die Häuser zu beiden Seiten waren seinem ziemlich nahe – wer von den Geräuschen der Pferde wach wurde, konnte Cora sehen. Zur Vorderseite des Hauses hin sah sie die Straße und dahinter eine Wiese. Martin drängte sie zur Eile, und sie schlich auf die hintere Veranda und dann ins Haus. Eine hochgewachsene weiße Frau in Nachtkleidung lehnte an der Täfelung der Küche. Sie nippte an einem Glas Limonade und sah Cora nicht an, als sie sagte: »Du bringst es noch so weit, dass wir ermordet werden.«

Das war Ethel. Sie und Martin waren seit fünfunddreißig Jahren verheiratet. Das Paar wechselte kein Wort, während er sich an der Schüssel die zitternden Hände wusch. Sie hatten, wie Cora wusste, ihretwegen gestritten, während sie in der Mine wartete, und sie würden den Streit fortsetzen, sobald sie sich um das anstehende Problem gekümmert hatten.

Ethel führte Cora nach oben, während Martin den Wagen zu seinem Laden zurückfuhr. Cora erhaschte einen kurzen Blick ins Wohnzimmer, das bescheiden möbliert war; nach Martins Warnungen beschleunigte das durchs Fenster einfallende Morgenlicht ihre Schritte. Ethels lange graue Haare reichten ihr bis zur Mitte des Rückens. Die Art, wie die Frau ging, verunsicherte Cora – sie schien zu schweben, von ihrem Zorn getragen. Auf dem oberen Treppenabsatz blieb Ethel stehen und deutete auf den Waschraum. »Du riechst«, sagte sie. »Beeil dich.«

Als Cora wieder in den Flur trat, beorderte die Frau sie die Treppe zum Dachboden hinauf. Coras Kopf streifte beinahe die Decke des kleinen, aufgeheizten Raums. Zwischen den schrägen Wänden des Spitzdachs war der Boden mit den ausrangierten Stücken vieler Jahre vollgestopft. Zwei kaputte Waschbretter, Stapel von mottenzerfressenen Steppdecken, Stühle mit gesprungener Sitzfläche. In der Ecke, unter einem Kringel sich abschälender, gelber Tapete stand ein Schaukel-pferd, das mit verfilztem Fell bezogen war.

»Das da werden wir jetzt verdecken müssen«, sagte Ethel; sie meinte das Fenster. Sie rückte eine Kiste von der Wand heran, stellte sich dar-auf und klappte die Luke in der Decke auf. »Komm, komm«, sagte sie. Ihr Gesicht zu einer Grimasse erstarrt. Sie hatte die Flüchtige immer noch nicht angesehen.

Cora hievte sich durch die falsche Decke hindurch in den engen Spitzboden. Seine Wände liefen drei Fuß über dem Boden zusammen, und er war etwa fünfzehn Fuß lang. Um mehr Platz zu schaffen, ver-rückte sie die Stapel staubiger Gazetten und Bücher. Sie hörte Ethel die Treppe hinuntersteigen, und als ihre Gastgeberin wiederkam, reichte sie Cora Essen, einen Krug Wasser und einen Nachttopf.

Zum ersten Mal sah sie Cora an, das abgehärmte Gesicht von der Luke eingerahmt. »Ab und zu kommt das Hausmädchen«, sagte sie. »Wenn es dich hört, wird es uns anzeigen, und dann bringen sie uns alle um. Unsere Tochter und ihre Familie kommen heute Nachmittag. Sie dürfen nicht wissen, dass du hier bist. Hast du verstanden?«

»Wie lange wird das denn dauern?«

»Du dummes Ding. Keinen Laut. Keinen einzigen Laut. Wenn dich jemand hört, sind wir verloren.« Sie zog die Luke zu.

Die einzige Licht- und Luftquelle war ein Loch in der zur Straße liegenden Wand. Cora bückte sich unter die Balken und kroch zu ihm hin. Das gezackte Loch war von innen herausgeschnitten worden, das Werk eines früheren Bewohners, der Einwände gegen den Zustand der Unterkunft gehabt hatte. Sie fragte sich, wo dieser Mensch jetzt war.

An jenem ersten Tag machte sich Cora mit dem Leben im Park ver-traut, dem Flecken Grün, den sie auf der gegenüberliegenden Straßen-seite gesehen hatte. Sie drückte das Auge an das Guckloch und rutschte hin und her, um die komplette Aussicht zu überblicken. Zwei- und dreistöckige Holzrahmenhäuser säumten den Park auf allen Seiten, sie waren von gleicher Bauart und unterschieden sich nur in der Farbe ihres Anstrichs und der Art der Möblierung auf ihren langen Veranden. Ordentliche Ziegelsteinwege zogen sich kreuz und quer übers Gras und verschwanden im Schatten der hohen Bäume mit ihren üppigen Ästen. In der Nähe des Haupteingangs sprudelte ein Brunnen, umgeben von niedrigen Steinbänken, die schon bald nach Sonnenaufgang besetzt waren und ihre Beliebtheit bis weit in die Nacht hinein behielten.

Ältere Männer mit Taschentüchern voller Brotkrusten für die Vögel, Kinder mit ihren Drachen und Bällen und junge, frisch verliebte Paare wechselten sich ab. Herrscher des Ortes war eine schrill bellende und herumtollende braune Promenadenmischung, die alle kannten. Den ganzen Nachmittag scheuchten Kinder das Tier über den Rasen und auf den stabilen weißen Musikpavillon am Rand des Parks. Der Hund döste im Schatten der Bänke und der riesigen Eiche, die das Grün mit majestätischer Gelassenheit beherrschte. Er war gut gefüttert, wie Cora feststellte, und schlang die von den Bürgern angebotenen Knochen und Leckerbissen gierig hinunter. Bei diesem Anblick knurrte ihr jedes Mal der Magen. Sie taufte ihn Mayor, Bürgermeister.

Als sich die Sonne ihrem Höchststand näherte und der Park vom Mittagsbetrieb wimmelte, verwandelte die Hitze das Versteck in einen Glutofen. Auf der Suche nach eingebildeten Oasen von Kühle an verschiedene Stellen des Spitzbodens zu kriechen wurde nach ihrer Wache über den Park zu ihrer Hauptbeschäftigung. Sie lernte, dass ihre Gastgeber sie tagsüber, wenn ihr Hausmädchen Fiona arbeitete, allein ließen. Martin kümmerte sich um seinen Laden, Ethel kam zwischen den Besuchen, die sie machte, immer nur kurz nach Hause, aber Fiona hielt sich die ganze Zeit im Erdgeschoss auf. Sie war jung, mit einem ausgeprägten irischen Akzent. Cora hörte sie ihren Arbeiten nachgehen, vor sich hin seufzen und Schimpfworte gegen ihre abwesenden Arbeitgeber knurren. Fiona kam an jenem ersten Tag nicht auf den Dachboden, aber das Geräusch ihrer Schritte ließ Cora jedes Mal so starr werden wie ihren alten Segelkameraden Skipper John. Ethels Warnungen am ersten Morgen hatten den gewünschten Eindruck gemacht.

An ihrem Ankunftstag kamen weitere Besucher – Martins und Ethels Tochter Jane mit Familie. Aus der fröhlichen, angenehmen Art der Tochter schloss Cora, dass sie dem Vater nachschlug, und malte sich, mit Martin als Vorlage, ihr breites Gesicht aus. Der Schwiegersohn und die beiden Enkelinnen sorgten für einen unaufhörlich durchs Haus donnernden Radau. Irgendwann machten sich die Mädchen zum Dachboden auf, doch nach einem Gespräch über die Sitten und Gewohnheiten von Gespenstern überlegten sie es sich anders. Es gab tatsächlich ein Gespenst im Haus, doch mit Ketten, ob rasselnd oder nicht, hatte Cora abgeschlossen.

Auch am Abend herrschte noch Betrieb im Park. Die Main Street musste ganz in der Nähe sein, dachte Cora, und sorgte für einen Besucherstrom. Einige ältere Frauen in blauen Ginghamkleidern nagelten weiß-blaue Wimpel an den Musikpavillon. Girlanden aus orangefarbenen Blättern sorgten für zusätzlichen Schmuck. Familien belegten Plätze vor der Bühne, entrollten Decken und packten Körbe mit Abendessen aus. Diejenigen, die am Park wohnten, versammelten sich mit Krügen und Gläsern auf ihren Veranden.

Weil sie so von ihrer unbequemen Zufluchtsstätte und dem Pech, das sie seit ihrer Entdeckung durch die Sklavenfänger verfolgte, in Anspruch genommen worden war, fiel ihr ein wichtiges Merkmal des Parks erst nach einer Weile auf: Alle Besucher waren Weiße. Sie hatte die Plantage niemals verlassen, bevor sie und Caesar geflohen waren, und so verschaffte South Carolina ihr einen ersten flüchtigen Eindruck von der Mischung der Rassen in Klein- und Großstädten. Auf der Main Street, in Läden, Fabriken und Büros, in jedem Bereich mischten sich Schwarz und Weiß jeden Tag ganz selbstverständlich. Ohne das verkümmerten Handel und Wandel. In Freiheit oder Sklaverei, der Afrikaner war vom Amerikaner nicht zu trennen.

In North Carolina gab es die schwarze Rasse nur an den Enden von Stricken.

Zwei kräftige junge Männer halfen den älteren Frauen, über dem Musikpavillon ein Transparent aufzuhängen: Freitagsfest. Eine Musikkapelle nahm ihren Platz auf der Bühne ein, die Klänge, mit denen sie sich einspielte, ließen die verstreuten Parkbesucher zusammenströmen. Cora kauerte sich hin und drückte das Gesicht an die Wand. Der Banjospieler verriet ein gewisses Talent, der Trompeter und der Fiddler weniger. Ihre Melodien waren fade im Vergleich mit denen der farbigen Musiker, die sie auf Randall und anderswo gehört hatte, aber die Stadtbewohner genossen die blutleeren Rhythmen. Die Kapelle schloss mit schwungvollen Wiedergaben zweier farbiger Songs, die Cora kannte und die sich als die beliebtesten des Abends erwiesen. Unten auf der Veranda kreischten und klatschten Martins und Ethels Enkelkinder.

Ein Mann in zerknittertem Leinenanzug betrat die Bühne und hielt eine kurze Begrüßungsrede. Martin erzählte Cora später, dass das Richter Tennyson war, in nüchternem Zustand eine Respektsperson in der Stadt. An diesem Abend torkelte er. Sie konnte seine Ankündigung der nächsten Darbietung nicht verstehen, einer Minstrel Show. Sie hatte schon davon gehört, deren Zerrbilder jedoch nie selbst gesehen; der farbige Abend im Theater in South Carolina bot andere Kost. Zwei weiße Männer, die Gesichter mit verbranntem Kork geschwärzt, hampelten durch eine Reihe von Parodien, die bei den Parkbesuchern für ausgelassenes Gelächter sorgten. Gekleidet in nicht zusammenpassende, grellbunte Sachen und Angströhren, modulierten sie ihre Stimmen zu einer übertriebenen Imitation farbiger Sprechweise; das schien die Quelle des Humors zu sein. Ein Sketch, bei dem der magerere der beiden Darsteller seinen ramponierten Stiefel auszog, immer wieder seine Zehen nachzählte und sich dabei ständig vertat, rief die lauteste Reaktion hervor.

Die letzte Darbietung, die einer Ansage des Richters über die chronischen Wasserverluste beim See folgte, war ein kurzes Theaterstück. Nach dem, was sich Cora aus den Bewegungen der Schauspieler und den Dialogfetzen zusammenreimte, die bis in ihren stickigen Winkel drangen, handelte es von einem Sklaven – abermals ein mit verbranntem Kork geschminkter Weißer, an dessen Hals und Handgelenken rosige Haut hervorschimmerte –, der nach einem leichten Tadel vonseiten seines Herrn in den Norden flieht. Er leidet auf seiner Reise und hält einen verdrießlichen Monolog über Hunger, Kälte und wilde Tiere. Im Norden stellt ihn der Wirt eines Saloons ein. Der Wirt ist ein unbarmherziger Boss, der den auf Abwege geratenen Sklaven unentwegt schlägt und beleidigt, ihm Lohn und Würde vorenthält – das harte Abbild weißer Gesinnungen im Norden.

Die letzte Szene zeigt den Sklaven auf der Schwelle seines Herrn, nachdem er abermals weggelaufen ist, diesmal vor den falschen Verheißungen der Freien Staaten. Er bettelt um seine frühere Stellung, beklagt seine Dummheit und bittet um Verzeihung. Mit freundlichen und geduldigen Worten erklärt der Herr, dass das unmöglich sei. In Abwesenheit des Sklaven habe North Carolina sich verändert. Der Herr pfeift, und zwei Patrouillenreiter schleppen den auf die Knie gefallenen Sklaven von der Bühne.

Die Stadtbewohner wussten die Moral der Darbietung zu schätzen, ihr Applaus hallte durch den Park. Kleine Kinder klatschten auf den Schultern ihrer Väter, und Cora sah Mayor, wie er spielerisch mit den Kiefern schnappte. Sie hatte keine Ahnung, wie groß die Stadt war, doch sie hatte das Gefühl, dass sich mittlerweile sämtliche Bürger im Park befanden und warteten. Der eigentliche Zweck des Abends offenbarte sich. Ein stämmig gebauter Mann in weißer Hose und hellrotem Rock übernahm das Kommando über die Bühne. Trotz seines Körperumfangs bewegte er sich voller Kraft und Autorität – Cora erinnerte sich an den ausgestopften Bären im Museum, dargestellt im dramatischen Augenblick seines Angriffs. Mit geduldiger Belustigung zwirbelte er ein Ende seines Schnauzbarts, während das Publikum ruhig wurde. Seine Stimme war fest und klar, und zum ersten Mal an diesem Abend entging Cora nicht ein einziges Wort.

Er stellte sich als Jamison vor, obwohl offenbar jeder Einzelne im Park wusste, um wen es sich handelte. »Jeden Freitag wache ich voller Tatkraft auf«, sagte er, »weil ich weiß, dass wir uns in ein paar Stunden wieder hier versammeln und unser Glück feiern. Schlaf habe ich nur schwer gefunden in den Tagen, bevor wir uns dank unserer Regulatoren im Dunkeln sicher fühlen konnten.« Er deutete auf die ansehnliche, fünfzig Mann starke Schar, die sich neben dem Musikpavillon aufgebaut hatte.

Die Zuschauer jubelten, als die Männer winkten und Jamisons Anerkennung mit Nicken quittierten.

Jamison informierte die Zuschauer über Neuigkeiten. Gott habe einem Regulator einen neugeborenen Sohn geschenkt, zwei andere hätten ihren Geburtstag gefeiert. »Und wir haben heute Abend einen neuen Rekruten bei uns«, fuhr Jamison fort, »einen jungen Mann aus guter Familie, der sich diese Woche den Reihen der Nachtreiter angeschlossen hat. Komm hier herauf, Richard, damit sie dich mal anschauen können.«

Der schlanke, rothaarige Junge trat zögernd vor. Wie seine Kollegen trug er seine Uniform, schwarze Hose und weißes Hemd aus dickem Stoff, aus dessen breitem Kragen sein dünner Hals ragte. Der Junge murmelte etwas. Aus Jamisons Anteil am Gespräch schloss Cora, dass der Rekrut seit einiger Zeit im County auf Streife ritt und die Regeln seiner Truppe lernte.

»Und du hast einen verheißungsvollen Auftakt gehabt, nicht wahr, mein Sohn?«

Der schlaksige Junge nickte eifrig mit dem Kopf. Seine Jugend und seine schmächtige Gestalt erinnerten Cora an den Lokomotivführer ihrer letzten Fahrt, dem ein zufälliger Umstand Männerarbeit übertragen hatte. Seine sommersprossige Haut war heller, aber sie hatten den gleichen fragilen Eifer gemeinsam. Vielleicht am selben Tag geboren, dann durch Normen und Gegebenheiten so gelenkt, dass sie unterschiedlichen Instanzen dienten.

»Nicht jeder Reiter macht schon in seiner ersten Woche auf Streife einen Fang«, sagte Jamison. »Wollen mal sehen, was der junge Richard für uns hat.«

Zwei Nachtreiter schleppten ein farbiges Mädchen auf die Bühne. Es hatte den zarten Körperbau eines Hausmädchens und machte sich, verstört lächelnd, noch kleiner. Ihr grauer Kittel war zerrissen und mit Blut und Schmutz beschmiert, und ihr Kopf war grob rasiert worden. »Richard hat den Laderaum eines Dampfschiffs auf dem Weg nach Tennessee durchsucht und dabei diese Schurkin gefunden, die sich unter Deck versteckte«, sagte Jamison. »Sie heißt Louisa. Sie hat sich im Durcheinander der Neuordnung von ihrer Plantage entfernt und viele Monate lang in den Wäldern versteckt. In der Überzeugung, sie wäre der Logik unseres Systems entkommen.«

Louisa wälzte sich herum, um die Zuschauermenge zu mustern, hob kurz den Kopf und lag still. Mit dem vielen Blut in ihren Augen wäre es ihr ohnehin schwergefallen, ihre Peiniger zu erkennen.

Jamison reckte die Fäuste in die Luft, als forderte er irgendetwas im Himmel heraus. Die Nacht war sein Widersacher, befand Cora, die Nacht und die Phantome, mit denen er sie füllte. Im Dunkeln, sagte er, lauerten farbige Übeltäter, um die Frauen und Töchter der Bürger zu schänden. Im ewigen Dunkel sei ihr südliches Erbe wehrlos und gefährdet. Die Reiter sorgten für ihre Sicherheit. »Wir alle haben für dieses neue North Carolina und seine Rechte Opfer gebracht«, sagte Jamison. »Für diese eigenständige Nation, die wir geschmiedet haben und die frei ist von Einmischung aus dem Norden und von der Verunreinigung durch eine minderwertige Rasse. Die schwarze Horde ist zurückgeschlagen worden, und damit wurde der Fehler korrigiert, der vor Jahren, bei der Geburt dieser Nation, gemacht wurde. Einige, wie zum Beispiel unsere Brüder gleich jenseits der Staatsgrenze, haben sich die absurde Vorstellung vom Aufstieg des Niggers zu eigen gemacht. Einem Esel das Rechnen beizubringen wäre leichter.« Er bückte sich und rubbelte über Louisas Kopf. »Wenn wir einen von diesem Gesindel finden, ist unsere Pflicht klar.«

Die Menge teilte sich, von Routine geschult. Mit Jamison an der Spitze des Zuges zerrten die Nachtreiter das Mädchen zu der großen Eiche mitten im Park. Cora hatte die fahrbare Plattform in der Ecke des Parks an jenem Tag gesehen; den ganzen Nachmittag waren Kinder darauf herumgeklettert und -gesprungen. Irgendwann am Abend hatte man sie unter die Eiche geschoben. Jamison bat um Freiwillige, und Leute aller Altersgruppen eilten an ihren Platz zu beiden Seiten der Plattform. Die Schlinge legte sich um Louisas Hals, und sie wurde die Treppe hinaufgeführt. Mit der Präzision, die sich langer Übung verdankte, warf ein Nachtreiter mit einem einzigen Wurf das Seil über den dicken, kräftigen Ast.

Einer von denen, die sich zum Wegschieben der Rampe versammelt hatten, wurde wieder fortgeschickt – er war schon bei einem früheren Fest an der Reihe gewesen. Eine junge Brünette in einem rosa Kleid mit Pünktchenmuster beeilte sich, seinen Platz einzunehmen.

Cora wandte sich ab, ehe das Mädchen baumelte. Sie kroch auf die andere Seite des Spitzbogens, in die Ecke ihres neuesten Käfigs. In den nächsten Monaten schlief sie in Nächten, in denen es nicht zu stickig war, am liebsten in dieser Ecke. Es war so weit weg vom Park, vom klopfenden Herzen der Stadt, wie sie nur kommen konnte.

Die Stadtbewohner verstummten. Jamison gab das Kommando.

Um zu erklären, warum er und seine Frau Cora auf ihrem Dachboden gefangen hielten, musste Martin ein ganzes Stück zurückgehen. Wie bei allem im Süden fing es mit der Baumwolle an. Die erbarmungslose Baumwollmaschine verlangte ihren Treibstoff, afrikanische Leiber. Schiffe fuhren kreuz und quer über den Ozean und schafften Leiber herbei, damit sie das Land bearbeiteten und weitere Leiber zeugten.

Die Kolben dieser Maschine stampften ohne Unterlass. Mehr Sklaven führten zu mehr Baumwolle, die zu mehr Geld führte, mit dem man mehr Land kaufen konnte, um mehr Baumwolle anzubauen. Obwohl es den Sklavenhandel nicht mehr gab, waren die Zahlen binnen weniger als einer Generation unvertretbar: Unmengen von Niggern. In North Carolina kamen zwei Weiße auf einen Sklaven, doch in Louisiana und Georgia näherten sich die jeweiligen Bevölkerungszahlen einander an. Gleich jenseits der Grenze, in South Carolina, übertraf die Zahl der Schwarzen die der Weißen um mehr als hunderttausend. Es war nicht schwierig, sich vorzustellen, was passieren würde, wenn der Schwarze im Streben nach Freiheit – und nach Vergeltung – seine Ketten abwerfen würde.

In Georgia und Kentucky, in Südamerika und auf den karibischen Inseln erhoben sich die Afrikaner gegen ihre Herren in kurzen, aber höchst beunruhigenden Zusammenstößen. Bevor der Aufstand im Southampton County niedergeschlagen wurde, ermordeten Turner und seine Bande fünfundsechzig Männer, Frauen und Kinder. Zivile Milizen und Sklavenpatrouillen lynchten ihrerseits dreimal so viele –

Verschwörer, Sympathisanten und Unschuldige –, um ein Exempel zu statuieren. Um die Machtverhältnisse klarzustellen. Aber die Zahlen blieben und verkündeten eine von Vorurteilen ungetrübte Wahrheit.

»In dieser Gegend hier war das, was einem Constable am nächsten kam, der Patrouillenreiter«, sagte Martin.

»Das ist an den meisten Orten so«, sagte Cora. »Die Patrouillenreiter drangsalieren einen, wann immer sie Lust dazu haben.« Es war nach Mitternacht, an ihrem ersten Montag. Martins Tochter und ihre Familie waren nach Hause zurückgekehrt, ebenso wie Fiona, die ein Stück weiter, in Irishtown, wohnte. Martin hockte auf einer Kiste auf dem Dachboden und fächelte sich. Cora ging hin und her und streckte ihre schmerzenden Glieder. Sie hatte seit Tagen nicht aufrecht gestanden. Ethel weigerte sich zu erscheinen. Dunkelblaue Vorhänge verdeckten die Fenster, und die kleine Kerze leckte an der Finsternis.

Trotz der späten Stunde sprach Martin im Flüsterton. Der Sohn seines nächsten Nachbarn war ein Nachtreiter.

Als Vollstrecker der Sklavenbesitzer waren die Patrouillenreiter das Gesetz: weiß, korrupt und gnadenlos. Rekrutiert aus den niedrigsten und bösartigsten Bevölkerungsteilen, zu geistlos, um auch nur Aufseher zu werden. (Cora nickte zustimmend.) Abgesehen von der Hautfarbe brauchte der Patrouillenreiter keinen Grund, um jemanden anzuhalten. Sklaven, die außerhalb der Plantage angetroffen wurden, mussten Passierscheine vorweisen können, sofern sie keine Tracht Prügel und einen Besuch im County-Gefängnis wollten. Freie Schwarze führten einen Beweis ihrer Freilassung mit sich oder riskierten, in die Klauen der Sklaverei befördert zu werden; manchmal wurden sie trotzdem zum Auktionspodest geschmuggelt. Aggressive Schwarze, die sich nicht ergaben, konnten erschossen werden. Die Patrouillenreiter durchsuchten nach Belieben Sklavendörfer und nahmen sich Freiheiten heraus, während sie die Häuser von Freigelassenen durchsuchten, stahlen mühsam erarbeitete Wäsche oder begingen unzüchtige Übergriffe.

Im Krieg – und die Niederschlagung eines Sklavenaufstandes war der ruhmreichste Ruf zu den Waffen – transzendierten die Patrouillenreiter ihre Ursprünge und wurden zu einer richtigen Armee. Cora stellte sich die Aufstände als große, blutige Schlachten vor, die sich unter einem von riesigen Feuern erleuchteten Nachthimmel entfalteten. Laut Martins Berichten waren die tatsächlichen Erhebungen klein und chaotisch. Die Sklaven zogen mit den Waffen, die sie ergattert hatten – Beile und Sensen, Messer und Ziegelsteine –, über die Straßen zwischen Städten. Von farbigen Verrätern informiert, organisierten die weißen Vollstrecker ausgeklügelte Hinterhalte, dezimierten die Aufständischen mit Gewehrfeuer und rannten sie, von der Armee der Vereinigten Staaten verstärkt, zu Pferde nieder. Schon bei den ersten Alarmsignalen schlossen sich zivile Freiwillige den Patrouillenreitern an, um den Aufruhr zu ersticken, drangen in die Sklavenquartiere ein und steckten die Häuser von Freigelassenen in Brand. Verdächtige und Unbeteiligte bevölkerten die Gefängnisse. Sie hängten die Schuldigen und im Interesse der Prävention auch einen kräftigen Prozentsatz Unschuldiger. Sobald die Ermordeten gerächt waren – und, noch wichtiger, man die Beleidigung der weißen Ordnung mit Zins und Zinseszins zurückgezahlt hatte –, kehrten die Zivilisten auf ihre Farmen, in ihre Fabriken und Läden zurück, und die Patrouillenreiter nahmen ihre Runden wieder auf.

Die Aufstände wurden gewaltsam unterdrückt, aber die ungeheure Größe der farbigen Bevölkerung blieb. Die Statistik sprach ihr Urteil in trostlosen Zahlenreihen und Spalten.

»Wir wissen es, aber wir sagen es nicht«, sagte Cora zu Martin.

Die Kiste knarrte, als Martin sich bewegte.

»Und wenn wir es sagen, dann so, dass niemand es hört«, sagte Cora. »Wie groß wir sind.«

An einem kühlen Abend letzten Herbst seien die mächtigen Männer von North Carolina zusammengekommen, um die Farbigenfrage zu lösen. Politiker, eingestellt auf die komplexen Verschiebungen in der Sklavereidebatte; reiche Farmer, die das Untier Baumwolle eingespannt hatten und spürten, wie ihnen die Zügel entglitten; und die erforderlichen Anwälte, die den weichen Ton ihrer Pläne zu dauerhafter Festigkeit brennen sollten. Jamison, erzählte Martin, habe in seiner Eigenschaft als Senator und lokaler Plantagenbesitzer teilgenommen. Es sei ein langer Abend geworden.

Sie versammelten sich in Oney Garrisons Esszimmer. Oney wohnte auf dem Justice Hill, der so hieß, weil man von dort aus in meilenweitem Umkreis alles sehen und so die Welt ins rechte Verhältnis rücken konnte. Nach diesem Abend wurde ihre Zusammenkunft unter dem Namen Justice Convention bekannt. Der Vater ihres Gastgebers hatte zur Baumwollvorhut gehört und war ein kluger Fürsprecher der Wunderpflanze gewesen. Oney wuchs mit den Segnungen der Baumwolle und mit ihrem notwendigen Übel, den Niggern, auf. Je mehr er darüber nachdachte – während er da in seinem Esszimmer saß und die langen, bleichen Gesichter der Männer betrachtete, die seinen Schnaps tranken und seine Gastfreundschaft überbeanspruchten –, desto klarer wurde ihm, dass er im Grunde mehr von Ersterem und weniger von Letzterem wollte. Warum verbrachten sie so viel Zeit damit, sich Sorgen über Sklavenaufstände und den Einfluss des Nordens im Kongress zu machen, wo doch das eigentliche Problem war, wer die ganze verdammte Baumwolle pflücken würde?

In den Tagen danach, sagte Martin, hätten die Zeitungen die Zahlen gedruckt, sodass alle sie sehen konnten. In North Carolina gab es fast dreihunderttausend Sklaven. Jedes Jahr strömte die gleiche Zahl von Europäern – größtenteils Iren und Deutsche auf der Flucht vor Hungersnot und politischer Unterdrückung – in die Häfen von Boston, New York, Philadelphia. Im Parlamentssaal und in Leitartikeln wurde die Frage aufgeworfen: Warum diesen Nachschub an die Yankees abtreten? Warum nicht den Verlauf dieses menschlichen Zuflusses so ändern, dass er sich südwärts ergoss? Anzeigen in überseeischen Zeitungen bewarben die Vorteile von Kontraktarbeit, eigens Beauftragte erläuterten das Ganze in Schenken, Bürgerversammlungen und Armenhäusern, und zu gegebener Zeit wimmelten die Charterschiffe von ihrer willigen menschlichen Fracht und brachten Träumer an die Gestade eines neuen Landes. Dann gingen sie von Bord, um auf den Feldern zu arbeiten.

»Hab noch nie einen Weißen Baumwolle pflücken sehen«, sagte Cora.

»Bevor ich nach North Carolina zurückgekommen bin, hatte ich auch noch nie gesehen, wie ein Mob einen Menschen in Stücke reißt. Wenn man das gesehen hat, sagt man nicht mehr, was Menschen tun werden und was sie nicht tun werden.«

Gewiss, man konnte einen Iren nicht wie einen Afrikaner behandeln, weißer Nigger hin oder her. Da waren einerseits die Kosten für Kauf und Unterhalt von Sklaven, andererseits musste man weißen Arbeitern magere, aber ein Auskommen ermöglichende Löhne bezahlen. Die Realität der Sklavengewalt war abzuwägen gegen langfristige Stabilität. Die Europäer waren schon Farmer gewesen; sie würden wieder Farmer sein. Sobald die Einwanderer ihre Kontrakte abgearbeitet (Reisekosten, Werkzeug und Unterkunft zurückbezahlt) und ihren Platz in der amerikanischen Gesellschaft eingenommen hatten, würden sie Verbündete des im Süden herrschenden Systems sein, das sie ernährt hatte. Am Wahltag, wenn sie zur Urne schritten, würde ihre Stimme ganz und nicht nur zu drei Fünfteln zählen. Eine finanzielle Kalkulation war unabdingbar, aber im sich abzeichnenden Konflikt um die Rassenfrage würde North Carolina von allen Sklavenstaaten in der günstigsten Position dastehen.

Faktisch schafften sie die Sklaverei ab. Ganz im Gegenteil, gab Oney Garrison zur Antwort. Wir haben die Nigger abgeschafft.

»Aber all die Frauen und Kinder, die Männer – wo sind sie hin?«, fragte Cora. Irgendwer rief etwas im Park, und die beiden auf dem Dachboden schwiegen eine Zeitlang.

»Das hast du doch gesehen«, sagte Martin.

Die Regierung von North Carolina – die sich an jenem Abend zur Hälfte in Garrisons Esszimmer drängte – kaufte Farmern zu günstigen Preisen vorhandene Sklaven ab, genau wie es Großbritannien getan hatte, als es die Sklaverei vor Jahrzehnten abschaffte. Die anderen Staaten des Baumwollreichs nahmen diesen Bestand ab; Florida und Louisiana gierten in ihrem explosiven Wachstum besonders stark nach Arbeitskräften, zumal nach erfahrenen. Ein kurzer Gang über die Bourbon Street verriet jedem Beobachter die Folge: ein widerwärtiger Staat von Bastarden, in dem die weiße Rasse durch Vermischung mit Negerblut besudelt, geschwächt, haltlos wurde. Sollten sie ihre europäischen Blutlinien ruhig mit ägyptischer Dunkelheit verunreinigen, einen Strom von Halb- und Viertelblütigen und diverse schmutzige gelbe Bastarde hervorbringen – sie schmiedeten eigenhändig die Klingen, mit denen man ihnen die Kehle durchschneiden würde.

Die neuen Rassengesetze verboten farbigen Männern und Frauen, einen Fuß auf den Boden von North Carolina zu setzen. Freie, die sich weigerten, ihr Land zu verlassen, wurden vertrieben oder massakriert. Veteranen der Feldzüge gegen die Indianer verdienten mit ihrem Sachverstand großzügige Söldnerlöhne. Sobald die Soldaten mit ihrer Arbeit fertig waren, legten sich die früheren Angehörigen der Patrouille den Mantel von Nachtreitern um und trieben Versprengte zusammen – Sklaven, die der neuen Ordnung davonzulaufen versuchten, enteignete Freigelassene, die nicht die Mittel besaßen, in den Norden zu gelangen, glücklose farbige Männer und Frauen, die aus den verschiedensten Gründen im Land umherirrten.

Als Cora an jenem ersten Samstagmorgen erwachte, zögerte sie den Blick durchs Guckloch hinaus. Als sie sich schließlich dazu überwand, hatte man Louisas Körper schon abgeschnitten. Unterhalb der Stelle, wo sie gebaumelt hatte, hüpften Kinder umher. »Die Straße«, sagte Cora, »der Freiheitsweg, wie Sie ihn genannt haben. Wie weit geht der?«

Er reiche so weit, wie es Tote gebe, um ihn zu bestücken, sagte

Martin. Verwesende und von Aasfressern angenagte Leichen wurden ständig ersetzt, aber die Spitze schob sich trotzdem immer weiter vorwärts. Jede größere Stadt veranstaltete ihr Freitagsfest, das jedes Mal mit dem gleichen grausigen Finale endete. Mancherorts hielt man im Gefängnis spezielle Gefangene für eine flaue Woche vor, in der die Nachtreiter mit leeren Händen zurückkamen.

Weiße, die nach den neuen Gesetzen bestraft wurden, hängte man lediglich auf, ohne sie zur Schau zu stellen. Allerdings, schränkte Martin ein, gab es auch den Fall eines weißen Farmers, der einer Gruppe farbiger Entlaufener Unterschlupf gewährt hatte. Als man die Asche des Hauses durchkämmte, war es unmöglich, seine Leiche von denen derjenigen zu unterscheiden, die er beherbergt hatte, da das Feuer die Unterschiede in der Hautfarbe zunichtegemacht hatte. Alle fünf Leichen wurden am Weg aufgehängt, und niemand machte viel Aufhebens um die Verletzung des Protokolls.

Mit dem Thema der Strafverfolgung von Weißen waren sie bei dem Grund für Coras Gefangenschaft auf dem Spitzboden angelangt. »Du verstehst unsere Zwangslage«, sagte Martin.

Abolitionisten seien hier schon immer vertrieben worden, sagte er. Virginia oder Delaware mochten ihre Agitation dulden, aber kein Baumwollstaat. Schon der Besitz der einschlägigen Literatur reichte für eine Gefängnisstrafe, und wenn man entlassen wurde, blieb man nicht lange in der Stadt. In den Zusätzen zur Verfassung des Staates wurde die Strafe für den Besitz von aufwieglerischer Literatur oder die Komplizenschaft mit einer farbigen Person ins Ermessen lokaler Behörden gestellt. In der Praxis wurde die Todesstrafe verhängt. Die Beschuldigten wurden an den Haaren aus ihren Häusern geschleift. Sklavenbesitzer, die sich nicht fügen wollten – ob aus Sentimentalität oder aus einer wunderlichen Auffassung von Besitzrechten heraus –, wurden ebenso aufgeknüpft wie gutherzige Bürger, die Nigger auf ihren Dachböden, in ihren Kellern und Kohlenverschlägen versteckten.

Nach einer Flaute bei der Verhaftung von Weißen erhöhten manche Städte die Belohnungen für die Anzeige von Kollaborateuren. Die Leute denunzierten Geschäftskonkurrenten, alte Widersacher und Nachbarn und berichteten über lange zurückliegende Gespräche, in denen die Verräter verbotene Sympathien geäußert hatten. Kinder verpfiffen ihre Eltern, nachdem Lehrerinnen ihnen beigebracht hatten, woran man Aufwiegler erkannte. Martin erzählte die Geschichte eines Mannes in der Stadt, der jahrelang erfolglos versucht hatte, seine Frau loszuwerden. Was sie angeblich verbrochen hatte, hielt einer genauen Überprüfung nicht stand, aber sie bezahlte dennoch mit dem Leben. Der Gentleman hatte drei Monate später wieder geheiratet.

»Ist er glücklich?«, fragte Cora.

»Was?«

Cora winkte ab. Der Ernst von Martins Bericht hatte einen seltsamen Humor in ihr geweckt.

Vorher hatten Sklavenpatrouillen nach Belieben die Räumlichkeiten von Farbigen, ob frei oder versklavt, durchsucht. Ihre erweiterten Befugnisse erlaubten ihnen, im Namen der öffentlichen Sicherheit an jedermanns Tür zu klopfen, um einer Beschuldigung nachzugehen oder auch willkürliche Kontrollen vorzunehmen. Die Regulatoren kamen zu jeder Tages- und Nachtzeit, suchten den ärmsten Fallensteller genauso auf wie den reichsten Friedensrichter. An Kontrollstellen wurden Fuhrwerke und Kutschen angehalten. Die Katzengoldmine lag nur ein paar Meilen entfernt – selbst wenn Martin den Mumm hätte, Cora bei der Flucht zu helfen, würden sie es nicht ins nächste County schaffen, ohne überprüft zu werden.

Cora dachte, dass die Weißen sich eigentlich weigern müssten, ihre Freiheiten aufzugeben, auch wenn es angeblich ihrer Sicherheit diente. Weit davon entfernt, Groll hervorzurufen, erzählte ihr Martin, gebe die Sorgfalt der Patrouille von County zu County vielmehr Anlass zu Stolz. Patrioten brüsteten sich damit, wie oft man sie schon durchsucht und ihnen ihre Zuverlässigkeit bescheinigt habe. Der Besuch eines Nachtreiters im Haus einer ansehnlichen jungen Frau hatte schon zu mehr als nur einer glücklichen Verlobung geführt.

Vor Coras Auftauchen hatten sie Martins und Ethels Haus zweimal durchsucht. Die Reiter waren absolut freundlich und machten Ethel Komplimente über ihren Ingwerkuchen. Die Dachluke war ihnen keinen misstrauischen Blick wert, aber das war keine Garantie dafür, dass es beim nächsten Mal genauso laufen würde. Der zweite Besuch veranlasste Martin, von seinen Aufgaben bei der Railroad zurückzutreten. Es gab keine Pläne für die nächste Etappe von Coras Reise, keine Nachricht von Bundesgenossen. Sie würden auf ein Zeichen warten müssen.

Erneut entschuldigte sich Martin für das Verhalten seiner Frau. »Du verstehst sicher, dass sie Todesängste aussteht. Wir sind dem Schicksal schutzlos ausgeliefert.«

»Fühlen Sie sich wie ein Sklave?«, fragte Cora.

Ethel habe sich dieses Leben nicht ausgesucht, sagte Martin.

»Seid ihr hineingeboren worden? Wie ein Sklave?«

Das setzte ihrem Gespräch in jener Nacht ein Ende. Cora kletterte mit frischen Rationen und einem sauberen Nachttopf in den Spitzboden hinauf.

Rasch stellte sich eine Routine ein. Angesichts der Zwänge hätte es gar nicht anders sein können. Nachdem sie sich ein Dutzend Mal den Kopf am Dach gestoßen hatte, erinnerte sich ihr Körper der Grenzen, die ihrer Bewegungsfreiheit gesetzt waren. Zwischen die Balken geschmiegt, schlief sie wie im beengten Laderaum eines Schiffs. Sie beobachtete den Park. Sie nutzte, so gut es ging, die in South Carolina abgebrochene Schulbildung und übte sich, im trüben Licht des Gucklochs blinzelnd, im Lesen. Sie fragte sich, warum es nur zwei Arten von Wetter gab: morgens Not und abends Beschwernis.

Jeden Freitag veranstaltete die Stadt ihr Fest, und Cora zog sich ans andere Ende des Spitzbodens zurück.

Die Hitze war an den meisten Tagen unerträglich. Wenn sie am schlimmsten war, schnappte Cora am Guckloch nach Luft wie ein Fisch auf dem Trockenen. Manchmal versäumte sie es, sich ihr Wasser einzuteilen, trank am Morgen zu viel und starrte dann für den Rest des Tages voller Bitterkeit auf den Springbrunnen. Auf den verdammten Hund, der im Sprühwasser herumtollte. Wenn sie von der Hitze ohnmächtig wurde, war ihr Kopf, wenn sie wieder zu sich kam, gegen einen Balken gequetscht, und ihr Hals fühlte sich an wie der eines fürs Abendessen bestimmten Hühnchens, nachdem Alice, die Köchin, versucht hatte, ihn umzudrehen. Was sie in South Carolina an Gewicht angesetzt hatte, schmolz dahin. Ihr Gastgeber ersetzte ihr schmutziges Kleid durch eines, das seine Tochter dagelassen hatte. Jane war schmalhüftig, und inzwischen passte Cora zweimal in ihre Kleider.

Gegen Mitternacht, nachdem sämtliche Lichter in den zum Park liegenden Häusern gelöscht waren und Fiona längst nach Hause gegangen war, brachte Martin etwas zu essen. Cora stieg auf den eigentlichen Dachboden hinunter, um sich zu strecken und andere Luft zu atmen. Sie unterhielten sich ein wenig, dann stand Martin irgendwann mit feierlicher Miene auf, und Cora kletterte zurück auf den Spitzboden. Alle paar Tage erlaubte Ethel Martin, sie kurz in den Waschraum zu lassen. Nach Martins Besuch schlief Cora jedes Mal ein, manchmal nach längerem Schluchzen und manchmal so rasch, dass sie einer Kerze glich, die ausgeblasen wird. Sie kehrte zu ihren gewalttätigen Träumen zurück.

Sie verfolgte die Stammgäste auf ihren täglichen Gängen durch den Park und stellte wie die Verfasser ihrer Almanache Beobachtungen und Spekulationen zusammen. Martin bewahrte auf dem Spitzboden abolitionistische Zeitungen und Pamphlete auf. Sie stellten eine Gefahr dar; Ethel wollte, dass sie verschwanden, aber sie hatten seinem Vater gehört und waren schon da gewesen, bevor sie in das Haus eingezogen waren, weshalb sie, wie Martin glaubte, bestreiten konnten, dass sie ihnen gehörten. Sobald Cora den vergilbten Pamphleten entnommen hatte, was sie konnte, machte sie sich an die alten Almanache mit ihren obskuren Kommentaren und ihren Prognosen und Überlegungen über Gezeiten und Sterne. Martin brachte ihr eine Bibel. Bei einem ihrer kurzen Aufenthalte unten auf dem Dachboden sah sie ein Exemplar von *Der letzte Mohikaner,* das von Wasser verzogen und aufgequollen war. Um Licht zum Lesen zu haben, kauerte sie sich vor das Guckloch, und abends rollte sie sich neben einer Kerze zusammen.

Sie eröffnete Martins Besuche immer mit derselben Frage: »Irgendeine Nachricht?«

Nach ein paar Monaten hörte sie damit auf.

Das Schweigen vonseiten der Railroad war komplett. Die Gazetten druckten Berichte über aufgeflogene Betriebshöfe und roh zur Rechenschaft gezogene Stationsvorsteher, aber das waren die üblichen Sklavenstaaten-Märchen. Früher hatten Fremde an Martins Tür geklopft und Mitteilungen über Routen, einmal auch Nachricht von einem bestätigten Passagier gebracht. Nie dieselbe Person zweimal. Nun war schon lange niemand mehr gekommen, sagte Martin. Nach seiner Einschätzung gab es nichts für ihn zu tun.

»Wenn es nach Ihnen geht, komme ich nie von hier weg«, sagte Cora.

Seine Antwort war ein Wimmern: »Die Lage ist doch offensichtlich.« Es sei die perfekte Falle, sagte er, und zwar für jeden. »Du wirst es nicht schaffen. Sie werden dich fangen. Dann wirst du ihnen sagen, wer wir sind.«

»Wenn sie einen auf Randall in Eisen haben wollten, dann haben sie einen in Eisen gelegt.«

»Du wirst uns zugrunde richten«, sagte Martin. »Dich, mich, Ethel und alle, die dir unterwegs geholfen haben.«

Sie war nicht fair, aber in ihrer Sturheit war ihr das gleich. Martin gab ihr eine Ausgabe der Zeitung vom Tage und zog die Falltür zu.

Jedes Geräusch von Fiona ließ sie erstarren. Sie konnte nur darüber spekulieren, wie die junge Irin aussah. Gelegentlich schleppte Fiona

Gerümpel auf den Dachboden. Die Treppenstufen beklagten sich laut über den geringsten Druck, ein effektiver Alarm. Sobald das Mädchen sich entfernt hatte, nahm Cora die winzige Palette ihrer Beschäftigungen wieder auf. Fionas Unflätigkeiten erinnerten sie an die Plantage und den Schwall von Flüchen, den die Sklaven von sich gaben, wenn der Herr sie nicht im Auge hatte. Das kleine Aufbegehren von Dienern überall. Sie nahm an, dass Fiona in die Suppe spuckte.

Zum Nachhauseweg des Mädchens gehörte keine Abkürzung durch den Park. Cora sah niemals Fionas Gesicht, dabei wurde sie zur Studentin ihrer Seufzer. Sie stellte sie sich vor, kampflustig und entschlossen, eine Überlebende von Hungersnot und harter Umsiedlung. Martin erzählte ihr, sie sei aufgrund eines Carolina-Kontrakts mit ihrer Mutter und ihrem Bruder gekommen. Die Mutter habe an einer Lungenkrankheit gelitten und sei einen Tag nach dem Ablegen gestorben. Der Junge sei zu jung zum Arbeiten und überhaupt von schwächlicher Konstitution; an den meisten Tagen werde er zwischen älteren irischen Ladys herumgereicht. War Irishtown vergleichbar mit den Straßen der Farbigen in South Carolina? Die Überquerung einer einzigen Straße veränderte die Art, wie die Leute redeten, bestimmte Größe und Zustand der Häuser, Maß und Wesen der Träume.

In einigen Monaten war Erntezeit. Außerhalb der Stadt, auf den Feldern, würden die Baumwollkapseln aufspringen, und die Fasern würden in Säcke wandern, diesmal von weißen Händen gepflückt. Störte es die Iren und Deutschen, dass sie Niggerarbeit leisteten, oder tilgte die Gewissheit von Löhnen die Schmach? Mittellose Weiße verdrängten mittellose Schwarze von den Feldern, nur dass die Weißen am Ende der Woche nicht mehr mittellos waren. Im Gegensatz zu ihren dunkleren Brüdern konnten sie ihre Kontrakte mit ihren Löhnen abbezahlen und ein neues Kapitel aufschlagen.

Jockey hatte auf Randall davon gesprochen, dass die Sklavenhändler immer tiefer ins Innere von Afrika vorstoßen mussten, um das nächste Kontingent zu finden, dass sie einen Stamm nach dem anderen entführten, um die Baumwolle zu füttern, und die Plantagen in ein Gemisch von Sprachen und Sippen verwandelten. Cora nahm an, dass eine neue Welle von Einwanderern, die aus einem anderen, aber nicht weniger erbärmlichen Land flohen, die Iren ersetzen würde und der ganze Vorgang dann von neuem begann. Die Maschine keuchte und ächzte und lief weiter. Sie hatten lediglich den Treibstoff gewechselt, der die Kolben bewegte.

Die schrägen Wände ihres Gefängnisses bildeten eine Leinwand für ihre morbiden Erkundungen, besonders zwischen Sonnenuntergang und Martins Besuch spät in der Nacht. Als Caesar sie angesprochen hatte, hatte sie für sich zwei Möglichkeiten gesehen: ein zufriedenes, schwer erkämpftes Leben in einer Stadt im Norden oder den Tod. Terrance würde sich nicht damit begnügen, sie fürs Weglaufen zu züchtigen; er würde ihr das Leben zu einer kunstvollen Hölle machen, bis es ihm langweilig wurde, dann würde er sie in einer blutrünstigen Zurschaustellung töten lassen.

Ihre Phantasie vom Norden war in jenen ersten Wochen unterm Dach eine bloße Skizze. Flüchtige Bilder von Kindern in einer hellen Küche – stets ein Junge und ein Mädchen – und im Zimmer nebenan ein Ehemann, unsichtbar, aber liebevoll. Während die Tage sich dehnten, entsprossen der Küche weitere Räume. Ein Wohnzimmer mit schlichten, aber geschmackvollen Möbeln, Sachen, die sie in den weißen Geschäften in South Carolina gesehen hatte. Ein Schlafzimmer. Dann ein Bett, bezogen mit weißen Laken, die in der Sonne leuchteten, und darauf ihre Kinder, die mit ihr herumtollten, und am Rand halb sichtbar der Körper des Mannes. In einer anderen Szene, Jahre später, ging Cora in ihrer Stadt eine belebte Straße entlang und stieß auf ihre Mutter. Die in der Gosse bettelte, eine gebrochene alte Frau, krumm geworden von der Summe ihrer Fehler. Mabel blickte auf, erkannte ihre Tochter jedoch nicht. Cora trat gegen ihre Bettlerschale, sodass die wenigen Münzen ins Gewühl flogen, und setzte ihren Gang fort, um Mehl für den Geburtstagskuchen ihres Sohnes zu besorgen.

An diesem künftigen Ort kam Caesar gelegentlich zum Abendessen, und dann lachten sie wehmütig über Randall und die Mühen ihrer Flucht, die schließlich gewonnene Freiheit. Caesar erzählte den Kindern, woher er die kleine Narbe über seiner Augenbraue hatte, und strich dabei mit dem Finger darüber: Er sei in South Carolina von einem Sklavenfänger gefasst worden, aber freigekommen.

An den Jungen, den sie getötet hatte, dachte Cora selten. Sie musste ihr Handeln im Wald in jener Nacht nicht verteidigen; niemand hatte das Recht, sie zur Rechenschaft zu ziehen. Terrance Randall lieferte ein Muster für ein Denken, aus dem North Carolinas neues System hervorgehen konnte, aber mit dem Ausmaß an Gewalttätigkeit kam sie nur schwer zurecht. Noch stärker als das Geld, das in der Baumwolle steckte, trieb Angst diese Leute an. Der Schatten der schwarzen Hand, die Gleiches mit Gleichem vergalt. Eines Nachts kam ihr der Gedanke, dass sie selbst eines der rachsüchtigen Monster war, vor denen sie sich fürchteten: Sie hatte einen weißen Jungen getötet. Als Nächstes tötete sie vielleicht einen von ihnen. Und wegen dieser Furcht errichteten sie auf dem Fundament, das schon vor Hunderten von Jahren gelegt worden war, ein neues Gerüst der Unterdrückung. Es war Sea-Island-Baumwolle, die der Sklavenhalter für seine Felder geordert hatte, aber dazwischen verstreut lagen die Samenkörner von Gewalt und Tod, und diese Frucht wuchs schnell. Die Weißen hatten zu Recht Angst. Eines Tages würde das System in Blut zusammenbrechen.

Der Aufstand einer Einzigen. Sie lächelte einen Moment lang, ehe sie sich wieder bewusst wurde, dass sie eingesperrt war. Dass sie wie eine Ratte hinter den Wänden krabbelte. Ob auf den Feldern, unter der Erde oder in einer Dachkammer, Amerika blieb ihr Wärter.

Es war eine Woche vor der Sommersonnenwende. Martin stopfte eine der alten Steppdecken in den Rahmen eines Stuhls ohne Sitzfläche und sank im Laufe seines Besuchs immer tiefer. Ihrer Gewohnheit entsprechend bat Cora um Hilfe bei bestimmten Wörtern. Diesmal stammten sie aus der Bibel, in der sie stockend vorankam: *überantworten, arge Früchte, Omer*. Martin gab zu, dass er die Bedeutung von *arge Früchte* und von *Omer* nicht kannte. Dann zählte er wie zur Vorbereitung auf die neue Jahreszeit die Serie schlechter Vorzeichen auf.

Das erste stammte von vergangener Woche, als Cora den Nachttopf umgestoßen hatte. Sie war zu diesem Zeitpunkt seit vier Monaten auf dem Spitzboden und hatte schon vorher Geräusche gemacht, wenn sie sich den Kopf am Dach oder das Knie an einem Balken gestoßen hatte. Diesmal wirtschaftete das Mädchen in der Küche herum, als Cora den Topf mit dem Fuß gegen die Wand stieß. Sobald Fiona nach oben kam, würde ihr das Tropfgeräusch der durch die Ritzen zwischen den Brettern auf den Dachboden sickernden Schweinerei, vom Geruch ganz zu schweigen, nicht entgehen können.

Die Mittagssirene war gerade ertönt. Ethel war außer Haus. Zum Glück kam nach dem Mittagessen ein anderes Mädchen aus Irishtown zu Besuch, und die beiden tratschten so lange im Wohnzimmer, dass sich Fiona hinterher mit ihren Hausarbeiten beeilen musste. Entweder bemerkte sie den Geruch nicht, oder sie tat so, weil sie sich vor der Aufgabe drücken wollte, die Hinterlassenschaften irgendeines Schlupfwinkels von Nagetieren dort oben zu beseitigen. Als Martin in jener Nacht kam und sie saubermachten, sagte er zu Cora, es wäre am besten, sie erwähne Ethel gegenüber nicht, wie knapp es gewesen sei. Bei der zunehmenden Luftfeuchtigkeit seien ihre Nerven besonders empfindlich.

Ob sie Ethel informierten, war Martins Sache. Cora hatte die Frau seit der Nacht ihrer Ankunft nicht mehr gesehen. Soweit sie es beurteilen konnte, sprach ihre Gastgeberin – auch wenn Fiona nicht im Haus war – so gut wie gar nicht von ihr, außer dass sie vereinzelt *dieses Geschöpf* erwähnte. Oft ging das Knallen der Schlafzimmertür Martins Besuch auf dem Dach voraus. Das Einzige, was Ethel davon abhielt, sie zu denunzieren, befand Cora, war ihre Komplizenschaft.

»Ethel ist eine einfache Frau«, sagte Martin, während er auf dem Stuhl tiefer sank. »Sie konnte diese Probleme nicht voraussehen, als ich um ihre Hand angehalten habe.«

Cora wusste, dass Martin im Begriff stand, von seiner zufälligen Rekrutierung zu erzählen, was zusätzliche Zeit außerhalb des Spitzbodens bedeutete. Sie streckte die Arme und ermutigte ihn. »Wer hätte das schon, Martin.«

»Herrgott, ja, wer hätte das schon«, sagte Martin.

Er war ein höchst unwahrscheinliches Werkzeug des Abolitionismus. Nach Martins Erinnerung hatte sein Vater, Donald, niemals eine Meinung geäußert über die »eigentümliche Einrichtung«, obwohl ihre Familie in ihrem Bekanntenkreis insofern eine Seltenheit war, als sie keine Sklaven besaß. In Martins Kindheit war der Regalauffüller im Futtermittelladen ein verschrumpelter, gebeugter Mann namens Jericho gewesen, der schon viele Jahre zuvor freigelassen worden war. Sehr zum Missfallen von Martins Mutter kam Jericho an jedem Thanksgiving mit einer Dose Steckrübenmus vorbei. Donald gab missbilligende Laute von sich oder schüttelte den Kopf über Zeitungsberichte vom neuesten Sklavenzwischenfall, aber es war nicht klar, ob er damit über die Brutalität des Herrn oder über die Uneinsichtigkeit des Sklaven urteilte.

Mit achtzehn verließ Martin North Carolina und nahm nach einer

Zeit einsamen Herumwanderns eine Stelle als Handlungsgehilfe in einer Reederei in Norfolk an. Die ruhige Arbeit und die Seeluft bekamen ihm. Er entwickelte eine Vorliebe für Austern, und seine Konstitution verbesserte sich ganz allgemein. Eines Tages tauchte, leuchtend, Ethels Gesicht in einer Menschenmenge auf. Die Delanys hatten alte Verbindungen zu der Gegend, wobei der Familienstammbaum wie schief gestutzt aussah: üppig und mit viel Verwandtschaft im Norden, spärlich und gesichtslos im Süden. Martin besuchte seinen Vater selten. Als Donald beim Reparieren des Dachs abstürzte, war Martin fünf Jahre lang nicht mehr zu Hause gewesen.

Die beiden Männer hatten sich nie leicht miteinander verständigen können. Bevor Martins Mutter starb, war es ihr zugefallen, die Auslassungen und gemurmelten Nebenbemerkungen zu übersetzen, die das Gespräch zwischen Vater und Sohn ausmachten. An Donalds Sterbebett gab es keinen Übersetzer. Er nahm Martin das Versprechen ab, seine Arbeit fortzusetzen, und der Sohn ging davon aus, dass der Alte meinte, er solle das Futtermittelgeschäft übernehmen. Das war das erste Missverständnis. Das zweite bestand darin, dass er die Karte, die er in den Papieren seines Vaters entdeckte, für eine Wegbeschreibung zu einem Goldschatz hielt. Donald hatte sich zu Lebzeiten in eine Art von Schweigen gehüllt, die je nach Beobachter auf Schwachköpfigkeit oder auf ein verborgenes Geheimnis hindeutete. Es sähe seinem Vater ähnlich, fand Martin, den armen Schlucker zu spielen, während er insgeheim ein Vermögen besaß.

Der vermeintliche Schatz war natürlich die Underground Railroad. Mancher mochte die Freiheit als die allerteuerste Währung bezeichnen, aber es war nicht das, was Martin erwartet hatte. Donalds Tagebuch – es lag auf dem Bahnsteig auf einem Fass, wie bei einer Art Schrein von bunten Steinen eingefasst – schilderte, wie sehr ihn der Umgang seines Landes mit dem äthiopischen Stamm von jeher empört habe. Die Sklavenhaltung sei ein Frevel gegen Gott, Sklavenhändler eine Erscheinungsform des Satans. Sein Leben lang hatte Donald bei jeder sich bietenden Gelegenheit und mit den jeweils zur Verfügung stehenden Mitteln Sklaven geholfen, seit er als kleiner Junge einige Kopfgeldjäger, die ihn wegen eines Entlaufenen piesackten, in die falsche Richtung geschickt hatte.

Seine vielen arbeitsbedingten Fahrten während Martins Kindheit waren in Wirklichkeit abolitionistische Einsätze gewesen. Mitternächtliche Zusammenkünfte, Täuschungsmanöver an Flussufern, geheime Machenschaften an Wegkreuzungen. Dass ausgerechnet Donald mit seinen Verständigungsschwierigkeiten als menschlicher Telegraph fungierte, der Nachrichten die Küste hinauf und hinunter übermittelte, war eine Ironie. Die U. G. R. R. (wie er sie in seinen Aufzeichnungen nannte) betrieb in North Carolina weder Strecken noch Halte, bis Donald dies zu seinem Anliegen machte. So weit im Süden zu operieren sei Selbstmord, sagten alle. Trotzdem trennte er den Spitzboden vom Dachboden ab, und wenn die falsche Decke auch nicht naht- und fugenlos war, so hatte sie seine Schützlinge doch sicher beherbergt. Bis eine lose Schindel ihn das Leben kostete, hatte Donald ein Dutzend Menschen in die Freien Staaten befördert.

Martin half einer erheblich geringeren Anzahl. Sowohl er als auch Cora kamen zu dem Schluss, dass ihnen seine Ängstlichkeit während Coras Beinaheentdeckung in der vergangenen Nacht nicht geholfen hatte, da klopften – ein weiteres schlechtes Vorzeichen – die Regulatoren an die Haustür.

Es war kurz nach Einbruch der Dunkelheit, und im Park hielten sich diejenigen auf, die Angst vor dem Nachhausegehen hatten. Cora fragte sich, was sie erwartete, dass sie so absichtsvoll verweilten, Woche für Woche dieselben Leute. Der rasch gehende Mann, der jetzt auf dem Rand des Springbrunnens saß und sich mit den Fingern durch das flaumige Haar fuhr. Die schmuddelige, breithüftige Lady, die stets eine schwarze Haube trug und vor sich hin murmelte. Sie waren nicht hier, um die Nachtluft zu genießen oder einen Kuss zu erhaschen. Diese

Leute drehten ihre fahrigen Runden in zusammengesackter Haltung und schauten dabei hierhin und dahin, aber nie geradeaus. Als wollten sie den Blicken all der Geister ausweichen, der Toten, die ihre Stadt erbaut hatten. Farbige Arbeiter hatten jedes Haus am Park errichtet, die Steine für den Brunnen und das Pflaster der Gehwege gelegt. Die Bühne zusammengehämmert, auf der die Nachtreiter ihre grotesken Schauspiele aufführten, und die fahrbare Plattform, die die zum Untergang verurteilten Männer und Frauen in die Luft beförderte. Das Einzige, was keine Farbigen gebaut hatten, war der Baum. Den hatte Gott geschaffen, damit die Stadtbewohner ihn teuflischen Zwecken dienstbar machen konnten.

Kein Wunder, dass die Weißen in der zunehmenden Dunkelheit im Park umherzogen, dachte Cora, die Stirn gegen das Holz gepresst. Sie waren selbst Geister, gefangen zwischen zwei Welten: der Wirklichkeit ihrer Verbrechen und dem Jenseits, das ihnen wegen dieser Verbrechen verweigert wurde.

An der Unruhe, die durch den Park ging, merkte Cora, dass die Nachtreiter ihre Runde machten. Die Abendspaziergänger wandten sich einem Haus auf der anderen Seite zu und gafften. Ein kleines Mädchen mit Zöpfen führte ein Trio von Regulatoren in sein Elternhaus. Cora erinnerte sich, dass der Vater des Mädchens Mühe mit den Verandastufen hatte. Sie hatte ihn seit Wochen nicht gesehen. Das Mädchen raffte sein Kleid am Hals zusammen und schloss die Tür hinter ihnen. Zwei Nachtreiter, hochgewachsen und von kräftiger Statur, lungerten auf der Veranda und rauchten mit selbstzufriedener Trägheit ihre Pfeifen.

Eine halbe Stunde später ging die Tür auf, und der Trupp steckte auf dem Bürgersteig im Lichtkreis einer Laterne die Köpfe zusammen und konsultierte ein Buch. Sie durchquerten den Park und traten schließlich aus dem Sehbereich des Gucklochs. Cora hatte schon die Augen geschlossen, als lautes Klopfen an der Haustür sie hochschrecken ließ. Sie standen direkt unterhalb von ihr.

Die nächsten Minuten verstrichen mit entsetzlicher Langsamkeit. Cora kauerte sich in eine Ecke, machte sich hinter dem letzten Balken ganz klein. Geräusche gaben Auskunft über die Vorgänge unten. Ethel begrüßte die Nachtreiter herzlich; jeder, der sie kannte, wäre sich sicher, dass sie etwas zu verbergen hatte. Martin inspizierte rasch den Dachboden, um sicherzugehen, dass alles in Ordnung war, dann schloss er sich den anderen unten an.

Martin und Ethel beantworteten ohne zu zögern die Fragen der Männer, während sie sie herumführten. Sie seien nur zu zweit. Ihre Tochter wohne woanders. (Die Nachtreiter durchsuchten Küche und Wohnzimmer.) Das Dienstmädchen Fiona habe einen Schlüssel, sonst habe niemand Zugang zum Haus. (Die Treppe hinauf.) Sie hätten keine Besuche von Fremden gehabt, keine seltsamen Geräusche gehört, nichts Ungewöhnliches bemerkt. (Sie durchsuchten die beiden Schlafzimmer.) Es fehle nichts. Einen Keller gebe es nicht – inzwischen wüssten sie doch sicherlich, dass die Häuser am Park keinen Keller hatten. Er, Martin, sei noch am Nachmittag auf dem Dachboden gewesen, und ihm sei nichts aufgefallen.

»Haben Sie was dagegen, wenn wir mal hochgehen?« Die Stimme war barsch und tief. Cora ordnete sie dem kleineren Nachtreiter zu, dem mit dem Bart.

Ihre Schritte dröhnten laut auf der Dachbodentreppe. Sie bahnten sich einen Weg zwischen dem Gerümpel hindurch. Einer sagte etwas, und Cora fuhr zusammen – sein Kopf war nur wenige Zoll unter ihr. Sie atmete flach. Die Männer waren Haie, die ihre Schnauzen unter einem Schiff bewegten und nach dem Fressen suchten, das sie witterten. Nur dünne Planken trennten Jäger und Beute.

»Wir gehen nicht mehr so oft hier rauf, seit die Waschbären sich da niedergelassen haben«, sagte Martin.

»Man riecht die Schweinerei«, sagte der andere Nachtreiter.

Die Regulatoren gingen. Martin ließ seinen Mitternachtsbesuch auf dem Dachboden ausfallen, weil er Angst hatte, ihnen würde eine raffinierte Falle gestellt. Cora in ihrer behaglichen Dunkelheit tätschelte die stabile Wand: Sie hatte sie vor der Gefahr bewahrt.

Sie hatten den Zwischenfall mit dem Nachttopf und die Nachtreiter überlebt. Martins letztes schlimmes Vorzeichen ereignete sich an ebenjenem Vormittag. Ein Mob hängte einen Mann und seine Frau auf, die zwei farbige Jungen in ihrer Scheune versteckt hatten. Ihre Tochter denunzierte sie, eifersüchtig wegen der den beiden Jungen erwiesenen Aufmerksamkeit. Trotz ihrer Jugend gesellten sie sich der grausigen Galerie auf dem Freiheitsweg hinzu. Eine von Ethels Nachbarinnen erzählte ihr auf dem Markt davon, und sie fiel postwendend in Ohnmacht und stürzte in eine Reihe Eingemachtes.

Die Zahl der Hausdurchsuchungen stieg an. »Sie waren so erfolgreich darin, Leute zu fangen, dass sie sich jetzt alle Mühe geben müssen, um ihre Quoten zu erfüllen«, sagte Martin.

Cora gab zu bedenken, es sei vielleicht gut, dass das Haus durchsucht worden war – nun würde einige Zeit vergehen, bis sie wiederkämen. Mehr Zeit für die Railroad, Verbindung aufzunehmen, mehr Zeit auch, in der sich eine andere Gelegenheit ergeben könnte.

Martin wurde jedes Mal unruhig, wenn Cora den Gedanken aufwarf, selbst die Initiative zu ergreifen. Er wiegte ein Spielzeug aus seiner Kindheit in den Händen, eine Holzente. In den letzten Monaten hatte sich die Farbe davon abgegriffen. »Oder es bedeutet, dass die Straßen doppelt so schwer zu passieren sind«, sagte er. »Die Jungs werden gierig auf ein Souvenir sein.«

Cora fühlte sich schon den ganzen Tag schlecht. Sie sagte gute Nacht und stieg auf ihren Spitzboden. Obwohl sie mehrmals fast aufgeflogen wäre, befand sie sich noch am selben Ort wie seit Monaten: in einer Flaute. Zwischen Abfahrt und Ankunft, in einem Zwischenzustand wie die Passagierin, die sie seit Beginn ihrer Flucht war. Sobald der Wind auffrischte, würde sie sich wieder in Bewegung setzen, doch vorderhand war da nur die leere, endlose See.

Was für eine Welt ist das, dachte Cora, die ein leibhaftiges Gefängnis zu deinem einzigen Zufluchtsort macht? War sie der Sklaverei entkommen oder befand sie sich in ihrem Netz: Wie sollte man den Status eines Entlaufenen beschreiben? Die Freiheit war etwas, das sich mit dem jeweiligen Blick darauf wandelte, so wie ein Wald aus der Nähe vor lauter Bäumen undurchdringlich wirkte, doch von außen, von der leeren Wiese aus, seine wahren Grenzen offenbarte. Frei zu sein hatte nichts mit Ketten zu tun oder damit, wie viel Raum man hatte. Auf der Plantage war sie nicht frei gewesen, aber sie hatte sich ungehindert auf deren Gebiet bewegt, hatte die Luft geschmeckt und die Bahn der Sommersterne verfolgt. Der Ort war groß in seiner Kleinheit. Hier war sie frei von ihrem Herrn, schlich jedoch in einem Kaninchenstall herum, der so winzig war, dass sie nicht einmal darin stehen konnte.

Sie hatte die oberen Stockwerke des Hauses seit Wochen nicht verlassen, doch ihr Blick griff weit aus. North Carolina hatte seinen Justice Hill, und sie hatte ihren. Wenn sie das Universum des Parks überschaute, sah sie die Stadtbewohner schlendern, wohin sie wollten, auf einer Steinbank von Sonnenlicht übergossen, von den Schatten der Galgeneiche gekühlt. Aber sie waren Gefangene wie Cora, an die Angst gefesselt. Martin und Ethel hatten schreckliche Angst vor den wachsamen Augen hinter jedem verdunkelten Fenster. Freitagabends drängten sich die Stadtbewohner zusammen, in der Hoffnung, dass ihre Vielzahl abwehrte, was sich im Dunkeln verbarg: den sich erhebenden schwarzen Stamm; den Feind, der Beschuldigungen fabrizierte; das Kind, das herrliche Rache für eine Strafpredigt übte und das Haus um sie herum zum Einsturz brachte. Besser, sich auf Dachböden zu verstecken, als sich dem zu stellen, was hinter den Gesichtern von Nachbarn, Freunden und Familienmitgliedern lauerte.

Der Park erhielt sie aufrecht, der grüne Hafen, den sie bewahrten, während die Stadt sich Block um Block und Haus um Haus nach außen ausdehnte. Cora dachte an ihren Garten auf Randall, das kleine Beet, das sie so gehegt hatte. Jetzt erkannte sie es als den Witz, der es gewesen war – ein winziges Rechteck Erde, das sie davon überzeugt hatte, sie besitze etwas. Es gehörte ihr, so wie die Baumwolle, die sie aussäte, von Unkraut freihielt und pflückte, ihr gehörte. Ihr Beet war der Schatten von etwas, das woanders lebte, ihrem Blick entzogen. So wie der arme Michael, wenn er die Unabhängigkeitserklärung aufsagte, nur ein Echo war von etwas, das anderswo existierte. Nun, da sie weggelaufen war und ein wenig vom Land gesehen hatte, war sich Cora nicht mehr sicher, dass das Dokument überhaupt irgendetwas Wirkliches beschrieb. Amerika war ein Geist im Dunkeln, genau wie sie.

In jener Nacht wurde sie krank. Bauchkrämpfe weckten sie. Der Spitzboden schlingerte und schaukelte in ihrem Schwindel. In der Enge erbrach sie sich und verlor die Kontrolle über ihren Darm. Hitze belagerte den winzigen Raum, setzte die Luft und ihr Inneres in Brand. Irgendwie schaffte sie es bis zum Morgen und dem Heben des Schleiers. Der Park war immer noch da; in der Nacht hatte sie geträumt, sie wäre auf See und unter Deck angekettet. Neben ihr war ein weiterer Gefangener und noch einer, Hunderte, die in panischer Angst schrien. Das Schiff stampfte in hohen Wellen, sackte weg und knallte gegen Ambosse aus Wasser. Sie hörte Schritte auf der Treppe, das schurrende Geräusch der Luke und schloss die Augen.

Cora erwachte in einem weißen Zimmer, eine weiche Matratze stützte ihren Körper. Das Fenster lieferte mehr als ein knauseriges Pünktchen Sonnenlicht. Die Geräusche im Park waren ihre Uhr: Es war später Nachmittag.

Ethel saß in der Ecke des früheren Kinderzimmers ihres Mannes. Ihr Strickzeug im Schoß, starrte sie Cora an. Sie legte ihrer Patientin die Hand auf die Stirn. »Besser«, sagte sie. Sie goss ein Glas Wasser ein, dann brachte sie eine Schale Rinderbrühe.

Ethels Haltung hatte sich während Coras Fieberwahn abgemildert. Cora hatte in der Nacht so laut gestöhnt und war so krank gewesen, als sie sie vom Spitzboden herunterschafften, dass sie gezwungen waren,

Fiona einige Tage freizugeben. Martin habe die venezolanischen Pocken, erzählten sie der jungen Irin, er habe sich an einem verdorbenen Sack Futtermittel angesteckt, und der Doktor habe verboten, dass irgendwer das Haus betrete, bis die Krankheit ihren Lauf genommen habe. Martin hatte in einer Zeitschrift von einer solchen Quarantäne gelesen, die erste Ausrede, die ihm in den Sinn kam. Sie zahlten dem Mädchen seinen Wochenlohn. Fiona steckte das Geld in ihre Handtasche und stellte keine weiteren Fragen.

Nun war es an Martin, sich fernzuhalten, während Ethel die Verantwortung für ihren Gast übernahm und Cora zwei Tage mit Fieber und Krämpfen hindurch pflegte. Das Paar hatte während seiner Zeit im Staat wenig Freundschaften geschlossen, sodass es ihnen leichter möglich war, nicht am Leben der Stadt teilzunehmen. Während Cora sich im Fieberwahn hin und her warf, las Ethel ihr aus der Bibel vor, um ihre Genesung zu beschleunigen. Die Stimme der Frau drang in ihre Träume ein. So streng sie in der Nacht von Coras Auftauchen aus der Mine gewesen war, enthielt sie nun etwas Zärtliches. Cora träumte, die Frau küsste sie mütterlich auf die Stirn. In einer Art Schwebezustand hörte sie ihren Geschichten zu. Die Arche rettete die Gerechten und brachte sie sicher durch die Katastrophe. Die Wüste währte vierzig Jahre, ehe andere ihr Gelobtes Land fanden.

Der Nachmittag zog die Schatten in die Länge, und mit dem Näherrücken des Abendessens hielten sich immer weniger Leute im Park auf. Ethel saß im Schaukelstuhl, lächelte und blätterte auf der Suche nach einer passenden Stelle in der Heiligen Schrift.

Nun, da sie wach war und für sich selbst sprechen konnte, sagte Cora ihrer Gastgeberin, die Verse seien unnötig.

Ethels Mund bildete einen Strich. Sie klappte das Buch zu, ein dünner Finger markierte die Seite. »Wir alle bedürfen der Gnade unseres Erlösers«, sagte Ethel. »Es wäre nicht sehr christlich von mir, eine Heidin in mein Haus zu lassen und Sein Wort nicht mit ihr zu teilen.«

»Es ist schon geteilt worden«, sagte Cora.

Es war Ethels Kinderbibel, die Martin Cora gegeben hatte, von ihren Fingern beschmutzt und befleckt. Ethel befragte Cora, weil sie Zweifel hatte, wie gut ihr Gast lesen und wie viel er verstehen konnte. Cora war sicherlich nicht von Natur aus gläubig, und ihre Schulbildung war früher beendet worden, als sie gewollt hatte. Auf dem Dachboden hatte sie mit den Worten gekämpft, sich weitergemüht, sich schwierige Verse noch einmal vorgenommen. Die Widersprüche ärgerten sie, auch die nur halb verstandenen.

»Ich versteh das nicht, wo es heißt: ›Wer einen Menschen stiehlet und verkauft, dass man ihn bei ihm findet, der soll des Tods sterben‹«, sagte Cora. »Aber später heißt es dann: ›Die Sklaven sollen ihren Herrn untertänig sein in allen Dingen – und gefällig.‹« Entweder war es eine Sünde, einen anderen zum Eigentum zu haben, oder es hatte Gottes Segen. Doch außerdem noch gefällig zu sein? Ein Sklavenhalter musste sich in die Druckerei geschlichen und das hineingeschmuggelt haben.

»Es bedeutet das, was da steht«, sagte Ethel. »Es bedeutet, dass ein Hebräer keinen Hebräer versklaven darf. Aber die Söhne von Ham sind nicht von diesem Stamm. Sie sind verflucht worden, haben eine schwarze Haut und einen Schwanz. Wo die Heilige Schrift die Sklaverei verdammt, spricht sie keineswegs von der Negersklaverei.«

»Ich habe schwarze Haut, aber ich habe keinen Schwanz. Jedenfalls soviel ich weiß – ich habe nie nachgesehen«, sagte Cora. »Die Sklaverei ist allerdings ein Fluch, so viel ist wahr.« Die Sklaverei war eine Sünde, wenn Weiße unters Joch gebeugt wurden, nicht aber, wenn es Afrikaner waren. Alle Menschen sind gleich, es sei denn, wir entscheiden, dass du kein Mensch bist.

Unter der Sonne von Georgia hatte Connelly Bibelverse zitiert, während er Feldarbeiter wegen irgendwelcher Verfehlungen prügelte. »Nigger, seid gehorsam in allen Dingen eurem irdischen Herrn, nicht mit Augendienerei, um den Menschen zu gefallen, sondern mit Einfältigkeit des Herzens und mit Gottesfurcht.« Das Klatschen der neunschwänzigen Katze unterstrich jede Silbe, und ein Aufheulen des

Opfers. Cora fielen andere Stellen über Sklaverei aus dem Buch der Bücher ein, und sie nannte sie ihrer Gastgeberin. Ethel sagte, sie sei an diesem Morgen nicht aufgestanden, um sich in eine theologische Diskussion hineinziehen zu lassen.

Cora genoss die Gesellschaft der Frau und runzelte die Stirn, als sie ging. Was sie selbst anlangte, so gab sie den Menschen die Schuld, die das niedergeschrieben hatten. Menschen verstanden unentwegt etwas falsch, ebenso sehr absichtlich wie durch Zufall. Am nächsten Morgen bat Cora um die Almanache.

Sie waren überholt, das Wetter vom vergangenen Jahr, aber Cora liebte die alten Almanache, weil sie die ganze Welt enthielten. Es brauchte keine Menschen, die sagten, was sie bedeuteten. Die Tabellen und Fakten ließen sich nicht zu etwas umformen, was sie nicht waren. Die Vignetten und Parodien zwischen den Mondtabellen und Wetterberichten – über verrückte alte Witwen und einfältige Schwarze – verwirrten Cora ebenso sehr wie die moralischen Lektionen im Buch der Bücher. Beide beschrieben sie menschliches Verhalten, das über ihren Horizont ging. Was wusste sie – oder musste sie wissen – über vornehme Hochzeitssitten oder davon, wie man eine Herde Lämmer durch die Wüste trieb? Eines Tages könnte sie vielleicht wenigstens die praktischen Anleitungen des Almanachs gebrauchen. Oden an die Atmosphäre, Oden an den Kakaobaum der Südseeinseln. Sie hatte noch nie von Oden oder Atmosphären gehört, aber während sie sich durch die Seiten arbeitete, nisteten sich diese Begriffe in ihrem Verstand ein. Sollte sie jemals Stiefel besitzen, so wusste sie nun, wie man mit Talg und Wachs ihre Lebensdauer verlängerte. Wenn eines ihrer Hühner eines Tages den Schnupfen bekam, würde sie ihm die Nasenlöcher mit Asant in Butter einreiben und es damit gesundmachen.

Martins Vater hatte die Almanache gebraucht, um für den Vollmond zu planen – die Bücher enthielten Gebete für entlaufene Sklaven. Der Mond nahm zu und ab, es gab Sonnenwenden, den ersten Frost und Frühlingsregen. Das alles ging ohne Zutun des Menschen vor sich. Sie versuchte sich vorzustellen, wie die Gezeiten aussahen, das auf- und ablaufende Wasser, das am Sand leckte wie ein kleiner Hund, ohne auf die Menschen und ihre Machenschaften zu achten. Ihre Kraft kehrte zurück.

Auf sich allein gestellt, konnte sie nicht alle Worte verstehen. Sie bat Ethel: »Können Sie mir etwas vorlesen?«

Ethel knurrte missbilligend. Aber sie klappte aufs Geratewohl einen Almanach auf und schlug, ein Kompromiss mit sich selbst, den gleichen Tonfall an, mit dem sie auch die Bibel las. »›Umpflanzen von Immergrünen. Es scheint nicht von Belang zu sein, ob man immergrüne Bäume im April, Mai oder Juni umpflanzt ...‹«

Als es Freitag wurde, ging es Cora schon wieder recht gut. Fiona sollte am Montag wiederkommen. Sie einigten sich darauf, dass Cora am nächsten Morgen auf den Spitzboden zurückkehren sollte. Martin und Ethel würden ein, zwei Nachbarn zum Kuchen einladen, um mit etwaigem Klatsch oder Spekulationen aufzuräumen. Martin übte sich in unauffälligem Auftreten. Vielleicht sogar jemanden zum Freitagsfest einladen. Ihre Veranda bot einen ausgezeichneten Blick.

An jenem Abend ließ Ethel Cora im Gästezimmer übernachten, vorausgesetzt, sie machte kein Licht und blieb vom Fenster weg. Cora hatte nicht die Absicht, sich das wöchentliche Spektakel anzusehen, freute sich aber darüber, ein letztes Mal im Bett schlafen zu können. Am Ende entschieden sich Martin und Ethel dagegen, Leute zu sich einzuladen, sodass die einzigen Gäste die uneingeladenen waren, die zu Beginn der Minstrel Show aus der Menge traten.

Die Regulatoren wollten das Haus durchsuchen.

Die Aufführung brach ab, angesichts der Unruhe am Rand des Parks ging ein Raunen durch die Menge. Ethel versuchte, die Nachtreiter hinzuhalten. Sie schoben sich an ihr und Martin vorbei. Cora steuerte die Treppe an, aber diese knarrte so verlässlich, hatte sie in den vergangenen Monaten so oft gewarnt, dass sie wusste, sie konnte es nicht schaffen. Sie kroch unter Martins altes Bett, und dort fanden sie sie, packten sie wie Fußeisen an den Knöcheln und zerrten sie hervor. Sie warfen sie die Treppe hinunter. Sie stieß sich am Pfosten unten die Schulter. Ihr klingelten die Ohren.

Zum ersten Mal bekam sie Martins und Ethels Veranda zu Gesicht. Sie bildete die Bühne für ihre Gefangennahme, einen zweiten Pavillon zur Belustigung der Stadtbewohner, während sie zu Füßen von vier Regulatoren in schwarz-weißen Uniformen auf den Planken lag. Vier andere hielten Martin und Ethel fest. Es stand noch ein Mann auf der Veranda, bekleidet mit karierter Kammgarnweste und grauer Hose. Er war einer der größten Männer, die Cora je gesehen hatte, wuchtig gebaut und mit bezwingendem Blick. Er überblickte die Szene und lächelte wie über einen heimlichen Scherz.

Die Stadt drängte sich auf dem Bürgersteig und auf der Straße, und man schubste einander, um das neue Spektakel besser sehen zu können. Ein junges rothaariges Mädchen zwängte sich nach vorn durch. »Venezolanische Pocken! Ich hab euch doch gesagt, die verstecken da oben jemand!«

Hier also war endlich Fiona. Cora stützte sich auf, um das Mädchen zu sehen, das sie so gut kannte, aber nie zu Gesicht bekommen hatte.

»Du bekommst deine Belohnung«, sagte der Nachtreiter mit dem Bart. Er war schon bei der vorherigen Durchsuchung des Hauses dabei gewesen.

»Was du nicht sagst, du Trottel«, sagte Fiona. »Du hast gesagt, ihr hättet beim letzten Mal auch auf dem Dachboden nachgesehen, aber das stimmt nicht, oder?« Sie wandte sich der Stadt zu, um sich Zeugen für ihren Anspruch zu sichern. »Ihr alle habt's gesehen – die Belohnung gehört mir. Das ganze verschwundene Essen?« Sie versetzte Cora einen leichten Fußtritt. »Den einen Tag macht sie einen großen Braten, und am nächsten Tag ist er weg. Wer hat das alles gegessen? Und ständig schauen sie zur Decke. Was haben sie da gesehen?«

Sie war so jung, dachte Cora. Ihr Gesicht war ein runder, sommersprossiger Apfel, aber in ihren Augen lag Härte. Schwer zu glauben, dass die Verwünschungen und Flüche, die sie im Lauf der Monate gehört hatte, aus diesem kleinen Mund gekommen waren, aber die Augen waren Beweis genug.

»Wir haben dich anständig behandelt«, sagte Martin.

»Ihr habt eine furchtbar seltsame Art, ihr beiden«, sagte Fiona. »Was immer ihr auch kriegt, ihr habt es verdient.«

Dass Gerechtigkeit waltete, hatten die Stadtbewohner schon so oft erlebt, dass sie gar nicht mehr mitzählten, aber selbst ein Urteil zu fällen war etwas Neues. Ihnen war nicht wohl dabei. Waren sie nun auch noch Geschworene und nicht mehr nur Zuschauer? Unsicher sahen sie einander an. Ein Veteran formte die Hand zu einem Trichter und brüllte Unsinn. Ein halb gegessener Apfel traf Cora am Bauch. Im Musikpavillon standen, aus dem Konzept gebracht, die Minstrel-Show-Akteure mit ihren ramponierten Hüten in der Hand.

Jamison erschien, er rieb sich mit einem roten Taschentuch die Stirn. Cora hatte ihn seit dem ersten Abend nicht noch einmal gesehen, aber sie hatte sämtliche Reden der freitagabendlichen Finale gehört. Jeden Witz und jeden großspurigen Anspruch, die Appelle an Rasse und Staatlichkeit und dann den Befehl, das Opfer zu töten. Die Unterbrechung des üblichen Ablaufs brachte ihn durcheinander. Ohne die gewohnte Großmäuligkeit quiekte seine Stimme. »Na, so was«, sagte er. »Bist du nicht Donalds Sohn?«

Martin nickte, sein weicher Körper bebte von leisen Schluchzern.

»Ich weiß, dein Daddy würde sich schämen«, sagte Jamison.

»Ich hatte keine Ahnung, was er getan hat«, sagte Ethel. Sie sträubte sich gegen den festen Griff der Nachtreiter. »Er war es ganz allein! Ich habe nichts gewusst!«

Martin wandte den Blick ab. Von den Leuten auf der Veranda, von der Stadt. Er drehte das Gesicht in Richtung Virginia, wo er eine Zeitlang frei gewesen war von seiner Heimatstadt.

Jamison machte eine Handbewegung, und die Nachtreiter zerrten Martin und Ethel in den Park. Er musterte Cora. »Ein unverhofftes

Vergnügen«, sagte Jamison. Das vorgesehene Opfer befand sich irgendwo in den Kulissen. »Sollen wir beide erledigen?«

Der Hochgewachsene sagte: »Die da gehört mir. Das habe ich geklärt.«

Jamisons Miene verfinsterte sich. Er war es nicht gewohnt, dass sein Status ignoriert wurde. Er fragte den Fremden nach seinem Namen.

»Ridgeway«, sagte der Mann. »Sklavenfänger. Ich gehe hierhin, ich gehe dahin. Hinter der da bin ich schon lange her. Euer Richter weiß alles über mich.«

»Sie können nicht einfach hierherkommen und die Muskeln spielen lassen.« Jamison war sich bewusst, dass sein übliches Publikum, das sich vor dem Haus drängelte, ihn mit unbestimmten Erwartungen beobachtete. Angesichts des neuen Bebens in seinen Worten traten zwei Nachtreiter, beides junge Burschen, vor und rückten Ridgeway auf den Leib.

Der zeigte sich von der Darbietung unbeeindruckt. »Ihr habt hier eure örtlichen Gebräuche – das verstehe ich. Habt euren Spaß.« Das Wort *Spaß* sprach er wie ein Temperenz-Prediger aus. »Aber die hier gehört euch nicht. Laut dem Gesetz über flüchtige Sklaven habe ich das Recht, dieses Stück Eigentum seinem Besitzer zurückzubringen. Und genau das habe ich auch vor.«

Cora wimmerte und betastete ihren Kopf. Ihr war schwindelig, wie damals, nachdem Terrance sie geschlagen hatte. Dieser Mann würde sie zu ihm zurückbringen.

Der Nachtreiter, der sie die Treppe hinuntergeworfen hatte, räusperte sich. Er erklärte Jamison, dass der Sklavenfänger sie zu dem Haus geführt habe. Am Nachmittag habe der Mann Richter Tennyson aufgesucht und einen offiziellen Antrag gestellt, obwohl der Richter gerade seinen gewohnten Freitagswhiskey genossen habe und sich vielleicht nicht daran erinnere. Niemand sei sonderlich erpicht darauf gewesen, die Durchsuchung während des Festes durchzuführen, aber Ridgeway habe darauf bestanden.

Ridgeway spuckte Tabaksaft auf den Bürgersteig, genau vor die Füße einiger Gaffer. »Die Belohnung kannst du behalten«, sagte er zu Fiona. Er bückte sich leicht und zog Cora am Arm hoch. »Du brauchst keine Angst zu haben, Cora. Du kommst nach Hause.«

Ein kleiner farbiger Junge, etwa zehn Jahre alt, kutschierte einen Wagen die Straße herauf durch die Zuschauermenge und trieb die beiden Pferde mit lauten Zurufen an. Bei jeder anderen Gelegenheit hätte er in seinem maßgeschneiderten schwarzen Anzug und Zylinder für Verblüffung gesorgt. Nach der dramatischen Gefangennahme der Sympathisanten und der entlaufenen Sklavin rückte sein Erscheinen die Nacht ins Reich des Phantastischen. Mehr als nur einer hielt das, was gerade passiert war, für eine neue Finesse in der Freitagsunterhaltung, eine Darbietung, ersonnen, um der Monotonie der wöchentlichen Sketche und Hinrichtungen entgegenzuwirken.

Am Fuß der Veranda schwang Fiona vor einer Gruppe von Mädchen aus Irishtown Reden. »Als Mädchen muss man sich um seine Interessen kümmern, wenn man in diesem Land vorwärtskommen will«, erklärte sie.

Zu Ridgeways Begleitung gehörte außer dem Jungen noch ein Mann, ein großer Weißer mit einer Kette aus Menschenohren um den Hals. Er legte Cora Fußschellen an und führte die Kette dann durch einen am Wagenboden befestigten Ring. Sie setzte sich mühsam auf der Bank zurecht, während ihr Kopf mit jedem Herzschlag qualvoll pochte. Als sie losfuhren, sah sie Martin und Ethel. Man hatte sie an den Galgenbaum gebunden. Sie schluchzten und zerrten an ihren Fesseln. Ein blondes Mädchen hob einen Stein auf, warf ihn nach Ethel und traf sie im Gesicht. Ein Teil der Stadtbewohner lachte über Ethels jämmerliche Schreie. Zwei weitere Kinder hoben Steine auf und warfen sie auf das Paar. Mayor jaulte und hüpfte herum, während sich immer mehr Leute zum Boden bückten. Sie hoben die Arme. Die Stadtbewohner rückten näher, und dann konnte Cora die beiden nicht mehr sehen.

ETHEL

Seit Ethel einen Holzschnitt von einem Missionar im Kreis von Dschungel-Eingeborenen gesehen hatte, glaubte sie, dass es geistig erfüllend wäre, dem Herrn im dunklen Afrika zu dienen und den Wilden das Licht zu bringen. Sie träumte von dem Schiff, mit dem sie fahren würde, einem prächtigen Schoner mit Segeln wie Engelsflügel, der die wild bewegte See durchquerte. Von der abenteuerlichen Reise ins Landesinnere, Flüsse hinauf, über gewundene Bergpässe, und von den Gefahren, denen sie entrann: Löwen, Schlangen, menschenfressenden Pflanzen, doppelzüngigen Führern. Und dann das Dorf, wo die Eingeborenen sie als Gesandte des Herrn, als Werkzeug der Zivilisation, empfingen. Voller Dankbarkeit hoben die Nigger sie in den Himmel und priesen ihren Namen: Ethel, Ethel.

Sie war acht Jahre alt. Die Zeitungen ihres Vaters enthielten Geschichten von Forschern, unbekannten Ländern, Pygmäenvölkern. Dem Bild in der Zeitung am nächsten kam sie, wenn sie mit Jasmine Missionarin und Eingeborene spielte. Jasmine war wie eine Schwester für sie. Das Spiel dauerte nie lange, ehe sie zu Mann und Frau übergingen und sich im Keller von Ethels Zuhause im Küssen und Streiten übten. Angesichts ihrer jeweiligen Hautfarbe gab es nie irgendwelche Zweifel über ihre Rolle im jeweiligen Spiel, auch wenn Ethel die Angewohnheit hatte, sich Ruß ins Gesicht zu schmieren. Mit geschwärztem Gesicht übte sie vor dem Spiegel erstaunte und verwunderte Mienen, damit sie wusste, womit sie zu rechnen hatte, wenn sie ihren Heiden begegnete.

Jasmine wohnte mit ihrer Mutter Felice in dem Zimmer unterm

Dach. Felice' Mutter gehörte der Familie Delany, und als der kleine Edgar Delany zehn geworden war, hatte er zum Geburtstag Felice geschenkt bekommen. Nun, als Mann, war Edgar bewusst, dass Felice ein Wunder war und sich um seine häuslichen Angelegenheiten kümmerte, als wäre sie dazu geboren. Er zitierte regelmäßig ihre schwarzen Weisheiten und erzählte ihre Gleichnisse über die Menschennatur jedes Mal, wenn sie in der Küche verschwand, seinen Gästen, sodass deren Gesichter, wenn sie zurückkam, vor Rührung und Eifersucht glühten. An jedem Neujahrstag stellte er ihr einen Passierschein für einen Besuch auf der Parker-Plantage aus; Felice' Schwester war dort Wäscherin. Jasmine kam neun Monate nach einem solchen Besuch auf die Welt, und damit besaßen die Delanys zwei Sklaven.

Ethel dachte, ein Sklave wäre jemand, der wie ein Familienmitglied bei einem im Haus wohnte, aber kein Familienmitglied war. Ihr Vater erklärte ihr den Ursprung der Negerrasse, um sie von dieser phantasievollen Vorstellung zu kurieren. Einige behaupteten, die Neger seien Überbleibsel eines Geschlechts von Riesen, das in alter Zeit über die Erde geherrscht hatte, aber Edgar Delany wusste, sie waren Nachkommen des verfluchten schwarzen Ham, der sich an einen Berg in Afrika geklammert und so die Sintflut überlebt hatte. Ethel fand, dass die Neger, wenn sie verflucht waren, umso mehr christlicher Anleitung bedurften.

An ihrem achten Geburtstag verbot ihr Vater Ethel, mit Jasmine zu spielen, um den natürlichen Zustand der Beziehungen zwischen den Rassen nicht zu pervertieren. Ethel schloss schon damals nicht leicht Freundschaften. Tagelang schluchzte sie und stampfte mit den Füßen; Jasmine war anpassungsfähiger. Jasmine verrichtete einfache Arbeiten im Haushalt und übernahm die Stellung ihrer Mutter, als diese einen Herzanfall erlitt, der sie lähmte und verstummen ließ. Sie siechte noch monatelang dahin, ihr Mund offen und rosig, die Augen trübe, bis Ethels Vater sie abholen ließ. Ethel beobachtete keinerlei Regung im Gesicht ihrer ehemaligen Spielkameradin, als man ihre Mutter in den Wagen lud. Zu diesem Zeitpunkt sprachen die beiden schon nicht mehr miteinander, außer über Haushaltsangelegenheiten.

Das Haus war fünfzig Jahre zuvor gebaut worden, und die Treppenstufen knarrten. Ein Flüstern in einem Zimmer war noch zwei Räume weiter zu hören. Abends nach dem Essen und den Gebeten hörte Ethel ihren Vater meistens die schiefe Treppe hinaufgehen, geführt vom hüpfenden Licht der Kerze. Manchmal schlich sie an ihre Zimmertür und erhaschte einen Blick auf seine weiße Nachtkleidung, die um die Ecke verschwand.

»Wo gehst du hin, Vater?«, fragte sie ihn eines Abends. Felice war seit zwei Jahren fort. Jasmine war vierzehn.

»Nach oben«, sagte er, und beide empfanden eine merkwürdige Erleichterung, nun, da sie einen Namen für seine nächtlichen Besuche hatten. Er ging nach oben – wohin sonst führte die Treppe? Ihr Vater hatte mit der Bestrafung Hams eine Erklärung für die Trennung der Rassen geliefert. Seine nächtlichen Gänge fügten diesem Verhältnis eine weitere Facette hinzu. Weiße wohnten unten, und Schwarze wohnten oben, und diese Trennung zu überbrücken hieß, eine biblische Wunde zu heilen.

Ethels Mutter hielt nicht viel davon, dass ihr Mann nach oben ging, aber sie wusste sich zu helfen. Als ihre Familie Jasmine an den Kupferschmied am anderen Ende der Stadt verkaufte, wusste Ethel, dass dies das Werk ihrer Mutter war. Es gab keine Gänge mehr nach oben, als die neue Sklavin einzog. Nancy war Großmutter, langsam zu Fuß und halb blind. Nun war es ihr Ächzen, das durch die Wände drang, keine Schritte und spitzen Schreie. Das Haus war seit Felice nicht mehr so sauber und ordentlich gewesen; Jasmine hatte sich, obwohl abgelenkt, als recht tüchtig erwiesen. Ihr neues Zuhause lag am anderen Ende der Stadt, im Farbigenviertel. Man munkelte, das Kind habe die Augen seines Vaters.

Eines Tages verkündete Ethel beim Mittagessen, wenn sie alt genug sei, habe sie vor, das christliche Wort unter den afrikanischen Primitiven zu verbreiten. Ihre Eltern machten sich darüber lustig. Das war nicht unbedingt etwas, was brave junge Frauen aus Virginia taten. Wenn du den Wilden helfen willst, sagte ihr Vater, dann unterrichte in der Schule. Das Gehirn eines Fünfjährigen ist wilder und ungebärdiger als der älteste Dschungelbewohner, sagte er. Die Weichen waren gestellt. Ethel vertrat die reguläre Lehrerin, wenn diese unpässlich war. Kleine weiße Kinder waren auf ihre eigene Weise primitiv, plapperhaft und unterentwickelt, aber es war nicht das Gleiche. Insgeheim hielt sie an ihrem Traum vom Dschungel und von einem Kreis dunkelhäutiger Bewunderer fest.

Groll war der Dreh- und Angelpunkt ihrer Persönlichkeit. Die jungen Frauen in ihrem Bekanntenkreis verhielten sich gemäß einem fremdartigen, unergründlichen Ritual. Sie konnte mit Jungen und, später, Männern wenig anfangen. Als Martin auf der Bildfläche erschien, vorgestellt von einem ihrer Vettern, der bei der Reederei arbeitete, hatte sie vom Klatsch genug gehabt und jede Glückserwartung längst aufgegeben. Martin, ein kurzatmiger Dachs, zermürbte sie. Das Spiel von Mann und Frau machte noch weniger Spaß, als sie vermutet hatte. Jane wenigstens erwies sich als unverhoffte Gnade, eine Zierde in ihren Armen, auch wenn die Empfängnis sich als weitere Demütigung herausgestellt hatte. Im Lauf der Jahre verstrich das Leben in der Orchard Street mit einer Langeweile, die schließlich zu Behaglichkeit gerann. Sie tat so, als sähe sie Jasmine nicht, wenn sie einander auf der Straße begegneten, besonders wenn ihre frühere Spielkameradin in Gesellschaft ihres Sohnes war. Sein Gesicht war ein dunkler Spiegel.

Dann wurde Martin nach North Carolina gerufen. Er sorgte für Donalds Beerdigung, die am heißesten Tag des Jahres stattfand; man glaubte, sie wäre vor Kummer in Ohnmacht gefallen, wo es doch bloß an der barbarischen Hitze lag. Sobald sie einen Käufer für den Futtermittelladen gefunden hätten, wären sie hier fertig, versicherte er ihr. Der Ort war rückständig. Wenn man nicht unter der Hitze litt, dann unter den Fliegen; wenn nicht unter den Mäusen, dann unter den Menschen. In Virginia hielten Lynchmobs wenigstens einen Anschein von Spontaneität aufrecht. Sie hängten einem die Leute nicht praktisch im Vorgarten auf, jede Woche zur gleichen Uhrzeit, wie der Gottesdienst. North Carolina würde ein kurzes Intermezzo bleiben, jedenfalls glaubte sie das, bis sie in ihrer Küche auf den Nigger stieß.

George war vom Dachboden heruntergekommen, um sich etwas zu essen zu holen, der einzige Sklave, dem Martin vor der Ankunft des Mädchens geholfen hatte. Es war eine Woche vor Inkrafttreten der Rassengesetze, und wie zur Probe nahm die Gewalt gegen die schwarze Bevölkerung zu. Eine Nachricht auf ihrer Schwelle habe ihn zur Katzengoldmine dirigiert, erzählte ihr Martin. Dort wartete George auf ihn, hungrig und gereizt. Der Tabakpflücker polterte eine Woche auf ihrem Dachboden herum, bevor ein Agent der Railroad ihn auf die nächste Etappe mitnahm, nachdem er ihn in einer Holzkiste verstaut und das Ding zur Haustür hinausgewuchtet hatte. Ethel war wütend, dann verzweifelt – George fungierte als Donalds Testamentsvollstrecker, der Martins geheimes Erbe erhellte. Er hatte beim Zuckerrohrschneiden drei Finger seiner Hand eingebüßt.

Sklaverei als moralische Frage interessierte Ethel nicht im Geringsten. Wenn Gott nicht gewollt hätte, dass die Afrikaner versklavt wurden, dann lägen sie nicht in Ketten. Sie hatte jedoch ganz entschieden etwas dagegen, sich wegen der hochgesinnten Vorstellungen anderer Leute umbringen zu lassen. Sie und Martin stritten über die Underground Railroad, wie sie schon lange nicht mehr gestritten hatten, und das war, bevor sich das mörderische Kleingedruckte der Rassengesetze offenbarte. Durch Cora – dieser Termite auf dem Dachboden – machte sich Donald aus dem Jenseits bemerkbar, um sie für den Scherz zu bestrafen, den sie sich vor vielen Jahren erlaubt hatte. Als ihre Familien einander zum ersten Mal begegneten, ließ Ethel eine Bemerkung über Donalds schlichten ländlichen Anzug fallen. Sie wollte darauf aufmerksam machen, dass die Familien unterschiedliche Vorstellungen von angemessener Kleidung hatten, um allen die Befangenheit zu nehmen, damit sie das Essen genießen konnten, für dessen Planung Ethel so viel Zeit aufgewendet hatte. Aber Donald habe ihr nie verziehen, sagte sie zu Martin, da sei sie sich sicher, und nun würden sie an den Ästen des Baums direkt vor ihrer Haustür baumeln.

Als Martin nach oben gegangen war, um dem Mädchen zu helfen, war es nicht das Gleiche gewesen wie bei ihrem Vater, aber beide Männer waren verwandelt heruntergekommen. Sie hatten in eigennütziger Absicht über die biblische Kluft hinweggesehen.

Wenn sie das konnten, warum dann nicht auch sie?

Ihr ganzes Leben lang hatte man Ethel alles verweigert. Zu missionieren, zu helfen. Liebe zu schenken, so, wie sie es wollte. Als das Mädchen krank wurde, war der Moment, den Ethel so lang ersehnt hatte, endlich gekommen. Am Ende war sie nicht nach Afrika gegangen, sondern Afrika war zu ihr gekommen. Ethel ging nach oben, wie es ihr Vater getan hatte, um dem Mädchen gegenüberzutreten, das wie ein Familienmitglied in ihrem Haus lebte. Das Mädchen lag auf den Laken, gekrümmt wie ein urtümlicher Fluss. Sie säuberte es, wusch ihm den Schmutz ab. Sie küsste es in seinem unruhigen Schlaf auf Stirn und Hals, und in diesen Küssen vermischten sich zwei Arten von Empfindung. Sie brachte ihm das Heilige Wort.

Eine Wilde, die sie ihr Eigen nennen konnte, endlich.

TENNESSEE

25 DOLLAR BELOHNUNG

Dem Unterzeichneten am 6ten Februar entlaufen, sein Negermädchen PEGGY. Sie ist ungefähr sechzehn Jahre alt, eine hellhäutige Mulattin von gewöhnlicher Größe, mit glattem Haar und leidlich schönen Zügen – am Hals hat sie eine gezackte Narbe von einer Verbrennung. Sie wird sicherlich versuchen, sich als Freigelassene auszugeben, und hat sich wahrscheinlich einen Passierschein verschafft. Sie senkt den Blick, wenn sie angesprochen wird, und ist nicht sonderlich intelligent. Sie spricht rasch, mit schriller Stimme.

JOHN DARK
Chatham County, 17. Mai

J esus, carry me home, home to that land ...«

Jasper hörte einfach nicht zu singen auf. Ridgeway brüllte von der Spitze ihrer kleinen Karawane aus, er solle den Mund halten, und manchmal blieben sie stehen, damit Boseman auf den Wagen klettern und dem Entlaufenen eins überziehen konnte. Jasper lutschte für kurze Zeit an den Narben an seinen Fingern, dann nahm er sein Gesumme wieder auf. Zuerst leise, sodass nur Cora ihn hören konnte. Doch bald sang er wieder aus voller Kehle, für seine verlorene Familie, für seinen Gott, für jeden, den sie auf dem Weg passierten. Dann musste er wieder zur Räson gebracht werden.

Einige der Kirchenlieder kannte Cora. Sie vermutete, dass er sich viele davon selbst ausdachte; die Reime waren holprig. Es hätte ihr nicht so viel ausgemacht, wenn Jasper eine bessere Stimme gehabt hätte, aber in dieser Hinsicht hatte Jesus ihn nicht gesegnet. Ebenso wenig wie mit gutem Aussehen – er hatte ein schiefes Froschgesicht und für einen Feldarbeiter merkwürdig dünne Arme – oder mit Glück. Mit Glück am allerwenigsten.

Das hatten er und Cora gemeinsam.

Sie lasen Jasper auf, nachdem sie North Carolina drei Tage hinter sich gelassen hatten. Jasper war eine Auslieferung. Er war von den Zuckerrohrfeldern Floridas geflüchtet und hatte es bis nach Tennessee geschafft, ehe ein Kesselflicker ihn dabei erwischte, wie er aus seiner Speisekammer etwas zu essen stahl. Nach ein paar Wochen machte der Deputy seinen Besitzer ausfindig, aber der Kesselflicker hatte kein Transportmittel. Ridgeway und Boseman tranken gerade etwas in einer Schenke gleich um die Ecke vom Gefängnis, während der kleine Homer bei Cora und dem Wagen wartete. Der Stadtschreiber sprach den berühmten Sklavenfänger an, handelte eine Vereinbarung aus, und nun hatte Ridgeway den Nigger im Wagen angekettet. Er hatte den Mann nicht als Singvogel eingeschätzt.

Der Regen klopfte auf die Plane. Cora genoss den Lufthauch und schämte sich dann dafür, dass sie etwas genoss. Als der Regen nachließ, hielten sie an, um zu essen. Boseman ohrfeigte Jasper, kicherte und kettete die beiden Flüchtigen vom Wagenboden los. Er machte Cora sein übliches vulgäres Versprechen, während er schniefend vor ihr kniete. Jaspers und Coras Hand- und Fußgelenke blieben gefesselt. Sie hatte noch nie zuvor so lange in Ketten gelegen.

Krähen segelten über sie hinweg. Die Welt war versengt und versehrt, so weit ihr Auge reichte, ein Meer aus Asche und Kohle von den flachen Ebenen der Felder bis hinauf auf die Hügel und Berge. Schwarze Bäume neigten sich, verkrüppelte schwarze Arme zeigten wie auf einen fernen, von Flammen noch unberührten Ort. Sie fuhren vorbei an unzähligen schwarzen Gerippen von Häusern und Scheunen, Schornsteinen, die wie Grabmale aufragten, den leeren Mauern verwüsteter Mühlen und Kornspeicher. Versengte Zäune markierten, wo Vieh geweidet hatte; die Tiere konnten unmöglich überlebt haben.

Nach zwei Tagen Fahrt durch diese Einöde waren sie mit schwarzem Ruß bedeckt. Ridgeway sagte, als Sohn eines Schmieds fühle er sich hier wie zu Hause.

Und Cora sah dies: keinerlei Versteck. Keine Zuflucht zwischen diesen schwarzen Strünken, selbst wenn sie nicht gefesselt wäre. Selbst wenn sich ihr eine Gelegenheit böte.

Ein alter weißer Mann auf einem graubraunen Pferd trottete vorbei. Wie die anderen Reisenden, denen sie auf der schwarzen Straße begegneten, drosselte er neugierig das Tempo. Zwei erwachsene Sklaven waren durchaus alltäglich. Aber der farbige Junge im schwarzen Anzug, der den Wagen kutschierte, und sein merkwürdiges Lächeln verunsicherten Fremde. Der jüngere weiße Mann mit der roten Melone trug eine Halskette, die mit verschrumpelten Lederstücken geschmückt war. Wenn ihnen aufging, dass es sich um Menschenohren handelte, bleckte er eine Reihe lückenhafter, von Tabak braun gefärbter Zähne. Der ältere weiße Mann, der das Kommando hatte, schreckte mit seinem finsteren Blick von jedem Gesprächsversuch ab. Der Reisende ritt weiter, um die Biegung, wo sich die Straße zwischen den kahlen Hügeln hinzog.

Homer entfaltete einen mottenzerfressenen Quilt als Sitzgelegenheit und verteilte ihre Portionen auf Blechteller. Der Sklavenfänger gestand seinen Gefangenen einen gleichen Anteil am Essen zu, eine Gewohnheit, die auf seine Anfangstage in diesem Beruf zurückging. Das reduzierte Klagen, und er stellte es dem Kunden in Rechnung. Am Rand des schwarz verbrannten Feldes aßen sie das Salzfleisch mit Bohnen, das Boseman zubereitet hatte, während die Fliegen sie in Wellen umschwirrten.

Regen verstärkte den Brandgeruch und machte die Luft bitter. Rauch würzte jeden Bissen, jeden Schluck Wasser. Jasper sang: »*Jump up, the redeemer said! Jump up, jump up if you want to see His face!*«

»Halleluja!«, rief Boseman. »Dickes kleines Jesuskind!« Seine Worte hallten, und er vollführte, durch dunkles Wasser platschend, einen Tanz.

»Er isst nichts«, sagte Cora. Jasper hatte auf die letzten Mahlzeiten verzichtet, die Lippen zusammengekniffen und die Arme verschränkt.

»Dann isst er eben nichts«, sagte Ridgeway. Er wartete darauf, dass sie etwas sagte, denn er hatte sich an ihre schnippischen Antworten auf seine Bemerkungen gewöhnt. Sie hatten einander auf dem Kieker. Cora blieb stumm, um das Muster zu durchbrechen.

Homer kam herbeigehüpft und schlang Jaspers Portion hinunter. Er spürte, dass Cora ihn anschaute, und grinste, ohne aufzublicken.

Der Kutscher des Wagens war ein merkwürdiger kleiner Wicht. Zehn Jahre alt, Chesters Alter, aber erfüllt von der melancholischen

Anmut eines älteren Haussklaven, der Summe eingeübter Gesten. Er war penibel, was seinen schwarzen Anzug und seinen Zylinder anging, zupfte Fusseln vom Stoff ab und starrte sie an, als handelte es sich um Giftspinnen, ehe er sie wegschnipste. Vom Herumkommandieren der Pferde abgesehen sagte Homer selten etwas. Er ließ keinerlei rassische Verbundenheit oder Mitgefühl erkennen. Die meiste Zeit hätten Cora und Jasper genauso gut unsichtbar sein können, kleiner als Fusseln.

Homers Aufgaben umfassten das Kutschieren des Gespanns, diverse Wartungsarbeiten und das, was Ridgeway »Buchhaltung« nannte. Homer führte die Geschäftskonten und vermerkte Ridgeways Geschichten in einem kleinen Notizbuch, das er in seiner Jackentasche aufbewahrte. Was diese oder jene Äußerung des Sklavenfängers aufschreibenswert machte, vermochte Cora nicht zu erkennen. Der Junge hielt weltläufige Binsenweisheiten und nüchterne Bemerkungen über das Wetter mit gleichem Eifer fest.

Eines Abends behauptete Ridgeway, von Cora provoziert, er habe bis auf die vierzehn Stunden, in denen Homer sein Eigentum gewesen sei, nie im Leben einen Sklaven besessen. »Warum nicht?«, fragte sie. »Wozu?«, sagte er. Er sei durch die Außenbezirke von Atlanta geritten – er hatte einen Mann und dessen Frau zu ihrem Besitzer zurückgeschafft, den ganzen Weg von New York –, als er auf einen Fleischer stieß, der gerade versuchte, durch den Verkauf eines Negerjungen eine Spielschuld zu begleichen. Die Familie seiner Frau hatte dem Paar zur Hochzeit die Mutter des Jungen geschenkt. Der Fleischer hatte sie während seiner letzten Pechsträhne verkauft. Nun war der Junge an der Reihe. Der Fleischer malte ein primitives Schild, mit dem er das Angebot anpries und das er dem Jungen um den Hals hängte.

Die seltsame Empfindsamkeit des Jungen rührte Ridgeway. Homers glänzende, in seinem runden, pummeligen Gesicht sitzende Augen waren zugleich wild und gelassen. Eine verwandte Seele. Ridgeway kaufte ihn für fünf Dollar und setzte schon am nächsten Tag die Freilassungspapiere auf. Homer blieb an seiner Seite, trotz Ridgeways halbherziger Versuche, ihn zu verscheuchen. Der Fleischer hatte keine entschiedenen Ansichten zum Thema Bildung für Farbige gehabt und dem Jungen erlaubt, mit den Kindern einiger Freigelassener zu lernen. Aus Langeweile half Ridgeway ihm beim Alphabet. Wenn es Homer passte, tat er so, als wäre er italienischer Abstammung, und ließ den Fragesteller mit seiner Verwirrung sitzen. Seine unkonventionelle Kleidung ergab sich mit der Zeit; sein Gemüt blieb unverändert.

»Wenn er frei ist, warum geht er dann nicht?«

»Wohin denn?«, fragte Ridgeway. »Er hat genug gesehen, um zu wissen, dass ein schwarzer Junge keine Zukunft hat, ob mit oder ohne Freilassungspapiere. Nicht in diesem Land. Irgendein ehrloser Mensch würde ihn sich schnappen und ruckzuck aufs Auktionspodest stellen. Bei mir kann er etwas über die Welt lernen. Ein Ziel finden.«

Jeden Abend öffnete Homer mit akribischer Sorgfalt seine Schultertasche und entnahm ihr ein Paar Handschellen. Er schloss sich an den Kutschbock an, steckte den Schlüssel in die Tasche und machte die Augen zu.

Ridgeway ertappte Cora beim Hinsehen. »Er sagt, nur so kann er schlafen.«

Homer schnarchte jede Nacht wie ein reicher alter Mann.

Boseman seinerseits ritt seit drei Jahren mit Ridgeway. Er war ein Herumtreiber aus South Carolina, der nach einer Durststrecke – Hafenarbeiter, Schuldeneintreiber, Totengräber – zur Sklavenfängerei fand. Boseman war nicht der Intelligenteste, aber er besaß die Gabe, Ridgeways Wünsche auf eine Weise vorauszuahnen, die unverzichtbar und unheimlich zugleich war. Ridgeways Trupp zählte fünf Mann, als Boseman sich ihm anschloss, aber seine Angestellten kamen ihm einer nach dem anderen abhanden. Der Grund wurde Cora nicht sofort klar.

Der vorherige Besitzer der Ohrenhalskette war ein Indianer namens Strong gewesen. Strong hatte sich als Fährtenleser angepriesen, aber das Einzige, was er zuverlässig witterte, war Whiskey. Boseman gewann das Accessoire bei einem Ringkampf, und als Strong anzweifelte, dass es dabei mit rechten Dingen zugegangen war, zog Boseman dem roten Mann eins mit der Schaufel über. Strong büßte sein Gehör ein und verließ den Trupp, um in einer Lohgerberei in Kanada zu arbeiten, so jedenfalls das Gerücht. Obwohl die Ohren vertrocknet und verschrumpelt waren, lockten sie Fliegen an, wenn es heiß war. Boseman jedoch liebte sein Andenken, und der Ekel im Gesicht eines neuen Kunden war allzu vergnüglich. Den Indianer hatten, als er noch Besitzer der Kette gewesen war, die Fliegen nicht geplagt, wie Ridgeway ihn von Zeit zu Zeit erinnerte.

Boseman starrte zwischen den einzelnen Bissen auf die Hügel und trug eine untypisch wehmütige Miene zur Schau. Er entfernte sich ein Stück, um zu urinieren, und als er zurückkam, sagte er: »Mein Daddy ist mal hier durchgekommen, glaube ich. Damals wär das Wald gewesen, hat er gesagt. Als er wiedergekommen ist, war alles von Siedlern gerodet.«

»Und jetzt ist es doppelt gerodet«, erwiderte Ridgeway. »Was du sagst, stimmt. Die Straße hier war ein Pferdeweg. Wenn du das nächste Mal eine Straße bauen musst, Boseman, dann sieh zu, dass du zehntausend verhungernde Cherokees zur Hand hast, die sie für dich roden. Das spart Zeit.«

»Wo sind sie hin?«, fragte Cora. Nach ihren nächtlichen Gesprächen mit Martin hatte sie ein Gefühl dafür, wenn weiße Männer eine Geschichte loswerden wollten. Das verschaffte ihr Zeit, ihre Möglichkeiten zu bedenken.

Ridgeway war ein eifriger Leser von Gazetten. Wegen der Flüchtlingssteckbriefe waren sie in seiner Branche unabdingbar – Homer unterhielt eine umfassende Sammlung –, und die aktuellen Nachrichten stützten im Allgemeinen seine Theorien über die Gesellschaft und das Menschentier. Der Menschentyp, den er beschäftigte, hatte ihn daran gewöhnt, die grundlegendsten Tatsachen und historischen

Ereignisse erklären zu müssen. Er konnte kaum damit rechnen, dass ein Sklavenmädchen über die Bedeutung ihrer Umgebung Bescheid wusste.

Das Land, auf dem sie säßen, sei einmal Cherokee-Land gewesen, erklärte er, das Land ihrer roten Väter, bis der Präsident anders entschieden und befohlen habe, sie fortzuschaffen. Siedler brauchten das Land, und wenn die Indianer bis dahin nicht gelernt hätten, dass die Verträge des weißen Mannes vollkommen wertlos seien, sagte Ridgeway, dann hätten sie es nicht anders verdient. Einige seiner Freunde seien damals bei der Armee gewesen. Sie trieben die Indianer in Lagern zusammen, die Frauen, die Kinder und was immer sie auf dem Rücken tragen konnten, und ließen sie bis westlich des Mississippi marschieren. Den Pfad der Tränen und des Todes, wie ein Cherokee-Weiser es später genannt habe, nicht ohne Grund und nicht ohne das indianische Gespür für Rhetorik. Krankheit und Unterernährung, ganz zu schweigen von dem bitterkalten Winter, den Ridgeway selbst nicht in angenehmer Erinnerung hatte, rafften Tausende dahin. Als sie nach Oklahoma kamen, warteten noch mehr Weiße auf sie, die das Land besetzt hatten, das man den Indianern im letzten wertlosen Vertrag versprochen hatte. Langsame Lerner, die Bande. Aber auf dieser Straße befänden sie sich heute. Der Weg nach Missouri sei sehr viel bequemer als früher, denn er sei von kleinen roten Füßen festgestampft.

»Fortschritt«, sagte Ridgeway. »Mein Vetter hat Glück gehabt und in der Lotterie ein Stück indianisches Land gewonnen, im Norden von Tennessee. Baut Mais an.«

Cora betrachtete die Trostlosigkeit mit schräggelegtem Kopf. »Glück«, sagte sie.

Auf dem Weg über die Staatsgrenze sagte Ridgeway, ein Blitzschlag müsse das Feuer entfacht haben. Über Hunderte von Meilen füllte Rauch den Himmel und färbte den Sonnenuntergang zu einem prächtigen Gemisch aus Blutrot und Purpur. So kündigte sich Tennessee an: Phantasiungeheuer, die sich in einem Vulkan wälzten. Zum ersten Mal überquerte sie die Grenze zu einem anderen Staat, ohne die Underground Railroad zu benutzen. Die Tunnel hatten sie beschützt. Lumbly, der Stationsvorsteher, hatte gesagt, jeder Staat sei ein Staat voller Möglichkeiten, mit seinen eigenen Sitten. Angesichts des roten Himmels graute ihr vor den Regeln dieses neuen Territoriums. Während sie auf den Rauch zuritten, inspirierten die Sonnenuntergänge Jasper zu einer Folge von Liedern, die sich hauptsächlich um den Zorn Gottes und die Erniedrigungen drehten, die den Sündhaften bevorstanden. Boseman kam häufig zum Wagen.

Die Stadt am Rand der Flammenfront war von Flüchtlingen überlaufen. »Entlaufene«, erklärte Cora, und Homer drehte sich auf dem Kutschbock um und kniff ein Auge zu. Die weißen Familien drängten sich in einem Lager abseits der Main Street, untröstlich und erbärmlich, die mageren Besitztümer, die sie hatten retten können, zu ihren Füßen aufgehäuft. Gestalten wankten mit verstörter Miene durch die Straße, wilden Blicks, ihre Kleidung versengt, Stofffetzen um Verbrennungen geknotet. Cora war wohlvertraut mit den Schreien farbiger Kleinkinder, die Qualen litten, hungrig waren, Schmerzen hatten, verwirrt waren vom Wahnsinn derer, denen es oblag, sie zu beschützen. Die Schreie so vieler weißer Kleinkinder zu hören war neu. Ihre Sympathien lagen bei den farbigen Kindern.

Leere Regale hießen Ridgeway und Boseman im Gemischtwarenladen willkommen. Der Besitzer sagte Ridgeway, Siedler hätten das Feuer gelegt, um Gestrüpp zu roden. Das Feuer sei ihnen außer Kontrolle geraten und habe das Land mit grenzenloser Gier verwüstet, bis endlich Regen fiel. Drei Millionen Morgen, sagte der Ladenbesitzer. Die Regierung habe Hilfe versprochen, aber wann diese eintreffen werde, könne niemand sagen. Die größte Katastrophe, so weit irgendwer zurückdenken konnte.

Die ursprünglichen Bewohner hatten gründlichere Erfahrungen mit Lauffeuern, Hochwasser und Wirbelstürmen, dachte Cora, als Ridgeway erzählte, was der Ladenbesitzer gesagt hatte. Aber sie waren nicht mehr da, um ihr Wissen weiterzugeben. Sie wusste nicht, welcher Stamm dieses Gebiet seine Heimat genannt hatte, aber dass es Indianerland gewesen war, wusste sie. Welches Land hatte ihnen nicht gehört? Sie hatte nie richtig Geschichte gelernt, aber manchmal sind die eigenen Augen Lehrer genug.

»Sie müssen irgendwas getan haben, was Gott zornig gemacht hat«, sagte Boseman.

»Bloß ein Funke, der sich selbständig gemacht hat, weiter nichts«, sagte Ridgeway.

Nach ihrem Mittagessen verweilten sie noch an der Straße, die Männer rauchten bei den Pferden Pfeife und ergingen sich in Erinnerungen. Obwohl Ridgeway häufig davon sprach, wie lange er sie gejagt habe, schien er es nicht besonders eilig zu haben, sie Terrance Randall auszuliefern. Nicht dass sie dieses Wiedersehen herbeisehnte. Cora trippelte auf das verbrannte Feld. Sie hatte gelernt, mit Eisen zu gehen. Schwer zu glauben, dass es so lange gedauert hatte. Schon immer hatte sie die trostlosen Sklavenzüge bemitleidet, die in jämmerlichem Gänsemarsch an der Plantage vorbeizogen. Nun war sie selbst in dieser Lage. Welche Lehre sie daraus ziehen sollte, war unklar. In einer Hinsicht war ihr viele Jahre lang eine Verletzung erspart geblieben. In anderer hatte sich das Unglück lediglich Zeit gelassen: Es gab kein Entkommen. Wunde Stellen auf ihrer Haut scheuerten unter dem Eisen. Die weißen Männer beachteten sie nicht, während sie auf die schwarzen Bäume zuging.

Inzwischen hatte sie ein paarmal wegzulaufen versucht. Als sie angehalten hatten, um Proviant zu besorgen, war Boseman von einem Trauerzug abgelenkt worden, der um die Ecke bog, und sie kam ein kurzes Stück weit, ehe ein Junge ihr das Bein stellte. Sie legten ihr zusätzlich ein Halseisen an, Kettenglieder zogen sich wie Flechten bis zu ihren Handgelenken. Das verlieh ihr die Haltung einer Bettlerin oder einer Gottesanbeterin. Sie rannte weg, als die Männer anhielten, um sich am Wegrand zu erleichtern, und diesmal kam sie ein bisschen weiter. Einmal rannte sie in der Abenddämmerung weg, an einem Flüsschen, dessen Wasser Bewegung verhieß. Sie glitt auf den glatten Steinen aus und stürzte ins Wasser, und Ridgeway prügelte sie. Sie hörte auf wegzulaufen.

Sie sagten kaum etwas am ersten Tag nach ihrem Aufbruch aus North Carolina. Cora dachte, sie seien von der Konfrontation mit dem Mob ebenso erschöpft wie sie selbst, aber Schweigen war ganz allgemein ihr Prinzip – bis Jasper in ihre Mitte kam. Boseman flüsterte seine unanständigen Vorschläge, und Homer drehte sich nach einem eigenen, nicht zu durchschauenden System auf dem Kutschbock nach hinten und bedachte sie mit einem beunruhigenden Grinsen, aber der Sklavenfänger wahrte an der Spitze des Zuges Distanz. Gelegentlich pfiff er.

Cora bekam mit, dass sie sich nach Westen anstatt nach Süden hielten. Vor Caesar hatte sie nie groß auf den Lauf der Sonne geachtet. Er hatte ihr gesagt, die Sonne könnte ihnen bei ihrer Flucht helfen. Eines Morgens machten sie in einer Stadt vor einer Bäckerei halt. Cora nahm ihren Mut zusammen und fragte Ridgeway nach seinen Plänen.

Seine Augen wurden größer, als hätte er darauf gewartet, dass sie ihn ansprach. Nach diesem ersten Gespräch weihte Ridgeway sie in seine Pläne ein, als hätte sie ein Mitspracherecht. »Du warst eine Überraschung«, sagte er, »aber mach dir keine Sorgen, wir bringen dich bald genug nach Hause.«

Sie habe recht, sagte er. Sie hielten sich nach Westen. Ein Plantagenbesitzer aus Georgia namens Hinton hatte Ridgeway beauftragt, einen seiner Sklaven zurückzuholen. Der fragliche Neger war ein gerissener, findiger junger Bursche, der in einer der farbigen Siedlungen in Missouri Verwandte hatte; verlässliche Informationen bestätigten, dass Nelson dort am helllichten Tag dem Handwerk des Fallenstellens nachging, ohne sich vor Vergeltung zu fürchten. Hinton war ein geachteter Farmer mit einem beneidenswerten Besitz, ein Vetter des Gouverneurs. Leider hatte einer seiner Aufseher mit einer Sklavendirne getratscht, und nun machte Nelsons Verhalten seinen Besitzer auf dessen eigenem Land zum Gespött. Hinton hatte Nelson zum Boss herangezogen. Er versprach Ridgeway ein großzügiges Kopfgeld und ging sogar so weit, ihm in einer pompösen Zeremonie einen Vertrag zu präsentieren. Ein älterer Schwarzer, der die ganze Zeit hinter vorgehaltener Hand hustete, diente als Zeuge.

In Anbetracht von Hintons Ungeduld war es am vernünftigsten, nach Missouri weiterzufahren. »Sobald wir unseren Mann haben«, sagte Ridgeway, »kannst du mit deinem Herrn wiedervereint werden. Nach allem, was ich gesehen habe, wird er dir einen würdigen Empfang bereiten.«

Ridgeway verhehlte seine Verachtung für Terrance Randall nicht. Was die Züchtigung von Niggern anging, hatte der Mann eine »ausufernde« Phantasie, wie er das nannte. Das war von dem Moment an klar, in dem sein Trupp in die Zufahrt zum Herrenhaus einbog und die drei Galgen sah. Das junge Mädchen war bereits an einem aufgehängt, es baumelte an einem großen Metallhaken, den man ihm durch die Rippen getrieben hatte. Die Erde darunter war dunkel von ihrem Blut. Die anderen beiden Galgen warteten.

»Wenn ich im Norden nicht aufgehalten worden wäre«, sagte Ridgeway, »hätte ich euch drei bestimmt geschnappt, bevor die Spur kalt wurde. Lovey – hieß sie nicht so?«

Cora schlug die Hand vor den Mund, um ihren Schrei zu ersticken. Es gelang ihr nicht. Ridgeway wartete zehn Minuten, bis sie die Fassung wiedergewonnen hatte. Die Stadtbewohner betrachteten das farbige Mädchen, das zusammengebrochen auf dem Boden lag, und stiegen über es hinweg in die Bäckerei. Der Duft des Gebäcks zog auf die Straße, süß und verlockend.

Boseman und Homer hätten in der Auffahrt gewartet, während er mit dem Hausherrn redete, sagte Ridgeway. Zu Lebzeiten des Vaters habe das Haus lebendig und einladend gewirkt – ja, er sei schon einmal da gewesen, um nach Coras Mutter zu suchen, allerdings ohne Erfolg. Eine Minute mit Terrance, und die Ursache für die schreckliche Atmosphäre war offensichtlich. Der Sohn war böse, und es war die Art von Bosheit, die alles um sich herum infizierte. Das Tageslicht war von den Gewitterwolken grau und träge, die Hausnigger waren schwerfällig und bedrückt.

Die Zeitungen verbreiteten gern die Phantasie von der glücklichen Plantage und dem zufriedenen Sklaven, der sang, tanzte und den Massa liebte. So etwas gefiel den Leuten, und es war angesichts des Kampfes mit den Nordstaaten und der Bewegung zur Abschaffung der Sklaverei politisch nützlich. Ridgeway wusste, dass dieses Bild falsch war – er hatte es nicht nötig zu heucheln, was das Geschäft der Sklaverei anging –, aber das Bedrohliche der Randall-Plantage entsprach genauso wenig der Wahrheit. Der Ort war verflucht. Wer konnte den Sklaven ihre Freudlosigkeit verdenken, wo sich draußen am Haken dieser Leichnam drehte?

Terrance empfing Ridgeway im Wohnzimmer. Er war betrunken, hatte sich nicht die Mühe gemacht, sich anzukleiden, und fläzte in einem roten Hausmantel auf dem Sofa. Es sei schon tragisch, sagte Ridgeway, die Dekadenz erleben zu müssen, zu der es innerhalb nur einer Generation kommen könne, aber das richte Geld manchmal bei einer Familie an. Bringe die Unreinheiten zum Vorschein. Terrance erinnerte sich an Ridgeway von dessen früherem Besuch, als Mabel im Sumpf verschwunden war, genau wie dieses Trio jetzt. Er sagte Ridgeway, es habe seinen Vater gerührt, dass er persönlich gekommen sei, um sich für sein Versagen zu entschuldigen.

»Ich hätte den jungen Randall links und rechts ohrfeigen können, ohne den Auftrag zu verlieren«, sagte Ridgeway. »Aber in meinen reiferen Jahren habe ich beschlossen zu warten, bis ich dich und den anderen gefasst hatte. Etwas, worauf man sich freuen konnte.« Aus Randalls Versessenheit und der Höhe des Kopfgeldes schloss er, dass Cora die Konkubine ihres Herrn war.

Cora schüttelte den Kopf. Sie hatte zu schluchzen aufgehört, stand inzwischen wieder und hatte ihr Zittern unter Kontrolle, die Hände zu Fäusten geballt.

Ridgeway hielt inne. »Dann ist es wohl was anderes. Jedenfalls übst du einen gewaltigen Einfluss aus.« Er erzählte die Geschichte seines Besuches bei Randall weiter. Terrance informierte den Sklavenfänger über die Sachlage seit Loveys Gefangennahme. An ebenjenem Morgen habe sein Aufseher Connelly erfahren, dass Caesar in den Räumlichkeiten eines hiesigen Ladeninhabers ein und aus gegangen sei – der Mann habe angeblich die Holzarbeiten des Niggerjungen verkauft. Vielleicht könne der Sklavenfänger diesen Mr Fletcher einmal aufsuchen und sehen, was sich daraus ergebe. Terrance wollte das Mädchen lebendig, wie er den anderen zurückbekam, war ihm aber gleich. Ob Ridgeway wisse, dass der Junge ursprünglich aus Virginia stamme?

Ridgeway wusste es nicht. Das war so etwas wie ein Seitenhieb gegen seinen Heimatstaat. Die Fenster waren geschlossen, dennoch hatte sich ein unangenehmer Geruch im Zimmer breitgemacht.

»Dort hat er seine schlechten Angewohnheiten angenommen«, hatte Terrance gesagt. »Dort oben ist man weich. Sorgen Sie dafür, dass er lernt, wie wir die Dinge hier in Georgia handhaben.« Er wollte, dass die Justiz herausgehalten wurde. Die beiden wurden wegen der Ermordung eines weißen Jungen gesucht und würden es nicht zurück zur Plantage schaffen, sobald der Mob Wind davon bekam. Die Höhe des Kopfgeldes sollte Ridgeways Diskretion sichern.

Der Sklavenfänger verabschiedete sich. Die Achse seines leeren Wagens quietschte, wie immer, wenn kein Gewicht darauf lag, das sie verstummen ließ. Ridgeway schwor sich, dass der Wagen bei seiner Rückkehr nicht leer sein würde. Er würde sich nicht noch einmal bei einem Randall entschuldigen, und schon gar nicht bei diesem jungen Schnösel, der die Plantage jetzt führte. Er hörte ein Geräusch und drehte sich zum Haus um. Das Geräusch kam von dem Mädchen,

Lovey. Ihr Arm zuckte. Also war sie gar nicht tot. »Hat noch einen halben Tag durchgehalten, soweit ich gehört habe.«

Fletchers Lügen platzten sofort – er war einer dieser religiösen Typen ohne Rückgrat –, und er verriet den Namen seines Komplizen bei der Railroad, ein gewisser Lumbly. Von Lumbly gab es keine Spur. Er war nicht zurückgekehrt, nachdem er Cora und Caesar aus dem Staat geschmuggelt hatte. »Nach South Carolina, nicht wahr?«, fragte Ridgeway. »War er es auch, der deine Mutter in den Norden geschafft hat?«

Cora hielt den Mund. Es war nicht schwer, sich vorzustellen, wie es Fletcher und vielleicht auch seiner Frau ergangen war. Wenigstens hatte Lumbly es geschafft. Und sie hatten den Tunnel unter der Scheune nicht entdeckt. Eines Tages würde vielleicht ein anderer Verzweifelter diese Route benutzen. Mit glücklicherem Ausgang, so das Schicksal wollte.

Ridgeway nickte. »Egal. Wir haben reichlich Zeit, uns das Neueste zu erzählen. Die Fahrt nach Missouri ist lang.« Im Süden von Virginia, sagte er, habe man einen Stationsvorsteher gefasst, der den Namen von Martins Vater, Donald, genannt habe. Donald war tot, aber Ridgeway wollte nach Möglichkeit ein Gefühl für die Vorgehensweise des Mannes bekommen, um die Mechanismen der Verschwörung insgesamt zu verstehen. Er hatte nicht damit gerechnet, Cora zu finden, war jedoch höchst erfreut gewesen.

Boseman kettete sie an den Wagen. Inzwischen kannte sie das Geräusch des Schlosses. Es hakte einen Moment lang, bevor es einrastete. Am nächsten Tag stieß Jasper zu ihnen. Sein Körper zitterte wie der eines geprügelten Hundes. Cora versuchte, ihn in ein Gespräch zu verwickeln, fragte nach der Plantage, von der er geflohen war, nach der Arbeit im Zuckerrohr, wie er seine Flucht eingefädelt hatte. Jasper antwortete mit Kirchenliedern und Gebeten.

Das lag vier Tage zurück. Nun stand sie auf einer schwarzen Wiese im schwer heimgesuchten Tennessee, und unter ihren Füßen knirschte verbranntes Holz.

Der Wind frischte auf, der Regen wurde stärker. Die Rast war vorbei. Homer säuberte das Geschirr. Ridgeway und Boseman klopften ihre Pfeifen aus, und der jüngere Mann beorderte Cora mit einem Pfiff zurück. Um sie herum erhoben sich die Hügel und Berge von Tennessee wie die Wände einer schwarzen Schüssel. Wie schrecklich die Flammen gewütet haben mussten, wie heftig, um solches Verderben anzurichten. Wir kriechen durch eine Schüssel voller Asche. Was übrig bleibt, wenn alles Wertvolle vernichtet worden ist, dunkler Staub, den der Wind davontragen kann.

Boseman führte ihre Ketten durch den Ring im Boden und befestigte sie. Zehn Ringe waren am Wagenboden verschraubt, zwei Reihen von jeweils fünf, ausreichend für den gelegentlichen großen Fang. Ausreichend für diese beiden. Jasper beanspruchte seinen Lieblingsplatz auf der Bank, vor Kraft summend, als hätte er gerade ein weihnachtliches Festmahl hinuntergeschlungen. »*When the Savior calls you up, you're going to lay the burden down, lay that burden down.*«

»Boseman«, sagte Ridgeway leise.

»*He's going to look in your soul and see what you done, sinner, He's going to look in your soul and see what you done.*«

Boseman sagte: »Oh.«

Zum ersten Mal, seit er Cora aufgegriffen hatte, stieg der Sklavenfänger in den Wagen. Er hatte Bosemans Revolver in der Hand und schoss Jasper ins Gesicht. Blut und Knochensplitter sprenkelten das Innere des Verdecks und bespritzten Coras schmutzigen Kittel.

Ridgeway wischte sich das Gesicht ab und erklärte seine Überlegung. Die Belohnung für Jasper betrage fünfzig Dollar, von denen fünfzehn dem Kesselflicker zustünden, der den Flüchtigen ins Gefängnis gebracht hatte. Missouri, dann nach Osten, Georgia – es hätte Wochen gedauert, bis sie den Mann bei seinem Besitzer abgeliefert hätten. Wenn man fünfunddreißig Dollar durch, sagen wir, drei Wochen teile und Bosemans Anteil davon abziehe, dann sei das entgangene Kopfgeld ein sehr geringer Preis für Stille und Seelenfrieden.

Homer schlug sein Notizbuch auf und rechnete die Zahlen seines Bosses nach. »Er hat recht«, sagte er.

Tennessee setzte sich fort als Serie von Verheerungen. Die Feuersbrunst hatte die nächsten beiden Städte an der mit Asche bedeckten Straße verschlungen. Am Morgen tauchten auf der anderen Seite eines Hügels die Überreste einer kleinen Siedlung auf, ein Gebilde aus versengtem Holz und schwarzem Mauerwerk. Zuerst kamen die Ruinen der Häuser, die einmal die Träume von Pionieren enthalten hatten, dann die eigentliche Stadt, eine Reihe in Trümmer liegender Bauwerke. Die weiter entfernte Stadt war größer, stand ihr in puncto Zerstörung aber in nichts nach. Ihr Herz war eine breite Kreuzung, wo verwüstete Straßen in regem, nun zum Erliegen gekommenem Betrieb zusammengelaufen waren. Ein Backofen in der Ruine des Ladens wie ein grimmiges Totem, hinter dem Stahl einer Gefängniszelle verkrümmte menschliche Überreste.

Cora konnte nicht sagen, was die Siedler veranlasst hatte, hier ihre Zukunft zu errichten, fruchtbare Erde, Wasser oder schöne Ausblicke. Alles war ausgelöscht worden. Falls die Überlebenden zurückkehrten, dann nur, um den Entschluss zu bekräftigen, es woanders noch einmal zu versuchen, zurück nach Osten oder weiter nach Westen zu eilen. Hier würde es keine Auferstehung geben.

Dann entkamen sie dem Bereich des Flächenbrandes. Nach ihrer Zeit in dem verbrannten Land vibrierten die Birken und Wildgräser förmlich vor nicht mehr für möglich gehaltener Farbe, paradiesisch und erhebend. Im Scherz ahmte Boseman Jaspers Gesang nach, Kennzeichen des Stimmungswechsels; die schwarze Szenerie hatte stärker auf sie gewirkt, als ihnen bewusst gewesen war. Der robuste, schon zwei Fuß hohe Mais auf den Feldern deutete auf eine üppige Ernte hin; mit ebenso viel Nachdruck hatte das zerstörte Gebiet künftige Abrechnungen angekündigt.

Kurz nach Mittag ließ Ridgeway anhalten. Der Sklavenfänger erstarrte, als er laut das Schild an der Kreuzung las. In der vor ihnen liegenden Stadt gehe das Gelbfieber um, sagte er. Alle Reisenden würden aufgefordert, sie zu meiden. Eine alternative Strecke, schmaler und uneben, führte nach Südwesten.

Das Schild sei neu, meinte Ridgeway. Höchstwahrscheinlich sei die Sache noch nicht ausgestanden.

»Meine beiden Brüder sind an Gelbfieber gestorben«, sagte Boseman. Er sei am Mississippi groß geworden, wo das Fieber gern auftrete, wenn es warm werde. Die Haut seiner jüngeren Brüder sei gelb und wächsern geworden, sie hätten aus den Augen und aus dem Hintern geblutet, und ihre winzigen Körper seien von Anfällen geschüttelt worden. Ein paar Männer hätten die Leichen in einer quietschenden Schubkarre weggebracht. »Es ist ein elender Tod«, sagte er, und seine Scherzhaftigkeit war wieder verflogen.

Ridgeway kannte die Stadt. Der Bürgermeister sei ein korrupter Rüpel, vom Essen bekomme man Durchfall, aber sonst habe er sie in guter Erinnerung. Der Umweg würde ihre Reise beträchtlich verlängern. »Das Fieber kommt mit den Schiffen«, sagte Ridgeway. Von den Westindischen Inseln und vom dunklen Kontinent aus folge es im Kielwasser des Handels. »Das ist eine menschliche Steuer auf den Fortschritt.«

»Und wer ist der Steuereintreiber, der sie kassiert hat?«, sagte Boseman. »Ich habe ihn nie gesehen.« Seine Angst machte ihn nervös und gereizt. Er wollte weiter, selbst diese Kreuzung war ihm zu nahe an der Umarmung des Fiebers. Ohne auf Ridgeways Befehl zu warten – oder auf ein Zeichen des Sklavenfängers hin, das nur der halbwüchsige Sekretär wahrnahm –, fuhr Homer den Wagen von der todgeweihten Stadt weg.

Zwei weitere Schilder an der südwestlich verlaufenden Route hielten die Warnung aufrecht. Die Wege, die in die unter Quarantäne stehenden Städte führten, ließen keinerlei Anzeichen der vorausliegenden Gefahr erkennen. Dass sie so lange durch das Zerstörungswerk des Feuers gefahren waren, ließ die unsichtbare Drohung umso furchterregender erscheinen. Es dauerte noch lange und war schon dunkel, ehe sie wieder anhielten. Zeit genug für Cora, eine Bestandsaufnahme ihrer Reise zu machen und Bilanz über ihre Unglücksserie zu ziehen.

Liste um Liste füllte das Hauptbuch der Sklaverei. Zuerst wurden die Namen an der afrikanischen Küste in Zehntausenden von Ladungsverzeichnissen gesammelt. Diese menschliche Fracht. Die Namen der Toten waren ebenso wichtig wie die Namen der Lebenden, da jeder Verlust durch Krankheit und Selbstmord – und die anderen Missgeschicke, die zu Buchhaltungszwecken als solche bezeichnet wurden – vor Arbeitgebern gerechtfertigt werden musste. Auf dem Auktionspodest hakten sie die Seelen ab, die bei jeder Versteigerung gekauft wurden, und auf der Plantage hielten die Aufseher die Namen der Arbeiter in Reihen von enger Kursivschrift fest. Jeder Name ein Vermögenswert, atmendes Kapital, fleischgewordener Profit.

Die eigentümliche Einrichtung der Sklaverei machte Cora ebenfalls zu einer Erstellerin von Listen. Bei ihrer Verlusterfassung wurden Menschen nicht auf Geldbeträge reduziert, sondern mit ihren Freundlichkeiten multipliziert. Menschen, die sie geliebt hatte, Menschen, die ihr geholfen hatten. Die Hob-Frauen, Lovey, Martin und Ethel, Fletcher. Diejenigen, die verschwunden waren: Caesar, Sam und Lumbly. Jasper fiel nicht in ihre Verantwortung, aber seine Blutflecken am Wagen und an ihren Kleidern hätten ebenso gut für ihren eigenen Tod stehen können.

Tennessee war verflucht. Anfangs schrieb sie die Verwüstung von Tennessee – das Feuer und die Krankheit – einer höheren Gerechtigkeit zu. Die Weißen bekamen, was sie verdienten. Weil sie ihre, Coras, Leute versklavt, weil sie eine andere Rasse massakriert, weil sie schon das Land selbst gestohlen hatten. Sollten sie von Feuer oder Fieber verbrannt werden, sollte die hier begonnene Zerstörung Morgen um Morgen verzehren, bis die Toten gerächt waren. Aber wenn Menschen so viel Unglück widerfuhr, wie sie verdienten, womit hatte dann sie selbst ihr Unheil über sich gebracht? In einer weiteren Liste führte Cora die Entscheidungen auf, die sie in diesen Wagen mit seinen eisernen Ringen gebracht hatten. Da war der Junge Chester und wie sie ihn beschützt hatte. Die Peitsche war die übliche Bestrafung für Ungehorsam. Wegzulaufen war eine so schwerwiegende Verfehlung, dass die Bestrafung jeden hochherzigen Menschen auf Coras kurzer Reise durch die Freiheit erfasst hatte.

Während sie auf den Wagenfedern schaukelte, roch sie die feuchte Erde und die wogenden Bäume. Warum war dieses Feld verschont geblieben, während ein anderes, fünf Meilen zurück, verbrannt war? Die Plantagenjustiz war böse und beständig, doch die Welt war willkürlich. Draußen in der Welt entgingen die Bösen der wohlverdienten Strafe, und an ihrer Stelle standen die Anständigen am Auspeitschbaum. Tennessees Katastrophen waren die Folge gleichgültiger Natur und standen in keinerlei Zusammenhang mit den Verbrechen der Siedler. Oder damit, wie die Cherokee ihr Leben geführt hatten.

Bloß ein Funke, der sich selbständig gemacht hat.

Coras Unglück war nicht an ihre Person oder ihr Handeln gekettet. Ihre Haut war schwarz, und so ging die Welt mit schwarzen Menschen um. Nicht mehr, nicht weniger. Jeder Staat sei anders, hatte Lumbly gesagt. Wenn Tennessee ein Gemüt hatte, so geriet es nach dem dunklen Charakter der Welt, mit einer Neigung zu willkürlicher Bestrafung. Niemand blieb verschont, ganz gleich welche Form seine Träume oder welche Farbe seine Haut hatte.

Ein junger Mann mit lockigem braunem Haar und kieselartigen, dunklen Augen unter seinem Strohhut kutschierte von Westen her ein Gespann Arbeitspferde heran. Die Sonne hatte seine Wangen zu einem schmerzhaften Rot verbrannt. Er fing Ridgeways Trupp ab. Vor ihnen liege eine große Siedlung, sagte er, die dafür bekannt sei, dass es dort hoch hergehe. Heute Morgen jedenfalls noch frei von Gelbfieber. Ridgeway sagte dem Mann, was vor ihm lag, und bedankte sich.

Sofort zog der Verkehr auf der Straße an, sogar die Tiere und Insekten trugen zur Geschäftigkeit bei. Die vier Reisenden tauchten wieder in die Anblicke, Geräusche und Gerüche der Zivilisation ein. In den Farmhäusern und Hütten am Stadtrand schimmerten Lampen, während die Familien es sich für den Abend gemütlich machten. Die Stadt wurde sichtbar, die größte, die Cora seit North Carolina gesehen hatte, wenn auch noch nicht so alt. Die lange Hauptstraße mit ihren beiden Banken und der lärmenden Reihe von Schenken reichte aus, sie in die Zeit des Wohnheims zurückzuversetzen. Nichts deutete darauf hin, dass die Stadt für die Nacht zur Ruhe kommen würde, Läden waren geöffnet, Bürger spazierten über die hölzernen Gehwege.

Boseman bestand darauf, nicht hier zu übernachten. Wenn das Fieber so nahe sei, könnte es als Nächstes hier ausbrechen, vielleicht gäre es schon in den Körpern der Einwohner. Ridgeway ärgerte sich, gab jedoch nach, obwohl er ein richtiges Bett vermisste. Sie würden ein Stück weiter kampieren, nachdem sie ihre Vorräte wieder aufgefüllt hatten.

Cora blieb an den Wagen gekettet, während die Männer ihre Besorgungen machten. Passanten sahen ihr Gesicht durch die Öffnungen in der Plane und wandten den Blick ab. Sie hatten harte Gesichter. Ihre Kleidung war grob und schlicht, weniger fein als die Kleidung der Weißen in den Städten im Osten. Die Kleidung von Siedlern, nicht die von Alteingesessenen.

Homer kam in den Wagen geklettert und pfiff dabei eines von Jaspers monotoneren Liedchen. Der tote Sklave war immer noch unter ihnen. Der Junge hatte ein in Packpapier eingeschlagenes Päckchen dabei. »Das ist für dich«, sagte er.

Das Kleid war dunkelblau mit weißen Knöpfen, weiche Baumwolle, die einen Geruch nach Arzneimittel von sich gab. Sie hielt das Kleid hoch, sodass es die Blutflecken auf der Plane verdeckte, die sich wegen der Straßenlaternen draußen deutlich auf dem Stoff abzeichneten.

»Zieh es an, Cora«, sagte Homer.

Cora hob die Hände, die Ketten klirrten.

Er schloss ihre Hand- und Fußfesseln auf. Wie jedes Mal erwog Cora ihre Fluchtmöglichkeiten und kam zu dem immer gleichen Ergebnis. Eine solche Stadt, rau und wild, brachte vermutlich gute Lynchmobs hervor. War die Nachricht von dem Jungen in Georgia bis hierher gedrungen? Von dem Vorfall, über den sie niemals nachdachte und den sie nicht in ihre Liste von Verfehlungen aufnahm. Der Junge gehörte auf seine eigene Liste – aber nach welchen Merkmalen wurde sie aufgestellt?

Homer sah ihr beim Anziehen zu wie ein Diener, der ihr schon seit der Wiege aufwartete.

»Ich bin gefangen«, sagte Cora. »Du bleibst freiwillig bei ihm.«

Homer machte ein verwirrtes Gesicht. Er zückte sein Notizbuch, schlug die letzte Seite auf und kritzelte. Als er fertig war, befestigte er die Hand- und Fußfesseln wieder. Er gab ihr schlecht passende Holzschuhe. Er wollte sie gerade wieder am Wagenboden anketten, als Ridgeway sagte, er solle sie nach draußen bringen.

Boseman war noch unterwegs, auf der Suche nach einem Barbier und einem Bad. Der Sklavenfänger gab Homer die Gazetten und die Flüchtlingssteckbriefe, die er beim Deputy im Gefängnis geholt hatte. »Ich gehe mit Cora zu Abend essen«, sagte Ridgeway und ging ihr voran in das Gewühl. Homer ließ ihr schmutziges Kleid in die Gosse fallen, wo sich das Braun des getrockneten Blutes mit dem Schlamm vermischte.

Die Holzschuhe drückten. Ridgeway passte seinen Schritt nicht Coras eingeschränkter Bewegungsfreiheit an, sondern marschierte ihr voraus, offenbar unbekümmert darum, dass sie weglaufen könnte. Ihre Ketten waren wie eine Kuhglocke. Die weißen Menschen von Tennessee nahmen keine Notiz von ihr. An der Wand eines Stalls lehnte ein junger Neger, der Einzige, der ihre Anwesenheit wahrnahm. Dem Aussehen nach ein Freigelassener, gekleidet in graugestreifte

Hose und Kuhfellweste. Er sah ihr zu, wie sie den an Randall vorbei-trottenden Sklavenzügen zugesehen hatte. An einem anderen Menschen Ketten zu sehen und froh zu sein, dass man selbst keine trug – das war das Glück, das man farbigen Menschen zugestand und das davon bestimmt war, wie viel schlimmer es jeden Augenblick werden konnte. Wenn die Blicke sich trafen, sahen beide Beteiligten weg. Doch dieser Mann tat das nicht. Er nickte, ehe Passanten die Sicht auf ihn verdeckten.

Cora hatte in South Carolina in Sams Saloon gelugt, war aber nie über die Schwelle getreten. Wenn sie inmitten der Gäste einen merkwürdigen Anblick bot, so sorgte ein einziger Blick von Ridgeway dafür, dass diese sich wieder um ihre eigenen Angelegenheiten kümmerten. Der fette Mann, der hinterm Tresen stand, drehte sich eine Zigarette und starrte auf Ridgeways Hinterkopf.

Ridgeway führte sie zu einem wackeligen Tisch an der hinteren Wand. Der Geruch von geschmortem Fleisch überlagerte den von altem Bier, der in die Bodendielen, die Wände und die Decke eingezogen war. Die Kellnerin war ein breitschultriges Mädchen mit Zöpfen und den dicken Armen eines Ladearbeiters. Ridgeway bestellte Essen.

»Die Schuhe waren nicht meine erste Wahl«, sagte er zu Cora, »aber das Kleid steht dir.«

»Es ist sauber«, sagte Cora.

»Nun ja. Unsere Cora soll ja nicht aussehen wie der Boden einer Schlachterei.«

Er wollte ihr eine Reaktion entlocken. Cora machte nicht mit. Im Saloon nebenan fing jemand an, Klavier zu spielen. Es klang, als liefe ein Waschbär auf den Tasten hin und her.

»Die ganze Zeit hast du mich nicht nach deinem Komplizen gefragt«, sagte Ridgeway. »Caesar. Hat es in North Carolina in der Zeitung gestanden?«

Es würde also auf eine Darbietung hinauslaufen, wie eines der

Freitagabend-Schauspiele im Park. Sie hatte sich für den Theaterabend herausputzen müssen. Sie wartete.

»Es ist so seltsam, jetzt nach South Carolina zu kommen«, sagte Ridgeway, »wo sie ihr neues System haben. Hab in alten Tagen dort so manches tolle Ding erlebt. Aber so weit weg sind die alten Tage gar nicht. Und wenn sie noch so viel vom Aufstieg des Negers und von der Zivilisierung des Wilden faseln, das Land ist genauso gierig wie schon immer.«

Die Kellnerin brachte Brotkanten und Schalen mit einem Eintopf aus Rindfleisch und Kartoffeln. Ridgeway flüsterte ihr etwas zu, während er Cora ansah, etwas, was diese nicht hören konnte. Das Mädchen lachte. Cora begriff, dass er betrunken war.

Ridgeway schlürfte. »Wir haben ihn am Ende seiner Schicht bei der Fabrik erwischt«, sagte er. »Diese kräftigen farbigen Burschen um ihn herum haben ganz plötzlich ihre alte Angst wiederentdeckt, dabei hatten sie schon geglaubt, sie hätten sie hinter sich gelassen. Zunächst gab es keinen großen Wirbel. Mal wieder ein Entlaufener gefasst. Dann hat sich herumgesprochen, dass Caesar wegen Mordes an einem kleinen Jungen gesucht wird –«

»Es war kein kleiner Junge«, sagte Cora.

Ridgeway zuckte mit den Schultern. »Sie sind ins Gefängnis eingebrochen. Der Sheriff hat ihnen die Tür aufgemacht, um ehrlich zu sein, aber das klingt nicht so dramatisch. Sie sind ins Gefängnis eingebrochen und haben seinen Körper in Stücke gerissen. Die anständigen Menschen von South Carolina mit ihren Schulhäusern und ihrem erbärmlichen Glauben.«

Die Nachricht von Lovey hatte sie vor seinen Augen zusammenbrechen lassen. Diesmal nicht. Sie war darauf gefasst gewesen – seine Augen leuchteten auf, wenn er kurz davorstand, eine Grausamkeit zu begehen. Und sie wusste schon lange, dass Caesar tot war. Nicht nötig, nach seinem Schicksal zu fragen. Es war eines Nachts auf dem Dachboden wie ein Funke vor ihr erschienen, eine kleine, simple Wahrheit:

Caesar hatte es nicht geschafft. Er war nicht oben im Norden, trug keinen neuen Anzug, keine neuen Schuhe, kein neues Lächeln. Während sie im Dunkeln saß und sich zwischen die Balken schmiegte, begriff sie, dass sie wieder allein war. Sie hatten ihn erwischt. Sie war längst damit fertig gewesen, um ihn zu trauern, als Ridgeway an Martins Tür geklopft hatte.

Ridgeway pflückte sich Knorpel aus dem Mund. »Jedenfalls habe ich für seine Gefangennahme ein bisschen Silber gekriegt und unterwegs noch einen anderen Jungen bei seinem Besitzer abgeliefert. Am Ende also doch Gewinn gemacht.«

»Sie legen sich für dieses Randall-Geld ins Zeug wie ein alter Nigger«, sagte Cora.

Ridgeway legte seine großen Hände auf den wackeligen Tisch, der sich auf seine Seite neigte. Eintopf lief über den Rand der Schalen. »Die sollten das reparieren«, sagte er.

Der Eintopf war klumpig von Mehl. Cora zerdrückte die Klümpchen mit der Zunge, so wie sie es immer getan hatte, wenn eine von Alice' Helferinnen und nicht die alte Köchin selbst das Essen gekocht hatte. Der Klavierspieler auf der anderen Seite der Wand verbiss sich in ein schnelleres Stück. Ein betrunkenes Paar eilte nach nebenan, um zu tanzen.

»Jasper ist nicht von einem Mob umgebracht worden«, sagte Cora.

»Unerwartete Ausgaben gibt es immer«, sagte Ridgeway. »Das ganze Essen, das ich ihm gegeben habe, bekomme ich ja nicht erstattet.«

»Reden Sie nur weiter von Gründen«, sagte Cora. »Und nennen Sie Dinge bei anderen Namen, als ob das ändern würde, was sie sind. Aber deswegen stimmen sie noch lange nicht. Sie haben Jasper kaltblütig umgebracht.«

»Das war eher eine persönliche Angelegenheit«, räumte Ridgeway ein, »und nicht das, wovon ich hier rede. Du und dein Freund, ihr habt einen Jungen umgebracht. Ihr habt auch eure Rechtfertigungen.«

»Ich wollte flüchten.«

»Eben davon rede ich doch, vom Überleben. Fühlst du dich deswegen elend?«

Der Tod des Jungen war eine Komplikation ihrer Flucht, wie der Umstand, dass kein Vollmond herrschte oder dass sie ihren Vorsprung einbüßten, weil man festgestellt hatte, dass Lovey nicht in ihrer Hütte war. Aber ihr Herz hatte sich geöffnet, und sie hatte den Jungen auf seinem Krankenbett zittern und seine Mutter an seinem Grab weinen sehen. Cora hatte auch um ihn getrauert, ohne dass es ihr bewusst gewesen war. Ein weiteres Opfer dieses Unternehmens, das Herrn und Sklaven gleichermaßen knechtete. Sie strich den Jungen von der einsamen Liste in ihrem Kopf und fügte ihn unter Martin und Ethel ein, obwohl sie seinen Namen nicht kannte. X, so wie sie immer unterschrieben hatte, ehe sie das Alphabet lernte.

Trotzdem. »Nein«, sagte sie zu Ridgeway.

»Natürlich nicht – es ist völlig unwichtig. Weine lieber um eines dieser verbrannten Maisfelder oder um diesen Stier, der in unserer Suppe schwimmt. Man tut das, was zum Überleben erforderlich ist.« Er wischte sich die Lippen. »Dein Einwand ist allerdings berechtigt. Wir denken uns alle möglichen hochtrabenden Sprüche aus, um Dinge zu bemänteln. Wie zum Beispiel heutzutage in der Zeitung, all die klugen Männer, die von der offenkundigen Bestimmung schwadronieren. Als wäre das ein ganz neuer Gedanke. Du weißt nicht, wovon ich rede, stimmt's?«, fragte Ridgeway.

Cora lehnte sich zurück. »Noch mehr Worte, um die Dinge schönzureden.«

»Es bedeutet, dass man sich nimmt, was einem gehört, sein Eigentum, alles, was man dazu erklärt. Und dass alle anderen den ihnen zugewiesenen Platz einnehmen, damit man es sich nehmen kann. Ob es nun rote Männer oder Afrikaner sind, die sich selbst oder etwas von sich selbst aufgeben, damit wir bekommen, was von Rechts wegen uns gehört. Dass die Franzosen ihre Gebietsansprüche aufgeben. Und die Briten und die Spanier sich davonmachen.

Mein Vater hat dieses Indianergerede vom Großen Geist gemocht«, sagte Ridgeway. »So viele Jahre später ist mir der amerikanische Geist lieber, derjenige, der uns aus der Alten Welt in die Neue gerufen hat, damit wir erobern, aufbauen und zivilisieren. Und zerstören, was zerstört werden muss. Um die unbedeutenderen Rassen emporzuheben. Und wenn nicht emporzuheben, dann zu unterwerfen. Und wenn nicht zu unterwerfen, dann auszurotten. Unsere Bestimmung kraft göttlicher Vorschrift – der amerikanische Imperativ.«

»Ich muss mal aufs Klo«, sagte Cora.

Seine Mundwinkel senkten sich. Er bedeutete ihr vorauszugehen. Die Stufen zur Hintergasse waren rutschig von Erbrochenem, und er packte sie am Ellbogen, damit sie nicht ausglitt. Die Klotür zuzumachen und ihn auszusperren war das reinste Vergnügen, das sie seit langem gehabt hatte.

Ridgeway setzte seine Rede unbeirrt fort. »Nimm deine Mutter«, sagte er. »Mabel. Von fehlgeleiteten Weißen und farbigen Individuen in einem kriminellen Komplott ihrem Herrn gestohlen. Ich habe ständig Ausschau gehalten, habe Boston und New York auf den Kopf gestellt, sämtliche farbigen Siedlungen. Syracuse. Northampton. Sie ist oben in Kanada und lacht über die Randalls und mich. Ich fasse das als persönliche Beleidigung auf. Deswegen habe ich dir dieses Kleid gekauft. Damit ich sie mir besser vorstellen kann, für ihren Herrn verpackt wie ein Geschenk.«

Er hasste ihre Mutter ebenso sehr, wie sie das tat. Das und der Umstand, dass sie beide Augen im Kopf hatten, bedeutete, dass sie zwei Dinge gemeinsam hatten.

Ridgeway hielt inne – ein Betrunkener wollte aufs Klo. Er verscheuchte ihn. »Du warst zehn Monate lang verschwunden«, sagte er. »Das ist Beleidigung genug. Du und deine Mutter, ihr seid ein Geschlecht, das ausgerottet werden muss. Eine Woche zusammen, angekettet, und du bist unentwegt frech zu mir, auf dem Weg zu einer blutigen Heimkehr. Die Gegner der Sklaverei führen solche wie dich gern vor, damit sie Reden vor Weißen halten, die keine Ahnung haben, wie die Welt funktioniert.«

Der Sklavenfänger irrte sich. Wenn sie es in den Norden geschafft hätte, wäre sie in ein Leben verschwunden, das außerhalb der Bedingungen der Weißen stand. Wie ihre Mutter. Wenigstens etwas, was diese an sie weitergegeben hatte.

»Wir tun unsere Schuldigkeit«, sagte Ridgeway, »Sklave und Sklavenfänger. Herr und farbiger Boss. Die Neuankömmlinge, die in die Häfen strömen, die Politiker, die Sheriffs, die Zeitungsleute und die Mütter, die starke Söhne großziehen. Leute wie du und deine Mutter sind die Besten eurer Rasse. Die Schwachen deines Stammes sind ausgemerzt worden, sie sterben in den Sklavenschiffen, sterben an unseren europäischen Pocken und auf den Feldern, bei der Arbeit in unserer Baumwolle und unserem Indigo. Man muss stark sein, um die schwere Arbeit zu überleben und uns größer zu machen. Wir mästen Schweine, nicht weil uns das gefällt, sondern weil wir Schweine zum Überleben brauchen. Aber wir können nicht dulden, dass ihr zu klug werdet. Wir können nicht dulden, dass ihr so tüchtig werdet, dass ihr uns weglaufen könnt.«

Sie beendete ihr Geschäft und suchte sich aus dem Stapel Papier einen Flüchtlingssteckbrief aus, um sich abzuwischen. Dann wartete sie. Ein jämmerlicher Aufschub, aber Zeit, die ihr gehörte.

»Du hast meinen Namen schon gehört, als du noch ein kleines Kind warst«, sagte er. »Den Namen der Strafe, der jedem Flüchtigen und jedem Gedanken ans Weglaufen an den Fersen klebt. Auf jeden Sklaven, den ich nach Hause bringe, kommen zwanzig, die ihre Vollmond-Pläne aufgeben. Ich bin eine Vorstellung von Ordnung. Der Sklave, der verschwindet – das ist auch eine Vorstellung. Von Hoffnung. Die zunichtemacht, was ich tue, sodass ein Sklave in der Nachbarplantage auf die Idee kommt, dass er auch weglaufen kann. Wenn wir das zulassen, akzeptieren wir einen Makel im Imperativ. Und das lehne ich ab.«

Die Musik von nebenan war jetzt langsam. Paare, die zusammen-
kamen, um einander im Arm zu halten, sich zu wiegen und zu drehen.
Das war ein echtes Gespräch, langsam mit einem anderen Menschen
zu tanzen, nicht all diese Worte. Das wusste sie, obwohl sie so noch nie
mit einem anderen Menschen getanzt und Caesar abgewiesen hatte,
als er sie aufforderte. Den einzigen Menschen, der ihr je die Hand ent-
gegengestreckt und gesagt hatte: Komm näher. Vielleicht stimmte ja
alles, was der Sklavenfänger gesagt hatte, dachte Cora, jede Rechtferti-
gung, und die Söhne von Ham waren verflucht und der Sklavenherr
vollzog den Willen des Herrn. Und vielleicht war er auch bloß ein
Mann, der auf eine Klotür einredete und darauf wartete, dass sich jemand den Hintern abwischte.

Als Cora und Ridgeway zum Wagen zurückkehrten, fanden sie dort
Homer vor, der seinen kleinen Daumen an den Zügeln rieb, und Boseman, der Whiskey aus einer Flasche trank. »Diese Stadt ist gelbfieber-
krank«, sagte Boseman leicht lallend. »Das kann ich riechen.« Auf dem
Weg aus der Stadt heraus ritt er ihnen voran. Er erzählte von seinen
Enttäuschungen. Rasur und Bad hatten gut geklappt; mit frischem
Gesicht wirkte er beinahe unschuldig. Aber im Bordell war er nicht
imstande gewesen, seinen Mann zu stehen. »Die Puffmutter hat ge-
schwitzt wie ein Schwein, und ich wusste, dass sie das Fieber haben,
sie und ihre Huren.« Ridgeway überließ ihm die Entscheidung, welche
Entfernung ausreichend war, um ihr Lager aufzuschlagen.

Sie hatte erst kurz geschlafen, als Boseman in den Wagen gekro-
chen kam und ihr die Hand auf den Mund legte. Sie war darauf gefasst.

Boseman hielt sich den Finger vor die Lippen. Cora nickte, soweit
sein Griff es zuließ: Sie würde nicht schreien. Sie könnte jetzt Wirbel
machen und Ridgeway wecken; Boseman würde ihm mit irgendeiner
Ausrede kommen, und damit hätte es sich. Aber sie dachte seit Tagen
an diesen Moment, daran, wann sich Boseman von seinen fleischlichen
Begierden überwältigen lassen würde. So betrunken war er seit North

Carolina nicht gewesen. Er hatte ihr ein Kompliment über ihr Kleid gemacht, als sie zur Nacht angehalten hatten. Sie wappnete sich. Falls sie ihn dazu bringen konnte, ihre Fesseln zu lösen, war eine dunkle Nacht wie diese genau das Richtige zum Weglaufen.

Homer schnarchte laut. Boseman ließ ihre Ketten durch den Ring im Wagenboden gleiten, wobei er darauf achtete, dass die einzelnen Glieder nicht gegeneinanderklirrten. Er löste ihre Fußfesseln und schloss die Faust um die Kette zwischen ihren Handgelenken, damit sie kein Geräusch machte. Er stieg zuerst hinunter und half Cora heraus. Sie konnte die nur wenige Yards entfernte Straße gerade noch erkennen. Dunkel genug.

Ridgeway schlug ihn mit einem Knurren zu Boden und fing an, auf ihn einzutreten. Boseman versuchte sich zu wehren, und Ridgeway trat ihn ins Gesicht. Sie wäre beinahe davongelaufen. Beinahe. Aber die Unmittelbarkeit der Gewalt, ihre Heftigkeit, lähmte sie. Ridgeway machte ihr Angst. Als Homer mit einer Laterne ans hintere Ende des Wagens kam, sodass Ridgeways Gesicht zu sehen war, starrte der Sklavenfänger sie mit ungezügeltem Zorn an. Sie hatte ihre Gelegenheit gehabt und sie verstreichen lassen, und als sie seinen Gesichtsausdruck sah, war sie erleichtert.

»Was willst du jetzt machen, Ridgeway?«, schluchzte Boseman. Er lehnte Halt suchend am Wagenrad. Er schaute auf das Blut an seinen Händen. Seine Halskette war gerissen, und wegen der Ohren sah es so aus, als lauschte der Dreck. »Der verrückte Ridgeway, macht, was er will. Ich bin als Einziger noch übrig. Kannst nur noch Homer prügeln, wenn ich weg bin«, sagte er. »Ich glaube, das wird ihm gefallen.«

Homer kicherte. Er holte Coras Fußketten aus dem Wagen. Ridgeway rieb sich schwer atmend die Knöchel.

»Hübsches Kleid«, sagte Boseman. Er spuckte einen Zahn aus.

»Wird nicht bei dem einen Zahn bleiben, wenn sich einer von euch bewegt«, sagte der Mann. Die drei traten ins Licht.

Der Sprecher war der junge Neger aus der Stadt, derjenige, der ihr zugenickt hatte. Jetzt sah er nicht sie an, sondern behielt Ridgeway im Auge. In seiner Brille mit Drahtgestell spiegelte sich der Schein der Laterne, als brennte die Flamme in ihm. Sein Revolver bewegte sich zwischen den beiden weißen Männern hin und her wie der Stock eines Wünschelrutengängers.

Ein zweiter Mann hielt ein Gewehr in den Händen. Er war groß und muskulös und trug dicke Arbeitskleidung, die ihr wie ein Kostüm vorkam. Er hatte ein breites Gesicht, und seine langen rotbraunen Haare waren fächerförmig zurückgekämmt, wie eine Löwenmähne. Die Haltung des Mannes verriet, dass er nicht gern Befehle entgegennahm, und die Unverschämtheit in seinen Augen war keine Sklaven-Unverschämtheit, eine ohnmächtige Pose, sondern eine harte Tatsache. Der dritte Mann schwenkte ein Bowie-Messer. Sein Körper zitterte vor Nervosität, sein rascher Atem war das Nachtgeräusch zwischen den Worten seines Gefährten. Cora kannte sein Verhalten. Es war das des Entlaufenen, der nicht recht weiß, was er von der jüngsten Wendung in seiner Flucht halten soll. Sie hatte es bei Caesar gesehen, bei den Neuankömmlingen in den Wohnheimen, und sie wusste, dass sie es selbst viele Male gezeigt hatte. Er hielt das zitternde Messer in Homers Richtung.

Noch nie hatte sie Schusswaffen in den Händen farbiger Männer gesehen. Das Bild erschreckte sie, ein neuer Gedanke, zu groß, als dass ihr Verstand ihn fassen konnte.

»Ihr Jungs seid erledigt«, sagte Ridgeway. Er hatte keine Waffe.

»Wir mögen bloß Tennessee nicht besonders und wären lieber zu Hause«, sagte der Anführer. »Sieht so aus, als wären Sie selber erledigt.«

Boseman hustete und wechselte einen Blick mit Ridgeway. Er richtete sich auf und spannte den Körper an. Das Gewehr und der Revolver richteten sich auf ihn.

Der Anführer sagte: »Wir sind gleich wieder weg, aber wir dachten,

wir fragen die Lady, ob sie mit uns kommen will. Wir sind angeneh-
mere Reisegefährten.«

»Wo seid ihr Jungs her?«, fragte Ridgeway. Die Art, wie er redete,
verriet Cora, dass er etwas ausheckte.

»Überallher«, sagte der Mann. In seiner Stimme machte sich der
Norden bemerkbar, sein Akzent stammte von dort, wie bei Caesar.
»Aber wir haben einander gefunden, und jetzt arbeiten wir zusammen.
Beruhigen Sie sich, Mr Ridgeway.« Er bewegte leicht den Kopf. »Ich
habe gehört, wie er dich Cora genannt hat. Heißt du so?«

Sie nickte.

»Das ist Cora«, sagte Ridgeway. »Mich kennt ihr schon. Das da ist
Boseman, und das ist Homer.«

Als sein Name fiel, warf Homer die Laterne auf den Mann, der das
Messer hielt. Das Glas zerbrach erst, als es, von der Brust des Mannes
abgeprallt, auf den Boden aufschlug. Funken flogen. Der Anführer
schoss auf Ridgeway und verfehlte ihn. Der Sklavenfänger warf sich
auf ihn, und beide stürzten zu Boden. Der Rothaarige mit dem Gewehr
war ein besserer Schütze. Boseman wurde zurückgeschleudert, auf
seinem Bauch blühte plötzlich eine schwarze Blume.

Homer rannte nach einer Waffe, gefolgt von dem Mann mit dem
Gewehr. Der Hut des Jungen rollte ins Feuer. Ridgeway und sein
Gegner rangen knurrend und brüllend auf dem Boden miteinander.
Sie wälzten sich an den Rand des brennenden Petroleums. Coras vor
wenigen Augenblicken empfundene Angst kehrte zurück – Ridgeway
hatte sie gut abgerichtet. Der Sklavenfänger gewann die Oberhand,
drückte den anderen zu Boden.

Sie könnte weglaufen. Im Augenblick hatte sie nur an den Handgelenken Ketten.

Sie warf sich auf Ridgeways Rücken und würgte ihn mit ihren
Ketten, zog mit aller Kraft zu. Ihr Schrei kam aus ihrem tiefsten Inneren, eine Zugpfeife, die in einem Tunnel widerhallte. Sie zerrte und
quetschte. Der Sklavenfänger warf seinen Körper herum, um sie gegen

den Boden zu pressen. Bis er sie abgeschüttelt hatte, hatte der Mann aus der Stadt seinen Revolver wieder.

Er half Cora auf die Beine. »Wer ist der Junge?«, fragte er.

Homer und der Mann mit dem Gewehr waren nicht zurückgekehrt. Der Anführer befahl dem Mann mit dem Messer nachzusehen und hielt den Revolver auf Ridgeway gerichtet.

Der Sklavenfänger rieb sich mit seinen dicken Fingern den böse zugerichteten Hals. Er sah Cora nicht an, was erneut Furcht in ihr weckte.

Boseman wimmerte. »Er schaut in deine Seele«, lallte er, »und sieht, was du getan hast, Sünder …« Das Licht der brennenden Petroleumpfütze war unstet, aber sie konnten die größer werdende Blutlache unschwer erkennen.

»Er wird verbluten«, sagte Ridgeway.

»Es ist ein freies Land«, sagte der Mann aus der Stadt.

»Das ist nicht euer Eigentum«, sagte Ridgeway.

»Das behauptet das Gesetz. Das Gesetz der Weißen. Aber es gibt auch noch andere.« Er wandte sich in sanfterem Ton an Cora. »Wenn du willst, Miss, kann ich ihn für dich erschießen.« Sein Gesicht war gelassen.

Sie wünschte Ridgeway und Boseman alles nur erdenklich Schlechte. Und Homer? Im Grunde ihres Herzens wusste sie nicht, was sie dem seltsamen schwarzen Jungen wünschte, der wie ein Abgesandter aus einem anderen Land wirkte.

Ehe sie etwas sagen konnte, sagte der Mann: »Obwohl es uns lieber wäre, sie in Ketten zu legen.« Cora hob seine Brille vom Boden auf, säuberte sie mit ihrem Ärmel, und die drei warteten. Seine Gefährten kehrten mit leeren Händen zurück.

Ridgeway lächelte, als die Männer ihn mit Handfesseln am Wagenrad anschlossen.

»Der Junge ist mit allen Wassern gewaschen«, sagte der Anführer. »Das weiß ich. Wir müssen los.« Er sah Cora an. »Kommst du mit?«

Cora trat Ridgeway mit ihren neuen Holzschuhen dreimal ins Gesicht. Sie dachte: Wenn die Welt keinen Finger rührt, um die Bösen zu bestrafen. Niemand hielt sie davon ab. Später sagte sie, es seien drei Tritte für drei Morde gewesen, und erzählte von Lovey, Caesar und Jasper, um sie in ihren Worten kurz wiederaufleben zu lassen. Aber die Wahrheit war das nicht. Es war alles für sie.

CAESAR

Die Begeisterung über Jockeys Geburtstag ermöglichte Caesar, seinen einzigen Zufluchtsort auf Randall aufzusuchen. Das verfallene Schulhaus bei den Stallungen war normalerweise leer. Nachts schlichen sich Liebespaare hinein, aber er ging nachts nie dorthin – er brauchte Licht, und er würde nicht riskieren, eine Kerze anzuzünden. Er ging ins Schulhaus, um das Buch zu lesen, das Fletcher ihm nach vielen Einwänden gegeben hatte; er ging dorthin, wenn er niedergedrückt war, um über seine Bürden zu weinen; er ging hin, um den anderen Sklaven dabei zuzusehen, wie sie sich auf der Plantage bewegten. Vom Fenster aus war es, als gehörte er nicht zu ihrer unglücklichen Schar, sondern beobachtete nur ihr Treiben, so wie man etwa Passanten an seiner Haustür vorbeispazieren sieht. Im Schulhaus war es, als wäre er gar nicht da.

Versklavt. Voller Angst. Zum Tode verurteilt.

Wenn sein Plan aufging, wäre dies das letzte Mal, dass er Jockeys Geburtstag feierte. So Gott wollte. Wie er den Alten kannte, wäre er imstande, nächsten Monat einen weiteren anzukündigen. Das Sklavenquartier war so glücklich über die winzigen Freuden, die man auf Randall ergatterte. Ein erfundener Geburtstag, ein Tanz nach der Schufterei unterm Erntemond. In Virginia waren die Feiern spektakulär. Caesar und seine Familie fuhren im Einspänner der Witwe zu den Farmen Freigelassener, an Feiertagen und am Neujahrstag besuchten sie Verwandte auf anderen Gütern. Die Schweinebraten und das Wildbret, die Ingwerkuchen und Maisbrote. Die Spiele dauerten den ganzen Tag, bis Caesar und seine Gefährten völlig ausgepumpt waren. In

Virginia hielten die Herren an solchen Festtagen Distanz. Wie konnten die Randall-Sklaven sich richtig vergnügen, wo doch im Hintergrund ständig diese dumpfe Drohung lauerte? Sie kannten ihre Geburtstage nicht, also mussten sie welche erfinden. Die Hälfte von ihnen kannte ihre Mutter und ihren Vater nicht.

Ich bin am 14. August geboren. Meine Mutter heißt Lily Jane. Mein Vater Jerome. Ich weiß nicht, wo sie sind.

Durchs Schulhausfenster, gerahmt von zwei älteren Hütten – ihre weiße Tünche zu Grau verschmiert, abgebraucht wie diejenigen, die darin schliefen –, sah er Cora und ihren Favoriten an der Startlinie die Köpfe zusammenstecken. Chester, der das Sklavenquartier mit so beneidenswerter Fröhlichkeit durchstreifte. Offenbar war er noch nie geschlagen worden.

Der Junge wandte schüchtern den Kopf ab, nachdem Cora etwas gesagt hatte. Sie lächelte – rasch. Sie lächelte Chester, Lovey und die anderen Frauen aus ihrer Hütte an, kurz und wirkungsvoll. Wie wenn man auf dem Boden den Schatten eines Vogels sieht, beim Blick nach oben aber nichts da ist. Sie teilte sich alles gut ein. Caesar hatte nie mit ihr gesprochen, aber das war ihm über sie klargeworden. Es war vernünftig: Sie wusste, wie kostbar das wenige war, das sie ihr Eigen nannte. Ihre Freuden, ihr Beet, der Zuckerahornklotz, auf dem sie hockte wie ein Geier.

Eines Abends trank er mit Martin auf dem Scheunenboden Maisschnaps – der Junge wollte nicht sagen, woher er den Krug hatte –, als sie auf die Frauen von Randall zu sprechen kamen. Welche einem am ehesten den Kopf an ihre Titten drücken würde, welche so laut schreien würde, dass das ganze Quartier Bescheid wüsste, und welche nie etwas sagen würde. Caesar fragte nach Cora.

»Mit Hob-Frauen macht kein Nigger rum«, sagte Martin. »Die schneiden dir dein Ding ab und machen Suppe davon.« Er erzählte ihm die alte Geschichte von Cora, ihrem Garten und Blakes Hundehütte, und Caesar dachte: Das hört sich ganz gut an. Dann sagte Martin, sie schleiche sich gern weg, um mit Sumpftieren Unzucht zu treiben, und Caesar wurde klar, dass der Baumwollpflücker dümmer war, als er gedacht hatte.

Keiner der Randall-Männer war sonderlich klug. Der Ort hatte sie zugrunde gerichtet. Sie scherzten, sie pflückten schneller, wenn die Augen der Bosse auf sie gerichtet waren, und sie spielten sich auf, aber nach Mitternacht in der Hütte weinten sie, sie schrien vor Albträumen und bösen Erinnerungen. In Caesars Hütte, in den Hütten nebenan und in jedem Sklavendorf nah und fern. Wenn die Arbeit und die Strafen des Tages hinter ihnen lagen, wartete die Nacht als Schauplatz ihrer wahren Einsamkeit und Verzweiflung.

Jubelrufe und Geschrei – wieder ein Rennen vorbei. Cora stemmte die Hände in die Hüften, den Kopf geneigt, als horchte sie auf eine im Lärm versteckte Melodie. Wie dieses Profil in Holz einfangen, ihre Anmut und Kraft festhalten – er traute sich nicht zu, es hinzubekommen. Das Pflücken hatte seine Hände für filigrane Schnitzarbeit verdorben. Der sanfte Schwung einer Frauenwange, zu einem Flüstern gespitzte Lippen. Am Ende des Tages zitterten seine Arme, seine Muskeln pochten.

Wie das alte weiße Luder gelogen hatte! Eigentlich müsste er mit seinen Eltern im eigenen Cottage wohnen, für den Böttcher Fässer runden oder bei einem anderen Handwerker der Stadt in die Lehre gehen. Zwar waren seine Aussichten durch seine Rasse begrenzt, aber er war in dem Glauben aufgewachsen, dass er die Freiheit besaß, sein Schicksal selbst zu bestimmen. »Du kannst alles werden, was du sein willst«, hatte sein Vater gesagt.

»Auch nach Richmond gehen?« Allen Berichten zufolge war Richmond weit weg und prächtig.

»Auch nach Richmond, wenn du magst.«

Aber die alte Frau hatte gelogen, und inzwischen war sein Lebensweg auf ein einziges Ziel reduziert, einen langsamen Tod in Georgia. Für ihn, für seine ganze Familie. Seine Mutter war schmächtig und zart und nicht für die Feldarbeit geschaffen, sie war zu gütig, um die Grausamkeiten zu ertragen, die auf der Plantage gang und gäbe waren. Sein Vater würde länger aushalten, Esel, der er war, aber nicht viel. Die alte Frau hatte seine Familie so gründlich zerstört, dass es kein Zufall gewesen sein konnte. Es lag nicht an der Gier der Nichte – die alte Frau hatte sie die ganze Zeit hereingelegt. Die Knoten jedes Mal enger gezogen, wenn sie Caesar auf den Schoß nahm und ihm ein neues Wort beibrachte.

Caesar stellte sich seinen Vater vor, wie er in einer Hölle in Florida Zuckerrohr schnitt, wie er sich die Haut verbrannte, während er sich über die großen Kessel mit geschmolzenem Zucker beugte. Wie die neunschwänzige Katze in den Rücken seiner Mutter schnitt, wenn sie mit ihrem Sack das Tempo nicht halten konnte. Sturheit zerbricht, wenn sie sich nicht beugt, und seine Familie hatte zu viel Zeit mit den freundlichen weißen Menschen im Norden verbracht. Freundlich, insofern sie es nicht für angebracht hielten, einen schnell umzubringen. Eines musste man dem Süden lassen, er war nicht geduldig, wenn es um das Umbringen von Negern ging.

In den alten verkrüppelten Männern und Frauen der Plantage sah er, was seiner Mutter und seinem Vater bevorstand. Und mit der Zeit auch aus ihm werden würde. Nachts war er sich sicher, dass sie tot waren; bei Tageslicht, lediglich verstümmelt und halbtot. In jedem Fall war er allein auf der Welt.

Caesar sprach Cora nach den Rennen an. Natürlich wies sie ihn ab. Sie kannte ihn nicht. Es hätte ein Scherz sein können oder eine Falle, die ihr die Randalls in einem Anfall von Langeweile stellten. Wegzulaufen war ein zu großer Gedanke – man musste ihn sich eine Zeitlang setzen, ihn sich durch den Kopf gehen lassen. Es dauerte Monate, bis Caesar ihn überhaupt zu denken wagte, und er brauchte Fletchers Ermutigung, um ihn wirklich am Leben zu halten. Man brauchte jemand anders, der einem auf die Sprünge half. Auch wenn sie noch nicht wusste, dass sie ja sagen würde, er wusste es. Er hatte ihr gesagt, er brauche sie als Glücksbringer – ihre Mutter war die Einzige, die es jemals geschafft hatte. Jemandem wie ihr gegenüber wahrscheinlich ein Fehler, wenn nicht gar eine Beleidigung. Sie war keine Kaninchenpfote, die man auf der Reise mit sich führte, sondern die Lokomotive selbst. Ohne sie konnte er es nicht.

Der schreckliche Vorfall bei dem Tanz lieferte den Beweis. Einer der Haussklaven erzählte ihm, die Brüder tränken im Herrenhaus. Für Caesar war das ein böses Vorzeichen. Als der Junge mit der Laterne, gefolgt von seinen Herren, zum Sklavenquartier kam, stand fest, dass es zu einer Gewalttat kommen werden würde. Chester war nie zuvor geschlagen worden. Nun war er es, und morgen würde er zum ersten Mal ausgepeitscht werden. Keine Kinderspiele mehr für ihn, keine Wettläufe und kein Verstecken, sondern die grauenvollen Prüfungen von Sklavenmännern. Niemand sonst im Dorf machte Anstalten, dem Jungen zu helfen – wie denn auch? Sie hatten es, als Opfer oder Zeuge, schon hundertmal erlebt, und sie würden es, bis sie starben, noch hundertmal erleben. Aber Cora hatte geholfen. Sie hatte den Jungen mit ihrem eigenen Körper abgeschirmt und die ihm zugedachten Schläge eingesteckt. Sie war eine Einzelgängerin durch und durch, so weit vom Weg abgekommen, dass es war, als wäre sie längst von hier weggelaufen.

Nach der Auspeitschung suchte Caesar zum ersten Mal nachts das Schulhaus auf. Einfach nur, um das Buch in den Händen zu halten. Sich zu vergewissern, dass es noch da war, ein Erinnerungsstück aus einer Zeit, als er alle Bücher gehabt hatte, die er wollte, und alle Zeit, um sie zu lesen.

Was aus meinen Gefährten im Boot, sowie aus denen, die sich auf den Felsen gerettet hatten oder im Schiff geblieben waren, wurde, kann ich nicht sagen, doch ich vermute, dass sie alle umkamen. Das Buch werde ihm den Tod bringen, hatte Fletcher gewarnt. Caesar versteckte *Reisen in verschiedene ferne Länder der Welt* im Schmutz unter dem Schulhaus, in zwei Rupfenstücke eingewickelt. Warte noch ein Weilchen, bis wir die Vorbereitungen für deine Flucht treffen können, hatte der Ladenbesitzer gesagt. Dann kannst du jedes Buch bekommen, das du willst. Aber wenn er nicht las, war er ein Sklave. Vor dem Buch war das Einzige, was es zu lesen gab, das, was auf einem Sack Reis stand. Und der Name der Firma, die ihre Ketten herstellte, ins Metall eingeprägt wie eine Verheißung von Schmerz.

Nun war es hier und da eine Seite im goldenen Nachmittagslicht, die ihn aufrechterhielt. List und Mut, List und Mut. Gulliver, der weiße Mann im Buch, zog von Gefahr zu Gefahr, jede neue Insel eine neue Zwangslage, aus der er sich befreien musste, ehe er nach Hause zurückkehren konnte. Das war das eigentliche Problem des Mannes, nicht die wilden und unheimlichen Völker, auf die er traf – er vergaß immer wieder, was er hatte. Das war typisch für die Weißen: ein Schulhaus bauen und es verrotten lassen, sich ein Zuhause schaffen und dann weiter herumstreunen. Wenn Caesar den Weg nach Hause entdeckte, würde er nie wieder reisen. Sonst würde er wahrscheinlich nur von einer Schreckensinsel zur nächsten gelangen, ohne je zu erkennen, wo er sich befand, bis die Welt zu Ende war. Außer Cora kam mit ihm. Mit ihr würde er den Weg nach Hause finden.

INDIANA

50 $ BELOHNUNG

Am Freitag, den 26ten, gegen zehn Uhr abends (ohne den geringsten Anlass) aus meinem Haus entlaufen: mein Negermädchen SUKEY. Sie ist ungefähr achtundzwanzig Jahre alt, von ziemlich heller Hautfarbe, hat hohe Wangenknochen und einen schlanken Körperbau und ist in ihrer äußeren Erscheinung sehr ordentlich. Bei ihrem Verschwinden trug sie ein gestreiftes Hauskleid aus Twill. Sukey gehörte unlängst L. B. Pearce, Hochwohlgeb., und davor dem verstorbenen William M. Heritage. Sie ist derzeit (allem Anschein nach) strenggläubige Angehörige der Methodistenkirche hierorts und den meisten Angehörigen zweifellos bekannt.

JAMES AYKROYD
4. Oktober

Schließlich wurde sie diejenige, die beim Lernen hinterherhinkte, umgeben von ungeduldigen Kindern. Sie war stolz auf die Fortschritte, die sie beim Lesen in South Carolina und auf dem Dachboden gemacht hatte. Der schwankende Untergrund jedes neuen Wortes, ein unbekanntes Territorium, durch das man sich Buchstabe für Buchstabe kämpfen musste. Sie nahm jeden Gang durch Donalds Almanache als einen Sieg für sich in Anspruch, dann blätterte sie für eine weitere Runde zur ersten Seite zurück.

Georginas Klassenzimmer offenbarte, wie gering ihre Leistungen waren. An dem Tag, an dem sie im Versammlungshaus zu der Klasse stieß, erkannte sie die Unabhängigkeitserklärung nicht. Die Aussprache der Kinder war so klar und reif, so ganz anders als Michaels steifes Geleier auf Randall. Jetzt lag Musik in den Worten, die Melodie machte sich mit jedem Kind geltend, das drankam, unerschrocken und selbstbewusst. Die Jungen und Mädchen standen von der Bank auf, drehten das Blatt um, auf das sie die Worte abgeschrieben hatten, und deklamierten die Versprechen der Gründungsväter.

Mit Cora zählte die Klasse fünfundzwanzig Schüler. Die jüngsten – die sechs- und siebenjährigen – waren von dem Vortrag ausgenommen. Sie tuschelten und zappelten in den Bänken, bis Georgina sie zum Schweigen brachte. Cora nahm ebenfalls nicht daran teil, weil sie neu in der Klasse und auf der Farm war und sich mit den hiesigen Gepflogenheiten noch nicht auskannte. Ihr war klar, dass sie hervorstach, sie war älter als alle anderen und so weit zurück. Sie verstand, warum der alte Howard damals in Miss Handlers Schulhaus geweint hatte.

Ein Eindringling, wie ein Nagetier, das sich durch die Wand gefressen hatte.

Eine der Köchinnen läutete die Glocke, womit die Stunde zu Ende ging. Nach dem Essen würden die jüngeren Schüler zum Unterricht zurückkehren, während die älteren sich an ihre häuslichen Pflichten machten. Auf dem Weg aus dem Versammlungshaus hielt Cora Georgina an und sagte: »Sie haben ja richtige Redner aus den kleinen Bälgern gemacht, so viel steht mal fest.«

Die Lehrerin vergewisserte sich, dass ihre Schüler nicht gehört hatten, was Cora gesagt hatte. Dann sagte sie: »Hier nennen wir sie Kinder.«

Cora bekam heiße Wangen. Sie sei nie dahintergestiegen, was das eigentlich hieß, fügte sie rasch hinzu. Ob die Kinder denn wüssten, was in all den großen Worten drinsteckte?

Georgina stammte aus Delaware und hatte wie alle Ladys von dort die irritierende Eigenart, an Rätseln Vergnügen zu finden. Cora hatte auf Valentine einige von ihnen kennengelernt und hielt nicht viel von dieser regionalen Marotte, auch wenn sie sich darauf verstanden, einen guten Kuchen zu backen. Georgina sagte, die Kinder machten daraus, was sie könnten. Was sie heute nicht verstünden, verstünden sie vielleicht morgen. »Die Unabhängigkeitserklärung ist wie eine Landkarte. Man vertraut darauf, dass sie stimmt, aber wissen tut man es erst, wenn man losgeht und es selbst ausprobiert.«

»Das glauben Sie?«, fragte Cora. Sie wusste nicht, was sie von Georgina halten sollte, und ihr Gesicht lieferte ihr keinerlei Hinweise.

Vier Monate waren seit jenem ersten Unterrichtstag vergangen. Die Ernte war eingebracht. Neuankömmlinge auf der Valentine-Farm hatten dafür gesorgt, dass Cora nicht mehr das herumstümpernde Greenhorn war. Zwei Männer in Coras Alter nahmen am Unterricht im Versammlungshaus teil, eifrige Entlaufene, die weniger wussten als sie. Sie fuhren mit dem Finger über die Bücher, als wären diese verhext und vibrierten vor Magie. Cora kannte sich mittlerweile aus.

Wusste, wann sie sich ihr Essen selbst zubereiten musste, weil die jeweilige Köchin die Suppe verderben würde, wann sie ein Schultertuch mitnehmen musste, weil die Nächte in Indiana frostig waren, kälter, als sie es je erlebt hatte. Und sie kannte die ruhigen, schattigen Plätze, wo man allein sein konnte.

Inzwischen saß Cora in der Klasse vorn, und wenn Georgina sie korrigierte – was ihre Schrift, ihre Rechenkünste oder ihre Redeweise anging –, dann schmerzte sie das nicht mehr. Sie waren Freunde. Georgina war ein dermaßen leidenschaftliches Klatschweib, dass der Unterricht eine Atempause von ihren Berichten über die Vorgänge auf der Farm bot. *Dieser stramme Bursche aus Virginia hat einen boshaften Blick, findest du nicht auch? Patricia hat sämtliche Schweinefüße gegessen, als wir nicht hingesehen haben.* Die Frauen aus Delaware zerrissen sich gern das Maul, das war ein weiterer Wesenszug von ihnen.

An diesem speziellen Nachmittag ging Cora mit Molly hinaus, sobald die Glocke ertönte. Sie teilte sich mit ihr und ihrer Mutter eine Hütte. Molly war zehn Jahre alt, mandeläugig und zurückhaltend, und sie war vorsichtig damit, wem sie ihre Zuneigung schenkte. Sie hatte viele Freunde, blieb aber lieber knapp außerhalb des Kreises. In ihrem Zimmer stand ein grüner Becher für ihre Schätze – Murmeln, Pfeilspitzen, ein Medaillon ohne Gesicht –, und sie fand mehr Vergnügen daran, sie auf dem Hüttenboden auszubreiten, den kühlen blauen Quarz an ihrer Wange zu spüren, als draußen zu spielen.

Das war auch der Grund, warum die Routine, die sich in letzter Zeit zwischen ihnen herausgebildet hatte, Cora so entzückte. Cora hatte begonnen, dem Mädchen morgens, wenn seine Mutter früh zur Arbeit ging, die Haare zu flechten, und in den letzten Tagen hatte Molly nach ihrer Hand gegriffen, wenn die Schule endete. Etwas Neues zwischen ihnen. Molly zog an ihr, hielt sie ganz fest, und Cora gefiel es, geführt zu werden. Seit Chester hatte sich ihr kein Kind mehr enger angeschlossen.

Wegen des großen Samstagabend-Essens, dessen Duft die Schüler zu den Grillplätzen trieb, fiel das Mittagessen heute aus. Seit Mitternacht garten die Männer an den Grills die Schweine, was den ganzen Besitz in seinen Bann zog. Mehr als ein Bewohner hatte davon geträumt, sich mit einem herrlichen Festessen den Bauch vollzuschlagen, und war tief enttäuscht aufgewacht. Bis dahin würde es noch Stunden dauern. Cora und Molly schlossen sich den hungrigen Zuschauern an.

Über den rauchenden Frischholzkohlen spreizten lange Stöcke die beiden Schweine auseinander. Jimmy war der Grillmeister. Sein Vater war in Jamaika groß geworden und hatte die Feuergeheimnisse der Maroons an ihn weitergegeben. Jimmy stupste das röstende Fleisch mit den Fingern an, stocherte in den Kohlen und umschlich das Feuer, als taxierte er einen Gegner. Er gehörte zu den eher verschrumpelten Bewohnern der Farm, ein Überlebender der Massaker in North Carolina, der sein Fleisch gern butterzart aß. Er hatte nur noch zwei Zähne.

Einer seiner Lehrlinge schüttelte ein Gefäß mit Essig und Pfeffer. Er winkte ein kleines Mädchen vom Rand der Feuerstelle heran und führte ihm die Hände, während es die Innenseiten des Schweins mit der Mischung bestrich. Was herabtropfte, zerplatzte zischend auf den Kohlen in den Gruben. Weiße Rauchfahnen trieben die Zuschauer zurück, und das Mädchen kreischte. Es würde ein schönes Essen werden.

Cora und Molly waren zu Hause verabredet. Es war ein kurzer Gang. Wie die meisten Wirtschaftsgebäude der Farm drängten sich die älteren Blockhäuser am Ostrand, eilends errichtet, ehe man hatte ahnen können, wie groß die Gemeinschaft werden würde. Leute kamen von überallher, von Plantagen, die diese oder jene Anlage von Sklavenquartieren bevorzugt hatten, weshalb die Hütten in unterschiedlichen Formen vorkamen. Die neueren – die jüngsten Bauten, die die Männer nun, da der Mais gepflückt war, errichteten – folgten einem einheitlichen Stil, hatten geräumigere Zimmer und wurden mit mehr Sorgfalt auf dem Gelände verteilt.

Seit Harriet geheiratet hatte und ausgezogen war, waren Cora, Molly und Sybil die einzigen Bewohner der Hütte und schliefen in den beiden vom Hauptwohnbereich abgehenden Zimmern. Im Allgemeinen wohnten in jedem Haus drei Familien. Manchmal teilte sich Cora ihr Zimmer mit Neuankömmlingen und Besuchern, meistens jedoch waren die anderen beiden Betten leer.

Ihr eigenes Zimmer: nach allen ihren Gefängnissen ein weiteres unwahrscheinliches Geschenk der Valentine-Farm.

Sybil und ihre Tochter waren stolz auf ihr Haus. Sie hatten die Außenwände mit rosa getöntem Ätzkalk getüncht. Gelbe Farbe mit weißen Zierstreifen ließ das vordere Zimmer im Sonnenlicht förmlich summen. In der warmen Jahreszeit wurde das Zimmer mit Wiesenblumen geschmückt, im Herbst ließen Kränze aus rotem und gelbem Laub es freundlich wirken. Blau-rote Vorhänge bauschten sich an den Fenstern. Zwei Tischler, die auf der Farm lebten, wuchteten ab und zu Möbelstücke herein – sie waren in Sybil verschossen und beschäftigten ständig ihre Hände, um sich von Sybils Gleichgültigkeit abzulenken. Sybil hatte einige Rupfensäcke gefärbt und einen Teppich daraus gemacht, auf den sich Cora jedes Mal legte, wenn sie Kopfschmerzen bekam. Im vorderen Zimmer herrschte eine angenehme Brise, die den Anfällen die Heftigkeit nahm.

Bei der Veranda angekommen, rief Molly nach ihrer Mutter. Sarsaparille, die Sybil für eines ihrer Elixiere kochte, überdeckte den Duft des bratenden Fleisches. Cora steuerte geradewegs den Schaukelstuhl an, den sie gleich an ihrem ersten Tag für sich beansprucht hatte. Er war das Werk von Sybils weniger begabtem Verehrer und knarrte unmäßig. Sybil war der Meinung, er habe ihn absichtlich so lautstark gebaut, um sie an seine Ergebenheit zu erinnern.

Aus dem hinteren Teil des Hauses tauchte Sybil auf, die sich die Hände an ihrer Schürze abwischte. »Jimmy gibt sich da draußen alle Mühe«, sagte sie, vor Hunger gereizt den Kopf schüttelnd.

»Ich kann es gar nicht abwarten«, sagte Molly. Das Mädchen öffnete die Kiefernholzkommode neben dem Herd und entnahm ihm ihre gemeinsame Quiltarbeit. Sie war wild entschlossen, ihr neuestes Projekt bis zum Abendessen fertigzustellen.

Sie machten sich daran. Von schlichten Flickarbeiten abgesehen hatte Cora seit Mabels Verschwinden keine Nadel mehr in die Hand genommen. Einige der Hob-Frauen hatten erfolglos versucht, ihr das Nähen beizubringen. Wie im Klassenzimmer schaute Cora immer wieder Orientierung suchend zu ihren Gefährtinnen hinüber. Sie schnitt einen Vogel aus, einen Kardinal; er geriet ihr wie etwas, um das sich Hunde gerauft hatten. Sybil und Molly machten ihr Mut – sie hatten sie zu diesem Zeitvertreib gedrängt –, aber die Arbeit war stümperhaft. Flöhe hätten sich über die Wattierung hergemacht, behauptete Cora. Die Nähte kräuselten sich, die Ecken lagen nicht aufeinander. Die Arbeit offenbarte etwas Schiefes in ihrem Denken: Man könnte sie als Fahne ihres wilden Landes an einem Mast hochziehen. Cora wollte sie zur Seite legen, aber Sybil verbot es. »Du fängst erst etwas anderes an, wenn das hier fertig ist«, sagte Sybil. »Und das ist noch nicht fertig.«

Was die Tugenden der Beharrlichkeit anging, brauchte Cora keinen Rat. Sie nahm das Gebilde auf ihrem Schoß wieder zur Hand und machte da weiter, wo sie aufgehört hatte.

Sybil war zwölf Jahre älter als sie. Ihre Kleider ließen sie schmächtig aussehen, aber Cora wusste, dass es lediglich an ihrer Zeit fernab der Plantage lag, die sich denkbar günstig auf sie ausgewirkt hatte: Ihr neues Leben erforderte eine andere Form von Stärke. Sie achtete peinlich genau auf ihre Haltung, ein wandelnder Speer, wie es der Art derjenigen entsprach, die man gezwungen hatte, sich zu beugen, und die sich nicht mehr beugen würden. Ihr Herr sei fürchterlich gewesen, hatte sie Cora erzählt, ein Tabakpflanzer, der jedes Jahr mit den benachbarten Pflanzern darum konkurrierte, wer die größte Ernte erzielte. Sein schlechtes Abschneiden habe die Bösartigkeit in ihm zum Vorschein gebracht. »Er hat uns schwer schuften lassen«, sagte sie jedes Mal, wenn ihre Gedanken zu dem alten Elend zurückkehrten. Dann kam Molly von dort, wo sie gerade war, zu ihr herüber, setzte sich auf ihren Schoß und schmiegte sich an sie.

Eine Zeitlang arbeiteten die drei stumm. Drüben bei der Grillgrube stieg ein Jubelschrei auf, wie immer, wenn sie die Schweine umdrehten. Cora war zu zerstreut, um die Fehler in ihrer Näharbeit zu beheben. Das stumme Schauspiel von Sybils und Mollys Liebe bewegte sie jedes Mal. Wie das Kind ohne Worte um Hilfe bat und wie die Mutter mit dem Finger zeigte, nickte und ihrem Kind pantomimisch aus der Klemme half. An eine ruhige Hütte war Cora nicht gewöhnt – auf Randall hatte jederzeit ein gellender Schrei, ein Weinen oder ein Seufzer alles unterbrechen können –, und schon gar nicht war sie an diese Art von mütterlichem Verhalten gewöhnt.

Sybil war mit Molly geflohen, als ihre Tochter erst zwei gewesen war, und hatte ihr Kind den ganzen Weg getragen. Gerüchten aus dem Gutshaus zufolge wollte ihr Herr einen Teil seines Besitzes abstoßen, um Schulden aufgrund der enttäuschenden Ernte zu begleichen. Sybil drohte eine öffentliche Versteigerung. Sie ging noch in derselben Nacht – der Vollmond gab seinen Segen und führte sie durch den Wald. »Molly hat keinen Laut von sich gegeben«, sagte Sybil. »Sie hat gewusst, was wir vorhatten.« Drei Meilen jenseits der Grenze von Pennsylvania riskierten sie, das Cottage eines farbigen Farmers aufzusuchen. Der Mann gab ihnen zu essen, schnitzte Spielzeuge für das kleine Mädchen und nahm über eine Reihe von Mittelsmännern Verbindung mit der Railroad auf. Nach einer kurzen Phase in Worcester, in der sie für eine Hutmacherin arbeitete, gelangten Sybil und Molly nach Indiana. Die Existenz der Farm hatte sich herumgesprochen.

So viele Geflüchtete waren durch Valentine gekommen – wer alles schon hier gewesen war, ließ sich nicht sagen. Ob Sybil zufällig mit einer Frau aus Georgia Bekanntschaft geschlossen habe, fragte Cora sie eines Abends. Cora war seit einigen Wochen bei ihnen, schlief ein-, zweimal durch, setzte wieder etwas Gewicht an, das sie auf dem Dachboden verloren hatte. Die Insekten verstummten und ließen in der Nacht eine Lücke für eine Frage. Eine Frau aus Georgia, die sich vielleicht Mabel genannt habe, vielleicht aber auch nicht.

Sybil schüttelte den Kopf.

Natürlich nicht. Eine Frau, die ihre Tochter zurücklässt, wird zu jemand anderem, um die Schande zu verbergen. Doch früher oder später fragte Cora jeden auf der Farm, denn die Farm war eine ganz eigene Art von Verschiebebahnhof und zog Menschen an, die sich zwischen zwei Orten befanden. Sie fragte diejenigen, die seit Jahren auf Valentine waren, sie fragte sämtliche Neuen, sie behelligte die Besucher, die auf die Farm kamen, um festzustellen, ob das, was sie gehört hatten, stimmte. Die freigelassenen farbigen Männer und Frauen, die Geflüchteten, die blieben, und diejenigen, die weiterzogen. Sie fragte sie auf dem Maisfeld während eines Arbeitsliedes und in einem holpernden Pferdewagen auf dem Weg zur Stadt: graue Augen, auf dem rechten Handrücken eine Narbe von einer Verbrennung, habe sich vielleicht Mabel genannt, vielleicht aber auch nicht.

»Vielleicht ist sie in Kanada«, antwortete Lindsey, als Cora beschloss, dass sie an der Reihe war. Lindsey, ein schmaler Kolibri von einer Frau, frisch aus Tennessee, legte ständig eine schwachsinnige Fröhlichkeit an den Tag, die Cora nicht verstehen konnte. Nach allem, was sie gesehen hatte, war Tennessee nichts als Feuer, Krankheit und Gewalttätigkeit. Auch wenn Royal und die anderen sie dort gerettet hatten. »Ganz viele mögen jetzt Kanada«, sagte Lindsey. »Obwohl's dort fürchterlich kalt ist.«

Kalte Nächte für die Kaltherzigen.

Cora faltete ihren Quilt zusammen und zog sich in ihr Zimmer zurück. Sie rollte sich auf dem Bett ein, zu abgelenkt von Gedanken an Mütter und Töchter. Von Sorge um Royal, der nun schon drei Tage überfällig war. Ihre Kopfschmerzen näherten sich wie eine Gewitterwolke. Sie drehte das Gesicht zur Wand und rührte sich nicht.

Das Abendessen fand vor dem Versammlungshaus, dem größten Gebäude auf dem Grundstück, statt. Der Legende zufolge war es an einem einzigen Tag errichtet worden, vor einer der ersten großen Zusammenkünfte, als ihnen klargeworden war, dass die Versammelten nicht mehr in das Farmhaus von Valentine hineinpassten. An den meisten Tagen diente es als Schule. Sonntags als Kirche. Samstagabends fand sich die Farm zu einer gemeinsamen Mahlzeit und diversen Zerstreuungen zusammen. Maurer, die im Süden des Staates am Gerichtsgebäude arbeiteten, kamen hungrig wieder, Näherinnen kehrten von der Arbeit für ortsansässige weiße Ladys zurück und zogen ihre hübschen Kleider an. Abstinenz war die Regel, außer an Samstagabenden, wenn die Trinkfreudigen dem Alkohol zusprachen, sodass sie während der Predigt am nächsten Morgen etwas zum Nachdenken hatten.

Die Schweine standen als Erstes auf der Tagesordnung, zerlegt auf dem langen Kiefernholztisch und mit Sauce übergossen. Dampfender Kohl, Rüben, Süßkartoffelpastete und was die Küche sonst noch zubereitet hatte waren im schönen Geschirr der Valentines angerichtet. Die Bewohner waren eher zurückhaltend, außer wenn Jimmys Grillfleisch auf den Tisch kam – dann benutzten auch zimperliche Ladys die Ellbogen. Der Grillmeister neigte bei jedem Kompliment den Kopf und dachte schon an Verbesserungen für den nächsten Braten. Mit einem geschickten Manöver riss Cora ein knuspriges Ohr ab, Mollys Lieblingsstück, und präsentierte es dem Mädchen.

Valentine zählte nicht mehr mit, wie viele Familien auf seinem Land lebten. Einhundert Seelen war eine handfeste Zahl, bei der man gut aufhören konnte – nach jedem Maßstab eine phantastische Größenordnung –, und dabei waren die farbigen Farmer, die angrenzendes Land gekauft hatten und ihre eigenen Betriebe führten, noch gar nicht mitgerechnet. Von den ungefähr fünfzig Kindern waren die meisten jünger als fünf Jahre. »Die Freiheit macht einen fruchtbar«, sagte Georgina. Das und die Gewissheit, dass sie nicht verkauft werden, fügte

Cora hinzu. Die Frauen in den farbigen Wohnheimen von South Carolina hatten geglaubt, die Freiheit zu kennen, aber die Skalpelle der Chirurgen hatten das Gegenteil bewiesen.

Sobald die Schweine verzehrt waren, gingen Georgina und einige der jüngeren Frauen mit den Kindern zu Sing- und anderen Spielen in die Scheune. Die Kinder konnten während der vielen Worte bei den Versammlungen nicht stillsitzen. Ihre Abwesenheit ließ umso schärfer hervortreten, worum es bei den Diskussionen ging; letztlich waren es die Kleinen, für die sie Pläne machten. Auch wenn die Erwachsenen von den Fesseln frei waren, die sie festgehalten hatten, so hatte die Sklaverei ihnen doch zu viel Zeit gestohlen. Nur die Kinder konnten den vollen Nutzen aus dem ziehen, was sie erträumten. Wenn weiße Männer sie ließen.

Das Versammlungshaus füllte sich. Cora setzte sich neben Sybil in eine Bank. Heute Abend würde es eher ruhig zugehen. Nächsten Monat, nach dem Enthülsen, würde die Farm die bisher wichtigste Versammlung ausrichten, in der es um die jüngsten Debatten gehen sollte, die Zelte hier abzubrechen. Die Valentines hatten die Samstagabend-Belustigungen schon im Voraus reduziert. Das angenehme Wetter – und die Warnungen vor dem kommenden Indiana-Winter, die denen Angst machten, die noch nie Schnee gesehen hatten – hielt sie auf Trab. Fahrten in die Stadt wurden zu ausgedehnten Expeditionen. Besuche zogen sich bis in den Abend hin, nun, da so viele farbige Siedler, die Vorhut einer großen Wanderbewegung, Wurzeln geschlagen hatten.

Von den führenden Leuten der Farm waren viele verreist. Valentine selbst war zu Gesprächen mit den Banken in Chicago, im Schlepptau seine beiden Söhne, die inzwischen alt genug waren, um bei der Buchhaltung der Farm zu helfen. Lander war mit einer der neuen abolitionistischen Gesellschaften aus New York zu einer Vortragstour durch New England unterwegs; damit war er voll ausgelastet. Was er auf dieser neuesten Rundreise durch das Land erfuhr, würde zweifellos seinen Beitrag zu der großen Versammlung prägen.

Cora musterte ihre Sitznachbarn. Sie hatte die Hoffnung gehegt, dass Jimmys Schweine Royal rechtzeitig zurücklocken würden, aber er und seine Partner waren immer noch mit ihrem Einsatz für die Underground Railroad beschäftigt. Man hörte nichts von der Gruppe. Grausige Berichte über einen Suchtrupp, der vergangene Nacht ein paar farbige Unruhestifter aufgeknüpft habe, hatten die Farm erreicht. Das Ganze war dreißig Meilen weiter südlich passiert, und die Opfer hatten angeblich für die Railroad gearbeitet, aber Genaueres erfuhr man nicht. Eine sommersprossige Frau, die Cora unbekannt war – so viele Fremde in letzter Zeit –, hörte nicht auf, mit lauter Stimme über die Lynchmorde zu sprechen. Sybil drehte sich um und brachte sie zum Schweigen, dann umarmte sie Cora rasch, während Gloria Valentine ans Rednerpult trat.

Gloria hatte in der Wäscherei einer Indigo-Plantage gearbeitet, als John Valentine sie kennenlernte. »Das herrlichste Bild, das diese Augen je erblickt haben«, erzählte Valentine gern den Neuankömmlingen und zog das Wort *herrlich* dabei in die Länge, als würde er heißen Karamell schöpfen. Er hatte seinerzeit nicht die Angewohnheit, Sklavenhalter zu besuchen, aber er war mit Glorias Besitzer über eine Lieferung Futtermittel ins Geschäft gekommen. Bis zum Ende der Woche hatte er sie freigekauft. Eine Woche später heirateten sie.

Sie war immer noch herrlich und so anmutig und beherrscht, als hätte sie ein Mädchenpensionat für weiße Ladys besucht. Sie beteuerte, dass sie nicht gern für ihren Mann einsprang, aber ihre Ungezwungenheit vor dem Publikum sagte etwas anderes. Gloria gab sich alle Mühe, ihren Plantagentonfall abzulegen – Cora hörte sie in alte Gewohnheiten zurückfallen, wenn das Gespräch eine gesellige Richtung nahm –, aber sie war auf natürliche Weise eindrucksvoll, ob sie nun wie eine Farbige oder wie eine Weiße sprach. Wenn Valentines Reden einen ernsten Ton annahmen und seine praktische Veranlagung die Oberhand über seine Großzügigkeit gewann, griff Gloria ein und glättete die Wogen.

»Habt ihr alle einen schönen Tag gehabt?«, fragte Gloria, als es im Raum still wurde. »Ich war den ganzen Tag unten im Rübenkeller, und dann bin ich heraufgekommen und habe gesehen, was für ein Geschenk Gott uns heute gemacht hat. Dieser Himmel. Und diese Schweine ...«

Sie entschuldigte sich für die Abwesenheit ihres Mannes. John Valentine wolle die gute Ernte dazu nutzen, neu über ihr Darlehen zu verhandeln. »Es steht weiß Gott so viel an, dass es schön ist, ein bisschen zur Ruhe zu kommen.« Sie verbeugte sich leicht vor Mingo, der in der ersten Reihe saß, neben dem freien Platz, der normalerweise Valentine vorbehalten war. Mingo war ein kräftig gebauter Mann von mittlerer Statur mit einem westindischen Teint, der an diesem Abend durch seinen rotkarierten Anzug belebt wurde. Er sprach ein Amen, drehte sich um und nickte seinen Verbündeten im Versammlungshaus zu.

Sybil knuffte Cora bei diesem Verweis auf die politischen Auseinandersetzungen der Farm, einem Verweis, der Mingos Position legitimierte. Inzwischen war häufig die Rede davon, weiter nach Westen zu ziehen, wo auf der anderen Seite des Arkansas River farbige Städte aus dem Boden schossen. An Orte, die keine gemeinsame Grenze mit Sklavenstaaten hatten, Orte, die die Abscheulichkeit der Sklaverei niemals gutgeheißen hatten. Mingo sprach sich dafür aus, in Indiana zu bleiben, jedoch die Zahl derer, denen sie Zuflucht gewährten, stark zu reduzieren: der Entlaufenen, der Verirrten. Menschen wie Cora. Das Defilee berühmter Besucher, die den Ruf der Farm verbreiteten, machte diese zu einem Symbol des Aufstiegs der Farbigen – und zugleich zur Zielscheibe. Immerhin hatte das Gespenst eines farbigen Aufstandes, all der zornigen dunklen Gesichter, die sie umringten, weiße Siedler veranlasst, den Süden zu verlassen. Sie kamen nach Indiana, und gleich nebenan war eine schwarze Nation im Entstehen begriffen. Es endete immer in Gewalt.

Sybil verachtete Mingo, seinen schmierigen Charakter und dass er ständig seinen Vorteil suchte; unter seiner Leutseligkeit lauerte ein autoritäres Wesen. Gewiss, was man sich von dem Mann erzählte, war aller Ehren wert: Er hatte sich noch als Sklave zusätzlich für Wochenendarbeit verdingt und zuerst seiner Frau, dann seinen Kindern und zuletzt sich selbst die Freiheit erkauft. Sybil tat diese gewaltige Leistung ab – der Mann habe im Hinblick auf seinen Herrn einfach Glück gehabt, mehr nicht. Mingo würde nie etwas anderes sein als ein Opportunist, der der Farm mit seinen eigenen Vorstellungen über den Aufstieg der Farbigen zusetzte. Bei der Versammlung nächsten Monat, die über ihre Zukunft entschied, würde er zusammen mit Lander das Wort ergreifen.

Cora lehnte es ab, sich der Verachtung ihrer Freundin anzuschließen. Wegen der Aufmerksamkeit, die Entlaufene auf die Farm lenkten, hatte sich Mingo ihr gegenüber distanziert verhalten, und als er hörte, dass sie wegen Mordes gesucht wurde, hatte er sie ganz und gar gemieden. Trotzdem, der Mann hatte seine Familie gerettet, und er hätte vor Vollendung seiner Aufgabe sterben können – es war eine Großtat. An Coras erstem Tag im Schulhaus hatten seine beiden Töchter, Amanda und Marie, die Unabhängigkeitserklärung voller Selbstvertrauen vorgetragen. Es waren bewundernswerte Mädchen. Andererseits aber mochte Cora sein kluges Gerede nicht. Irgendetwas an seinem Lächeln erinnerte sie an Blake, den großspurigen jungen Burschen aus ihrer Vergangenheit. Mingo brauchte zwar keinen Platz, wo er seine Hundehütte aufstellen konnte, aber er war mit Sicherheit darauf aus, seinen Einflussbereich zu erweitern.

Man würde jetzt gleich zur Musik kommen, versicherte Gloria. An diesem Abend waren keine »Würdenträger« unter ihnen, wie Valentine sie nannte – in feiner Kleidung, mit Yankee-Akzent –, aber einige Gäste aus dem County hatten den Weg zur Farm gefunden. Gloria bat sie, aufzustehen und sich vorzustellen, damit man sie willkommen heißen konnte. »Während ihr dieses schöne Essen verdaut, haben wir noch einen Leckerbissen für euch«, sagte sie. »Vielleicht kennt ihr sein

Gesicht noch von seinem früheren Besuch auf Valentine – ein ganz hervorragender junger Mann der Künste.«

Vorigen Samstag war eine schwangere Opernsängerin aus Montreal da gewesen. Am Samstag davor eine Geigerin aus Connecticut, die die Hälfte der Frauen zu Tränen gerührt hatte, so sehr hatten ihre Gefühle sie überwältigt. Der heutige Abend gehörte dem Dichter. Rumsey Brooks war ernst und schlank, er trug einen schwarzen Anzug mit schwarzer Schleife. Er sah aus wie ein Wanderprediger.

Er war drei Monate vorher mit einer Delegation aus Ohio da gewesen. Hatte die Valentine-Farm ihren Ruf zu Recht? Eine alte weiße Lady, eine Befürworterin des Aufstiegs der Neger, hatte den Ausflug organisiert. Als Witwe eines bedeutenden Bostoner Anwalts sammelte sie Geld für diverse Unternehmungen, ein besonderes Anliegen war ihr die Veröffentlichung und Verbreitung farbiger Literatur. Nachdem sie eine von Landers Reden gehört hatte, sorgte sie für das Erscheinen seiner Autobiographie; zuvor hatte die Druckerei eine Reihe von Shakespeare-Tragödien herausgebracht. Die erste Auflage des Bandes war binnen Tagen ausverkauft, eine schöne Ausgabe mit Elijah Landers Namen in Goldprägung. Rumseys Manuskript erscheine nächsten Monat, sagte Gloria.

Der Dichter küsste seiner Gastgeberin die Hand und bat darum, einige seiner Gedichte vortragen zu dürfen. Er war nicht ohne Charisma, musste Cora zugeben. Laut Georgina machte der junge Mann einem der Mädchen aus der Molkerei den Hof, verteilte jedoch so freigiebig Schmeicheleien, dass er den süßen Mysterien des Schicksals offenbar aufgeschlossen gegenüberstand. »Wer weiß, was Fortuna für uns bereithält«, hatte er bei seinem ersten Besuch zu Cora gesagt, »und was für Menschen kennenzulernen wir das Vergnügen haben werden?« Damals erschien unvermittelt Royal neben ihr und zog sie weg von den Honigworten des Poeten.

Sie hätte Royals Absichten erkennen müssen. Wenn sie gewusst hätte, wie sehr sie seine Abwesenheiten aus der gewohnten Stimmung brachten, hätte sie ihn abgewiesen.

Mit Glorias Segen räusperte sich der Dichter. »Vordem sah ich ein scheckicht Wunder«, deklamierte er, und seine Stimme hob und senkte sich, als kämpfte sie mit Gegenwind. »Zog über Feldern hin, auf Engelsschwingen schwebend, und führte einen Flammenschild …«

Die Versammlung sprach ein Amen und seufzte. Rumsey versuchte, ihre Reaktion, die Wirkung seiner Darbietung nicht zu belächeln. Cora konnte mit seinen Gedichten nicht viel anfangen: Die Erscheinung einer prächtigen Wesenheit, ein Suchender, der auf eine Botschaft wartet. Ein Gespräch zwischen einer Eichel, einem Schössling und einer mächtigen Eiche. Außerdem eine Hommage an Benjamin Franklin und seine Genialität. Das Verseschmieden ließ sie kalt. Gedichte waren dem Gebet zu ähnlich und weckten bedauernswerte Leidenschaften. Darauf warten, dass Gott einen rettete, wo es doch an einem selbst lag. Gedicht und Gebet setzten den Leuten Gedanken in den Kopf, die sie das Leben kosten konnten, und lenkten sie vom unbarmherzigen Lauf der Welt ab.

Nach den Gedichten sollten die Musiker auftreten, ein paar Leute, die gerade erst auf die Farm gekommen waren. Der Dichter bereitete die Reigen der Tanzenden gut vor, berauschte sie mit Bildern von Flug und Befreiung. Wenn es sie glücklich machte, wie kam Cora dann dazu, sie herabzusetzen? Sie übertrugen Teile von sich auf seine Figuren, pfropften den Gestalten in seinen Versen ihre Gesichter auf. Sahen sie sich selbst in Benjamin Franklin oder seinen Erfindungen? Sklaven waren Werkzeuge, also möglicherweise Letzteres, aber hier war niemand ein Sklave. Galt vielleicht für jemand weit Entfernten als Eigentum, nicht jedoch hier.

Die ganze Farm war etwas, was ihre Vorstellungskraft überstieg. Die Valentines hatten ein Wunder vollbracht. Sie war von dem Beweis dafür umgeben; mehr noch, sie war Teil dieses Wunders. Sie war den falschen Versprechungen von South Carolina zu leicht auf den Leim gegangen. Jetzt verweigerte etwas Verbittertes in ihr die Schätze der Valentine-Farm, auch wenn jeden Tag irgendetwas Beglückendes zur Blüte kam. Ein junges Mädchen, das ihre Hand ergriff. Ihre Ängste um einen Mann, für den sie Gefühle entwickelt hatte.

Rumsey schloss mit einem Appell, die künstlerische Veranlagung bei jungen wie alten Menschen zu fördern, »um den apollinischen Funken bei allen sterblichen Geschöpfen anzufachen«. Einer der Neuankömmlinge schob das Rednerpult über die Bühne. Ein Wink für die Musiker und ein Wink für Cora. Mittlerweile kannte Sybil die Gewohnheiten ihrer Freundin und gab ihr einen Abschiedskuss. Im Saal war es stickig; draußen war es kalt und dunkel. Cora ging, während die Bänke mit scharrendem Geräusch an die Wände geschoben wurden, um Platz zum Tanzen zu schaffen. Auf dem Weg kam sie an jemand vorbei, der erklärte: »Du gehst in die falsche Richtung, Mädchen!«

Als sie nach Hause kam, lehnte Royal an einem Pfosten ihrer Veranda. Seine Silhouette, sogar im Dunkeln. »Ich habe mir gedacht, dass du kommst, sobald das Banjo loslegt«, sagte er.

Cora zündete die Lampe an und sah sein blaues Auge, die gelb-purpurne Schwellung. »Oh«, sagte sie, umarmte ihn und legte das Gesicht an seinen Hals.

»Bloß eine Schlägerei«, sagte er. »Wir sind davongekommen.« Cora schauderte, und er flüsterte: »Ich weiß, dass du dir Sorgen gemacht hast. Ich hatte heute Abend keine Lust, mich unter die Leute zu mischen, und dachte, ich warte lieber hier.«

Auf der Veranda saßen sie auf den Stühlen des liebeskranken Tischlers und genossen die Nacht. Er rückte näher, sodass sich ihre Schultern berührten.

Sie erzählte ihm, was er verpasst hatte, den Dichter und das Essen.

»Das wird es schon noch öfter geben«, sagte er. »Ich habe dir etwas mitgebracht.« Er wühlte in seiner Ledertasche. »Es ist die diesjährige Ausgabe, aber ich dachte, du weißt es trotzdem zu schätzen, obwohl wir schon Oktober haben. Wenn ich irgendwohin komme, wo es die Ausgabe vom nächsten Jahr gibt, bringe ich sie dir mit.«

Sie packte seine Hand. Der Almanach hatte einen seltsamen, seifigen Geruch und gab ein knackendes Geräusch wie Feuer von sich, als sie die Seiten umblätterte. Noch nie hatte sie als Erste ein Buch aufgeschlagen.

Nach einem Monat auf der Farm nahm Royal sie in den Geistertunnel mit.

Cora fing an ihrem zweiten Tag zu arbeiten an, mit widersprüchlichen Gedanken über Valentines Motto: »Bleib und leiste einen Beitrag.« Eine Bitte und ein Heilmittel. Ihren ersten Beitrag leistete sie im Waschhaus. Geleitet wurde die Wäscherei von einer Frau namens Amelia, die die Valentines schon in Virginia gekannt hatte und ihnen zwei Jahre später gefolgt war. Behutsam ermahnte sie Cora, die Kleidungsstücke nicht zu »malträtieren«. Auf Randall war Cora eine schnelle Arbeiterin gewesen. Mit den Händen zu arbeiten weckte ihren alten, furchtbaren Fleiß. Sie und Amelia befanden, dass eine andere Arbeit ihr vielleicht besser lag. Sie half eine Woche lang im Milchhaus und verbrachte einige Zeit bei Aunty, die auf die Babys aufpasste, während deren Eltern arbeiteten. Danach brachte sie auf den Feldern Dünger aus, wenn die Blätter des Maises sich gelb verfärbten. Während sie sich zwischen den Reihen bückte, hielt sie unwillkürlich nach einem Aufseher Ausschau.

»Du siehst erschöpft aus«, sagte Royal eines Augustabends zu ihr, nachdem Lander eine seiner Reden gehalten hatte. Landers Ansprache grenzte an eine Predigt und handelte von der Schwierigkeit, sein Ziel zu finden, nachdem man das Joch der Sklaverei abgeschüttelt hatte. Von den vielfältigen Enttäuschungen, die die Freiheit bereithielt. Wie alle anderen auf der Farm betrachtete Cora den Mann voller Ehrfurcht. Er war ein exotischer Prinz, der aus einem fernen Land herbeireiste, um sie zu lehren, wie sich die Menschen an anständigen

Orten verhielten. Orten, die so weit weg waren, dass sie auf keiner Karte standen.

Elijah Landers Vater war ein reicher weißer Anwalt in Boston, der ganz offen mit seiner farbigen Frau zusammenlebte. Sie ließen die Vorwürfe ihres Bekanntenkreises über sich ergehen und charakterisierten ihren Sprössling in mitternächtlichem Geflüster als die Verbindung einer afrikanischen Göttin mit einem bleichen Sterblichen. Als einen Halbgott. Wenn man die weißen Würdenträger in ihren langatmigen Einleitungen zu seinen Auftritten reden hörte, so hatte Lander seine Brillanz schon in sehr frühem Alter demonstriert. Als kränkliches Kind machte er die Familienbibliothek zu seinem Spielplatz und brütete über Bänden, die vom Regal zu heben er Mühe hatte. Mit sechs Jahren spielte er Klavier wie ein europäischer Meister. Er veranstaltete Konzerte im leeren Wohnzimmer und verbeugte sich zu unhörbarem Applaus.

Auf Vermittlung von Freunden der Familie wurde er zum ersten farbigen Studenten an einem der renommierten weißen Colleges. »Sie haben mir einen Sklaven-Passierschein gegeben«, so beschrieb er es, »und ich habe ihn dazu benutzt, Unheil zu stiften.« Lander wohnte in einer Besenkammer; niemand wollte das Zimmer mit ihm teilen. Nach vier Jahren wählten seine Kommilitonen ihn zum Abschiedsredner. Er jagte zwischen Hindernissen dahin wie ein urzeitliches Geschöpf, das der modernen Welt ein Schnippchen geschlagen hatte. Lander hätte alles werden können, was er wollte. Chirurg, Richter. Große Tiere drängten ihn, in die Landeshauptstadt zu gehen und sich in der Politik einen Namen zu machen. Er hatte sich den Weg zu einem kleinen Winkel amerikanischen Erfolgs gebahnt, wo seine Rasse keinen Fluch für ihn bedeutete. Einige hätten glücklich und zufrieden in dieser Nische gelebt und wären allein aufgestiegen. Lander wollte Platz für andere schaffen. Manchmal waren Menschen eine wunderbare Gesellschaft.

Am Ende entschied er sich dafür, Reden zu halten. Im Wohnzimmer seiner Eltern vor einem Publikum aus vornehmen Bostoner Bürgern, dann in den Häusern dieser vornehmen Bostoner Bürger, in farbigen Versammlungshäusern, Methodistenkirchen und Vortragssälen überall in New England. Manchmal war er der erste Farbige, der – abgesehen von den Männern, die sie gebaut hatten, und den Frauen, die sie putzten – einen Fuß in diese Gebäude setzte.

Sheriffs mit rotem Gesicht nahmen ihn wegen Aufwiegelung fest. Er kam ins Gefängnis, weil er Unruhen angezettelt hatte, die keine Unruhen, sondern friedliche Versammlungen waren. Der Ehrenwerte Richter Edmund Harrison aus Maryland erließ einen Haftbefehl gegen ihn, in dem er ihm vorwarf, er »verbreite einen teuflischen Irrglauben, der das Gefüge einer guten Gesellschaft gefährdet«. Ein weißer Mob verprügelte ihn, ehe er von denen gerettet wurde, die gekommen waren, um ihn aus seinen »Erklärungen der Rechte des amerikanischen Negers« lesen zu hören. Von Florida bis Maine wurden seine Pamphlete und später seine Autobiographie zusammen mit Abbildern von ihm auf Scheiterhaufen verbrannt. »Besser ein Abbild als die Person«, sagte er.

Was ihn unter dieser Gelassenheit an heimlichen Schmerzen plagte, konnte niemand sagen. Er blieb gleichmütig und seltsam. »Ich bin das, was die Botaniker eine Hybride nennen«, sagte er, als Cora ihn zum ersten Mal reden hörte. »Eine Mischung aus zwei verschiedenen Familien. Bei Blumen erfreut eine solche Kombination das Auge. Wenn ein solches Amalgam in Fleisch und Blut auftritt, nehmen einige sehr stark Anstoß. In diesem Raum erkennen wir es als das, was es ist – eine neu in die Welt getretene Schönheit, und sie steht überall um uns herum in Blüte.«

Als Lander seine Ansprache an jenem Augustabend beendete, saßen Cora und Royal auf der Treppe des Versammlungshauses. Die anderen Bewohner strömten an ihnen vorbei. Landers Worte hatten Cora in melancholische Stimmung versetzt. »Ich will nicht, dass sie mich vor die Tür setzen«, sagte sie.

Royal drehte ihre Hand um und fuhr mit dem Daumen über ihre frischen Schwielen. Darüber brauche sie sich keine Sorgen zu machen, sagte er. Er schlug einen Ausflug vor, damit sie mehr von Indiana zu Gesicht bekam, als Unterbrechung ihrer Arbeit.

Am nächsten Tag fuhren sie in einem Wagen los, der von zwei buntscheckigen Pferden gezogen wurde. Von ihrem Lohn hatte sie sich ein neues Kleid und eine Haube gekauft. Die Haube verdeckte die Narbe an ihrer Schläfe, jedenfalls zum größten Teil. In letzter Zeit machte die Narbe sie nervös. Davor hatte sie nie allzu lang über Brandzeichen nachgedacht, die X und T und Kleeblätter, mit denen Sklavenbesitzer ihre bewegliche Habe kennzeichneten. An Sybils Hals wulstete ein Hufeisen, hässlich und violett – ihr erster Besitzer hatte Zugpferde gezüchtet. Cora dankte dem Herrn dafür, dass ihre Haut nie auf diese Weise gebrandmarkt worden war. Dabei sind wir alle gebrandmarkt worden, auch wenn man es nicht sehen kann, innerlich, wenn nicht äußerlich – und die Wunde von Randalls Stock war genau das Gleiche, sie kennzeichnete Cora als sein Eigentum.

Cora war schon oft in der Stadt gewesen, war sogar schon die Treppe der weißen Bäckerei hinaufgestiegen, um Kuchen zu kaufen. Royal fuhr in die entgegengesetzte Richtung. Der Himmel glich einer Schieferplatte, aber es war noch warm, ein Augustnachmittag, der einen wissen ließ, dass solche wie er allmählich knapp wurden. Am Rand einer Wiese hielten sie für ein Picknick unter einem Johannisapfelbaum. Er hatte Brot, Marmelade und Wurst eingepackt. Sie ließ ihn seinen Kopf in ihren Schoß legen. Sie erwog, ihm mit den Händen durch die weichen schwarzen Löckchen an seinen Ohren zu fahren, unterließ es dann aber, als eine Erinnerung an frühere Gewalt sich meldete.

Auf dem Rückweg bog Royal in einen zugewachsenen Pfad ein. Cora hätte ihn gar nicht gesehen. Pappeln verdeckten den Eingang. Royal sagte, er wolle ihr etwas zeigen. Sie dachte, es sei vielleicht ein Teich oder ein ruhiges Plätzchen, von dem niemand wusste. Stattdessen kamen sie um eine Biegung und hielten vor einem verlassenen, baufälligen Cottage, grau wie zerkautes Fleisch. Schief hängende Läden, vom Dach sich herabneigende Wildgräser. Verwittert war das treffende Wort – das Haus glich einem geprügelten Köter. Sie zögerte an der Schwelle. Schmutz und Moos riefen trotz Royals Anwesenheit ein Gefühl der Einsamkeit bei ihr hervor.

Auch durch den Boden des Hauptraums zwängte sich Unkraut. Gegen den Gestank hielt sie sich die Nase zu. »Dagegen riecht ja der Pferdemist gut«, sagte sie. Royal lachte und sagte, er habe schon immer gefunden, dass Pferdemist gut rieche. Er legte die Falltür zum Keller frei und zündete eine Kerze an. Die Treppe knarrte. Im Keller wuselten Tiere, über die Störung erbost. Royal zählte sechs Schritte ab und begann zu graben. Er hörte auf, als er die zweite Falltür freigelegt hatte, und sie stiegen zur Station hinab. Er mahnte sie zur Vorsicht auf der Treppe, die rutschig war von einem grauen Schleim.

Es war die bis jetzt schäbigste, erbärmlichste Station. Einen Höhenunterschied zum Gleis gab es nicht – die Schienen begannen am Ende der Treppe und führten geradewegs in den dunklen Tunnel. Auf dem Gleis stand eine kleine Draisine, deren eiserner Hebel darauf wartete, von Menschenhand belebt zu werden. Wie in der Katzengoldmine in North Carolina stützten lange Planken und Streben Wände und Decke ab.

»Sie ist nicht für eine Lokomotive gebaut«, sagte Royal. »Der Tunnel ist zu eng, verstehst du. Sie hat keine Verbindung zum Rest der Linie.«

Hier war lange niemand mehr gewesen. Cora fragte, wohin die Strecke führte.

Royal grinste. »Sie stammt von vor meiner Zeit. Der Zugführer, den ich ersetzt habe, hat sie mir gezeigt, als ich diesen Abschnitt übernommen habe. Ich bin mit der Draisine ein paar Meilen gefahren, aber es war zu unheimlich. Die Wände, die einen umschließen und immer näher kommen.« Cora hütete sich zu fragen, wer sie gebaut hatte.

Sämtliche Railroad-Leute, von Lumbly bis Royal, antworteten darauf mit einer Variante von »Was glaubst du denn? Wer baut denn hier alles?«. Eines Tages würde sie ihn dazu bringen, es ihr zu sagen, beschloss sie.

Soweit bekannt, sei der Geistertunnel nie benutzt worden, sagte Royal. Niemand wisse, wann er gegraben worden sei oder wer droben gelebt habe. Ein paar Lokführer hätten ihm gesagt, das Haus sei von einem der alten Landvermesser gebaut worden, jemandem wie Lewis und Clarke, die die amerikanische Wildnis erforscht und kartographiert hätten. »Wenn du das ganze Land vom Atlantik bis zum Pazifik gesehen hättest«, sagte Royal, »die großen Niagarafälle und den Rio Grande, würdest du dich dann hier häuslich niederlassen, in den Wäldern von Indiana?« Ein alter Stationsvorsteher meinte, es sei das Zuhause eines Generalmajors aus dem Unabhängigkeitskrieg gewesen, eines Mannes, der viel Blutvergießen erlebt und sich von der jungen Nation zurückgezogen habe, nachdem er ihr ins Dasein geholfen hatte.

Eine Einsiedlergeschichte klang einleuchtender, aber Royal fand, dass die Sache mit der Armee Unsinn sei. Ob Cora bemerkt habe, dass es keinerlei Anzeichen dafür gebe, dass jemand hier gelebt habe, nicht einmal einen alten Zahnstocher oder einen Nagel in der Wand?

Eine Vorstellung beschlich sie wie ein Schatten: dass diese Station nicht der Anfang der Linie, sondern ihr Endpunkt war. Der Bau hatte nicht unter diesem Haus, sondern am anderen Ende des schwarzen Lochs begonnen. Als gäbe es auf der Welt keine Orte, wohin man sich flüchten konnte, sondern nur solche, die man fliehen musste.

Im Keller über ihnen machten sich scharrend die Aasfresser bemerkbar.

So ein feuchtkaltes kleines Loch. Eine Reise, die hier ihren Anfang nahm, konnte unter keinem guten Stern stehen. Als sie sich das letzte Mal in einer der Stationen der Railroad aufgehalten hatte, war diese hell erleuchtet und voller Annehmlichkeiten gewesen, und sie war von dort in die Fülle von Valentine gelangt. Das war in Tennessee gewesen, als sie nach dem gefährlichen Zwischenfall mit Ridgeway darauf gewartet hatten, wegbefördert zu werden. Die Ereignisse jener Nacht ließen ihr Herz noch immer schneller schlagen.

Sobald sie den Sklavenfänger und seinen Wagen hinter sich gelassen hatten, nannten ihre Retter ihre Namen. Royal war der Mann, der sie in der Stadt erspäht hatte; sein Partner hieß Red, wegen der rostroten Farbe seines krausen Haars. Der Ängstliche war Justin, ein Geflüchteter wie sie und nicht daran gewöhnt, mit Bowie-Messern vor Weißen herumzufuchteln.

Nachdem Cora sich einverstanden erklärt hatte, mit ihnen zu gehen – nie hatte man ihr etwas Unvermeidliches so höflich angetragen –, beeilten sich die drei Männer, sämtliche Anzeichen der Auseinandersetzung zu verbergen. Homers drohende Anwesenheit irgendwo im Dunkeln ließ das noch dringlicher erscheinen. Red hielt mit seinem Gewehr Wache, während Royal zuerst Boseman und dann Ridgeway an den Wagen kettete. Der Sklavenfänger sagte kein Wort, sondern grinste Cora nur die ganze Zeit mit seinem blutigen Mund an.

»Den da«, sagte sie, zeigte mit dem Finger darauf, und Red kettete ihn an den Ring, den ihre Entführer für Jasper verwendet hatten.

Sie fuhren den Wagen bis ans andere Ende der Weide, wo er von der Straße aus nicht zu sehen war. Red fesselte Ridgeway fünffach und verwendete dazu sämtliche Ketten im Wagenkasten. Er warf die Schlüssel ins Gras. Sie jagten die Pferde weg. Von Homer war nichts zu hören; vielleicht schlich er knapp außerhalb des Lampenlichts herum. Wie viel Vorsprung diese Maßnahmen ihnen auch immer verschafften, es würde genügen müssen. Als sie weggingen, stieß Boseman ein entsetzliches Keuchen aus, das Cora für sein Todesröcheln hielt.

Der Karren ihrer Retter stand einen kurzen Fußweg von Ridgeways Lager entfernt. Sie und Justin versteckten sich auf der Ladefläche unter einer dicken Decke, dann jagten sie in einem Tempo davon, das angesichts der Dunkelheit und des durchweg schlechten Zustandes der Straßen in Tennessee gefährlich war. Royal und Red waren von dem Kampf noch so aufgewühlt, dass ihnen erst nach mehreren Meilen einfiel, ihrer Fracht die Augen zu verbinden. Royal war deshalb verlegen. »Das dient nur der Sicherheit der Station, Miss.«

Die dritte Fahrt mit der Underground Railroad begann unter einem Stall. Station war mittlerweile gleichbedeutend mit einem Abstieg über eine unwahrscheinlich steile Treppe, an deren Ende sich dann der Charakter dieser Station offenbarte. Der Besitzer des Geländes sei geschäftlich unterwegs, sagte Royal, während er ihnen die Augenbinden abnahm, eine List, um seine Rolle bei dem ganzen Unternehmen zu tarnen. Seinen Namen erfuhr Cora ebenso wenig wie den der Stadt, von der aus sie abfuhren. Nur dass es sich um einen weiteren Menschen mit unterirdischen Neigungen handelte – und einer Vorliebe für importierte weiße Kacheln. Die Wände der Station waren damit verkleidet.

»Jedes Mal, wenn wir hier runterkommen, ist was Neues da«, sagte Royal. Auf den Zug warteten die vier an einem Tisch, der mit einem weißen Tischtuch bedeckt war, und sie saßen in wuchtigen, mit purpurrotem Stoff bezogenen Polstersesseln. Aus einer Vase ragten frische Blumen, an den Wänden hingen Gemälde von ländlichen Szenen. Auf dem Tisch standen ein Wasserkrug aus geschliffenem Kristall, ein Korb mit Obst und ein großer Laib Pumpernickel als Verpflegung für sie.

»Hier wohnen reiche Leute«, sagte Justin.

»Er hat eben gern eine schöne Atmosphäre«, antwortete Royal.

Red sagte, ihm gefielen die weißen Kacheln, sie seien eine Verbesserung gegenüber den Kiefernholzbrettern, die vorher da gewesen seien. »Ich weiß nicht, wie er die allein angebracht hat«, fügte er hinzu.

Royal sagte, er hoffe, sein Helfer sei verschwiegen.

»Du hast den Mann umgebracht«, sagte Justin. Er war benommen.

In einem Schrank hatten sie einen Krug Wein entdeckt, und der Geflüchtete trank hemmungslos.

»Frag das Mädchen, ob er's verdient hat«, sagte Red.

Royal packte Red am Unterarm, damit der Mann zu zittern aufhörte. Sein Freund hatte noch nie einem Menschen das Leben genommen. Was ihrem Missgeschick vorausgegangen war, reichte aus, sie an den Galgen zu bringen, aber der Mord würde grauenvolle Misshandlung garantieren, ehe sie baumelten. Royal war bestürzt, als Cora ihm später erzählte, dass sie in Georgia wegen Mordes gesucht wurde. Er fasste sich und sagte: »Dann stand unser Kurs schon in dem Moment fest, als ich dich auf dieser schmutzigen Straße gesehen habe.«

Royal war der erste Freigeborene, den Cora je kennengelernt hatte. In South Carolina gab es viele Freie, die wegen der sogenannten Möglichkeiten dorthin gezogen waren, aber sie alle hatten ihre Zeit als Eigentum eines anderen abgedient. Royal hatte die Freiheit mit dem ersten Atemzug erlangt.

Er war in Connecticut groß geworden. Sein Vater war Barbier, seine Mutter Hebamme. Sie waren ebenfalls Freigeborene und stammten aus New York. Auf ihre Anweisung hin ging Royal bei einem Drucker in die Lehre, sobald er zum Arbeiten alt genug war. Seine Eltern glaubten an die Würde der ehrbaren Handwerksberufe und malten sich aus, wie sich die Generationen ihrer Familie in die Zukunft verzweigten und jede es zu mehr brachte als die vorherige. Wenn der Norden die Sklaverei abgeschafft hatte, so würde die abscheuliche Einrichtung eines Tages überall fallen. Die Geschichte des Negers in diesem Land mochte mit Erniedrigung begonnen haben, doch eines Tages würden Triumph und Wohlstand ihn dafür entschädigen.

Wäre seinen Eltern klar gewesen, welche Macht ihre Erinnerungen auf ihren Sohn ausübten, so wären sie in den Geschichten über ihre Geburtsstadt vielleicht zurückhaltender gewesen. Mit achtzehn machte sich Royal auf den Weg nach Manhattan, und der erste Anblick der majestätischen Stadt von der Reling der Fähre aus bekräftigte sein

Schicksal. Er nahm sich mit drei anderen Männern ein Zimmer in einer farbigen Pension in Five Points und machte sich als Barbier selbständig, bis er den berühmten Eugene Wheeler kennenlernte. Der Weiße knüpfte bei einer Anti-Sklaverei-Veranstaltung ein Gespräch mit Royal an; Wheeler war beeindruckt und bat ihn, am nächsten Tag in sein Büro zu kommen. Royal hatte in der Zeitung von den Großtaten des Mannes gelesen – Rechtsanwalt, Vorkämpfer des Abolitionismus, Fluch aller Sklavenhändler und derjenigen, die ihre schmutzige Arbeit erledigten. Royal suchte im Stadtgefängnis nach Entlaufenen, die der Anwalt verteidigen könnte, überbrachte Nachrichten zwischen rätselhaften Personen und verteilte Geld von Anti-Sklaverei-Gesellschaften an umgesiedelte Geflüchtete. Bevor er offiziell in die Underground Railroad eingeführt wurde, war er schon einige Zeit deren Werkzeug.

»Ich öle die Kolben«, sagte er gern. Royal gab die kodierten Kleinanzeigen auf, die Entlaufene und Schaffner über Abfahrten unterrichteten. Er bestach Schiffskapitäne und Constables, ruderte zitternde Schwangere in lecken Booten über Flüsse und stellte stirnrunzelnden Deputys richterliche Entlassungsverfügungen zu. Normalerweise bildete er ein Paar mit einem weißen Verbündeten, aber sein flinker Verstand und seine stolze Haltung machten klar, dass seine Hautfarbe kein Hindernis war. »Ein freier Schwarzer geht anders als ein Sklave«, sagte er. »Weiße erkennen das sofort, auch wenn sie es nicht wissen. Geht anders, redet anders, verhält sich anders. Das steckt einem in den Knochen.« Constables hielten ihn niemals fest, und Kidnapper hielten sich von ihm fern.

Seine Partnerschaft mit Red begann mit seiner Versetzung nach Indiana. Red kam aus North Carolina und floh, nachdem die Regulatoren seine Frau und sein Kind aufgeknüpft hatten. Auf der Suche nach ihren Leichnamen war er den Freiheitsweg meilenweit gegangen, um sich von ihnen zu verabschieden. Er blieb erfolglos. Der Leichenweg, so schien es, setzte sich endlos fort, in alle Richtungen. Nachdem Red es in den Norden geschafft hatte, fing er bei der Railroad an und widmete sich der Sache mit geradezu unheimlicher Findigkeit. Als er davon hörte, dass Cora den Jungen in Georgia unabsichtlich umgebracht hatte, lächelte er und sagte: »Gut.«

Der Justin-Auftrag war von vornherein ungewöhnlich. Tennessee lag außerhalb von Royals Zuständigkeit, aber der dortige Vertreter der Railroad hatte sich seit dem Flächenbrand nicht mehr gemeldet. Den Zug zu streichen wäre katastrophal gewesen. Da niemand sonst verfügbar war, schickten Royals Vorgesetzte widerstrebend die beiden farbigen Agenten tief in die Badlands von Tennessee.

Die Schusswaffen waren Reds Idee gewesen. Royal hatte noch nie eine in der Hand gehabt.

»Sie liegt gut in der Hand«, sagte Royal, »aber sie ist so schwer wie eine Kanone.«

»Du hast zum Fürchten ausgesehen«, sagte Cora.

»Ich habe gezittert, aber nur innerlich«, sagte er ihr.

Justins Herr vermietete diesen oft für Maurerarbeit, und ein mitfühlender Arbeitgeber traf in seinem Namen Vereinbarungen mit der Railroad. Es gab nur eine Bedingung – Justin solle sich erst davonmachen, wenn er die Steinmauer um den Besitz des Mannes fertiggebaut hatte. Sie einigten sich darauf, dass eine Lücke von drei Steinen akzeptabel war, sofern Justin ausführliche Instruktionen für den Fertigbau hinterließ.

Am vereinbarten Tag machte sich Justin zum letzten Mal zur Arbeit auf. Sein Fehlen würde erst bei Einbruch der Dunkelheit bemerkt werden; sein Arbeitgeber behauptete beharrlich, Justin sei an diesem Morgen gar nicht erschienen. Um zehn Uhr lag er auf der Ladefläche von Royals und Reds Wagen. Der Plan änderte sich, als sie in der Stadt auf Cora stießen.

Der Zug fuhr in die Tennessee-Station ein. Es war die bislang prächtigste Lokomotive, ihr leuchtend roter Anstrich warf das Licht sogar durch den Rußbelag hindurch zurück. Der Lokomotivführer war

ein lustiger Vogel mit dröhnender Stimme, der die Tür des Personen-
wagens mit nicht geringem Zeremoniell öffnete. Cora vermutete, dass
die Lokomotivführer der Railroad ausnahmslos von einer Art Tunnel-
wahnsinn befallen wurden.

Nach dem klapprigen Güterwaggon und dem Flachwagen, der sie
nach North Carolina befördert hatte, in einen richtigen Personenwa-
gen – gut ausgestattet und bequem wie diejenigen, von denen sie in
ihren Almanachen gelesen hatte – einzusteigen, war ein spektakuläres
Vergnügen. Die Sitzplätze, üppig und weich, reichten für dreißig Leute,
und wo das Kerzenlicht hinfiel, schimmerten Messingbeschläge. Wegen des Geruchs nach frischem Lack kam sie sich vor wie der allerer-
erste Fahrgast einer magischen Jungfernfahrt. Auf drei Sitzen liegend,
schlief sie, zum ersten Mal seit Monaten frei von Ketten und Dach-
boden-Düsternis.

Das Stahlross rumpelte immer noch durch den Tunnel, als sie aufwachte. Lumblys Worte fielen ihr ein: *Wenn man sehen will, was es
mit diesem Land auf sich hat, dann muss man auf die Schiene. Schaut
hinaus, während ihr hindurchrast, und ihr werdet das wahre Gesicht
Amerikas sehen.* Es war also von vornherein ein Witz. Auf ihren Fahrten herrschte vor den Fenstern nur Dunkelheit, und dort würde auch
immer nur Dunkelheit herrschen.

Justin saß auf dem Platz vor ihr und redete. Er sagte, sein Bruder
und seine drei Nichten, denen er nie begegnet sei, lebten in Kanada. Er
werde ein paar Tage auf der Farm verbringen und dann in den Norden
gehen.

Royal versicherte ihm, dass die Railroad zu seiner Verfügung stehe.
Cora setzte sich auf, und er wiederholte, was er gerade Justin gesagt
hatte. Sie könne zu einem Anschlusszug in Indiana weiterziehen oder
auf der Valentine-Farm bleiben.

Weiße hielten John Valentine für einen der ihren, sagte Royal. Seine
Haut war sehr hell. Allerdings erkannte jeder Farbige sein äthiopisches
Erbe sofort. Diese Nase, diese Lippen, glattes Haar hin oder her. Seine

Mutter war Näherin, sein Vater ein weißer fahrender Händler, der alle paar Monate vorbeikam. Als der Mann starb, hinterließ er seinen Besitz seinem Sohn, das erste Mal, dass er den Jungen außerhalb der Wände ihres Hauses anerkannte.

Valentine versuchte sich im Kartoffelanbau. Er stellte sechs Freie als Landarbeiter ein. Er gab sich nie als etwas aus, was er nicht war, brachte die Leute aber auch nicht von ihren Vermutungen ab. Als er Gloria kaufte, kam niemand auf irgendwelche Gedanken. Eine Möglichkeit, eine Frau auszuhalten, bestand darin, sie in Sklaverei zu halten, besonders wenn man, wie John Valentine, keine Erfahrungen mit amourösen Verbindungen hatte. Nur John, Gloria und ein Richter auf der anderen Seite des Staates wussten, dass sie frei war. Er mochte Bücher und brachte seiner Frau das Alphabet bei. Sie zogen zwei Söhne groß. Die Nachbarn fanden es weitherzig, wenn auch unwirtschaftlich, dass er diese freiließ.

Als sein ältester Sohn fünf war, wurde einer von Valentines Arbeitern wegen aufdringlicher Blicke aufgehängt und verbrannt. Joes Freunde behaupteten, er sei an dem fraglichen Tag gar nicht in der Stadt gewesen; ein mit Valentine befreundeter Bankangestellter gab das Gerücht weiter, die betreffende Frau habe einen Liebhaber eifersüchtig machen wollen. Im Lauf der Jahre, beobachtete Valentine, wurde die rassistische Gewalttätigkeit in ihrem Ausdruck nur immer schlimmer. Sie würde sich nicht legen oder verschwinden, jedenfalls nicht so bald und nicht im Süden. Er und seine Frau kamen zu dem Schluss, dass Virginia kein geeigneter Ort war, um Kinder großzuziehen. Sie verkauften die Farm und brachen die Zelte ab. In Indiana war Land billig. Weiße gab es dort auch, aber nicht so nahe.

Valentine lernte das Wesen des Maises kennen. Drei gute Ernten hintereinander. Als er Verwandte in Virginia besuchte, warb er für die Vorteile seiner neuen Heimat. Er stellte alte Freunde ein. Sie durften sogar auf seinem Grund und Boden wohnen, bis sie Fuß gefasst hatten; er hatte seinen Landbesitz erweitert.

Das waren die Gäste, die er einlud. Die Farm, wie Cora sie vorfand, entstand eines Winterabends nach einem kräftigen Schneetreiben. Die Frau an der Tür bot einen schrecklichen Anblick und war halb erfroren. Margaret war eine Entlaufene aus Delaware. Ihre Reise zur Valentine-Farm war nervenaufreibend gewesen – eine Truppe harter Burschen brachte sie auf einer Zickzackroute weg von ihrem Herrn. Ein Fallensteller, der Marktschreier eines reisenden Wunderdoktors. Sie zog mit einem fahrenden Zahnreißer von Stadt zu Stadt, bis er gewalttätig wurde. Das Unwetter überraschte sie zwischen zwei Orten. Margaret betete zu Gott um Errettung, versprach ein Ende der Sündhaftigkeit und der moralischen Schwächen, die sich in ihrer Flucht geäußert hatten. Aus der Finsternis tauchten die Lichter von Valentine auf.

Gloria kümmerte sich um ihre Besucherin, so gut sie konnte; der Doktor kam auf seinem Pony vorbei. Margarets Schüttelfrost legte sich nicht. Sie starb ein paar Tage später.

Als Valentine das nächste Mal geschäftlich nach Osten fuhr, ließ ihn ein Flugblatt, das für eine Anti-Sklaverei-Kundgebung warb, wie angewurzelt stehen bleiben. Die Frau im Schnee war die Abgesandte eines entrechteten Stammes gewesen. Er verschrieb sich dessen Dienst.

In jenem Herbst schon war seine Farm die neueste Niederlassung der Underground Railroad und wimmelte von Flüchtigen und Schaffnern. Einige Entlaufene hielten sich länger dort auf; wenn sie einen Beitrag leisteten, konnten sie bleiben, solange sie wollten. Sie pflanzten den Mais an. An einer nicht genutzten Stelle baute ein ehemaliger Plantagenmaurer eine Schmiede für einen ehemaligen Plantagenschmied. Die Schmiede produzierte in beachtlichem Tempo Nägel. Die Männer zersägten Baumstämme zu Balken und errichteten Hütten. Ein prominenter Abolitionist auf dem Weg nach Chicago wollte für einen Tag haltmachen und blieb eine Woche. Berühmtheiten, Redner und Künstler begannen, an den Samstagabend-Diskussionen zur Negerfrage teilzunehmen. Eine Freie hatte eine Schwester in Delaware, die in Schwierigkeiten geraten war; die Schwester kam in den Westen, um neu anzufangen. Valentine und die Eltern auf der Farm bezahlten sie dafür, dass sie ihre Kinder unterrichtete, und Kinder gab es immer mehr.

Mit seinem weißen Gesicht, sagte Royal, ging Valentine zur Countyverwaltung und kaufte Grundstücke für seine Freunde mit schwarzem Gesicht, die ehemaligen Feldarbeiter, die in den Westen gekommen waren, die Geflüchteten, die auf seiner Farm eine Zufluchtsstätte gefunden hatten. Ein Ziel gefunden hatten. Beim Eintreffen der Valentines war dieser Winkel von Indiana unbevölkert gewesen. Als die Städte, vom nicht zu stillenden amerikanischen Durst beflügelt, aus dem Boden schossen, war die schwarze Farm schon da, wie ein natürliches Landschaftsmerkmal, ein Berg oder ein Fluss. Die Hälfte der weißen Läden war auf sie als Kundschaft angewiesen; die Bewohner von Valentine bevölkerten die Plätze und Sonntagsmärkte und verkauften ihr Kunsthandwerk. »Es ist ein Ort der Heilung«, erzählte Royal Cora im Zug nach Norden. »Wo du Bilanz ziehen und Vorbereitungen für die nächste Etappe der Reise treffen kannst.«

In der vorigen Nacht in Tennessee hatte Ridgeway sie und ihre Mutter als Makel im amerikanischen Imperativ bezeichnet. Wenn zwei Frauen ein Makel waren, was war dann eine ganze Gemeinschaft?

Von den philosophischen Disputen, die die wöchentlichen Zusammenkünfte beherrschten, sprach Royal nicht. Nicht von Mingo mit seinen Plänen für das nächste Stadium im Fortschritt des farbigen Stammes und nicht von Lander, dessen elegante, aber schwer verständliche Aufrufe keine leichte Abhilfe boten. Er mied auch das sehr reale Thema des wachsenden Grolls der weißen Siedler über den Neger-Außenposten. Die Unstimmigkeiten würden sich nach und nach bemerkbar machen.

Während sie, ein winziges Schiff auf diesem unwahrscheinlichen Meer, durch die unterirdische Passage jagten, erreichte Royals Empfehlung ihren Zweck. Cora klatschte mit den Händen auf die Polster des Salonwagens und sagte, die Farm sei genau das Richtige für sie.

Justin blieb zwei Tage, schlug sich den Bauch voll und fuhr zu seinen Verwandten im Norden. Später schickte er einen Brief, in dem er seinen Empfang und seine neue Stelle bei einer Baufirma beschrieb. Seine Nichten hatten mit andersfarbiger Tinte unterschrieben, ausgelassen und naiv. Sobald die Valentine-Farm in ihrer verführerischen Fülle vor ihr lag, kam es für Cora nicht mehr in Frage wegzugehen. Sie trug zum Leben auf der Farm bei. Das war harte Arbeit, die sie anerkannte, sie verstand die elementaren Rhythmen von Aussaat und Ernte, die Lektionen und Imperative der wechselnden Jahreszeiten. Ihre Vorstellungen vom Großstadtleben trübten sich – was wusste sie schon von Orten wie New York City und Boston? Sie war mit den Händen in Erde groß geworden.

Einen Monat nach ihrer Ankunft, an der Mündung des Geistertunnels, war sich Cora ihres Entschlusses nach wie vor sicher. Sie und Royal wollten gerade wieder zur Farm zurückgehen, als aus den düsteren Tiefen des Tunnels ein Windstoß fegte. Als bewegte sich etwas auf sie zu, alt und dunkel. Sie griff nach Royals Arm.

»Warum hast du mich hierhergebracht?«, fragte Cora.

»Wir dürfen über das, was wir hier unten machen, nicht reden«, sagte Royal. »Und unsere Passagiere dürfen nicht darüber reden, wie die Railroad funktioniert – das würde eine Menge guter Leute in Gefahr bringen. Sie könnten reden, wenn sie wollten, aber sie tun's nicht.«

Das stimmte. Wenn sie von ihrer Flucht erzählte, ließ sie die Tunnel weg und beschränkte sich auf die groben Umrisse. Es war privat, ein Geheimnis über einen selbst, das preiszugeben einem niemals in den Sinn kam. Kein schlimmes Geheimnis, sondern eine Intimität, die so sehr zu dem gehörte, was einen ausmachte, dass sie nicht davon getrennt werden konnte. Wenn es jemand preisgab, würde es untergehen.

»Ich habe es dir gezeigt, weil du mehr von der Railroad gesehen hast als die meisten«, fuhr Royal fort. »Ich wollte, dass du das hier auch siehst – wie alles zusammenpasst. Oder nicht zusammenpasst.«

»Ich bin bloß eine Passagierin.«

»Ebendeshalb«, sagte er. Er polierte mit seinem Hemdzipfel seine Brille. »Die Underground Railroad ist größer als ihre Betreiber – sie umfasst auch dich. Die Nebenstrecken, die großen Anschlussgleise. Wir haben die neuesten Lokomotiven und völlig veraltete Maschinen, und wir haben Draisinen wie die da. Sie führt überallhin, zu Orten, die wir kennen, und solchen, die wir nicht kennen. Wir haben diesen Tunnel hier, der unter uns verläuft, und kein Mensch weiß, wohin er führt. Wir halten die Railroad am Laufen, auch wenn keiner von uns aus ihr klug wird, aber vielleicht wirst du es ja.«

Sie sagte ihm, dass sie nicht wisse, warum es die Railroad gab und was sie bedeutete. Sie wisse nur, dass sie nicht mehr weglaufen wolle.

Der November zehrte mit Indiana-Kälte an ihnen, aber zwei Ereignisse ließen Cora das Wetter vergessen. Das erste war Sams Erscheinen auf der Farm. Als er an ihre Hütte klopfte, umarmte sie ihn ganz fest, bis er sie bat, ihn loszulassen. Sie weinten. Sybil braute Wurzeltee, während sie sich wieder fassten.

Sein grober Bart war von Grau durchflochten, und sein Bauch hatte an Umfang gewonnen, aber er war noch derselbe redselige Bursche, der sie und Caesar vor so vielen Monaten aufgenommen hatte. Die Nacht, in der der Sklavenfänger in die Stadt gekommen war, hatte sein altes Leben unwiderruflich beendet. Ridgeway hatte Caesar vor der Fabrik geschnappt, ehe Sam ihn hatte warnen können. Sams Stimme brach, als er erzählte, wie ihr Freund im Gefängnis verprügelt worden war. Er hatte Stillschweigen über seine Kameraden bewahrt, aber ein Mann sagte, er habe den Nigger mehr als einmal mit Sam reden sehen. Dass Sam den Saloon mitten in seiner Schicht verlassen hatte – und der Umstand, dass einige in der Stadt Sam seit ihrer Kindheit kannten und sein selbstzufriedenes Wesen nicht mochten –, war Grund genug, sein Haus niederzubrennen.

»Das Haus meines Großvaters. Mein Haus. Alles, was ich hatte.« Als der Mob Caesar aus dem Gefängnis zerrte und bestialisch umbrachte, war Sam schon auf dem Weg nach Norden. Er bezahlte einen fahrenden Händler dafür, dass er ihn mitnahm, und befand sich am nächsten Tag auf einem Schiff nach Delaware.

Einen Monat später schütteten Agenten im Schutz der Nacht den Tunneleingang unter seinem Haus zu, wie es den Grundsätzen der

Railroad entsprach. Mit Lumblys Station war man ebenso verfahren. »Sie gehen nicht gerne ein Risiko ein«, sagte er. Die Männer brachten ihm ein Erinnerungsstück mit, einen vom Feuer verformten Kupferbecher. Er erkannte ihn nicht, behielt ihn aber trotzdem.

»Ich war Stationsvorsteher. Sie haben mir andere Sachen zu tun gegeben.« Sam fuhr Entlaufene nach Boston und New York, über die neuesten Berichte gekauert, um Fluchtrouten zu planen, und er kümmerte sich um die letzten Vorkehrungen, die einem Flüchtigen das Leben retten würden. Er gab sich sogar als Sklavenfänger namens »James Olney« aus und holte Sklaven unter dem Vorwand, sie an ihre Herren auszuliefern, aus dem Gefängnis. Die dummen Constables und Deputys. Rassenvorurteile ließen die Geisteskräfte verkümmern, sagte er. Zu Coras und Sybils Belustigung demonstrierte er seine Sklavenfängerstimme samt entsprechender Großspurigkeit.

Er hatte gerade seine neueste Fracht auf die Valentine-Farm gebracht, eine dreiköpfige Familie, die sich in New Jersey versteckt gehalten hatte. Sie hatten sich in die farbige Gemeinde dort eingefügt, sagte Sam, aber ein Sklavenfänger schnüffelte herum, und es wurde Zeit zu fliehen. Es war sein letzter Auftrag für die Underground Railroad. Er war unterwegs in den Westen. »Jeder Pionier, den ich kennenlerne, trinkt gern seinen Whiskey. In Kalifornien werden sie Barkeeper brauchen.«

Ihren Freund glücklich und wohlgenährt zu sehen, heiterte sie auf. So viele von denen, die ihr geholfen hatten, hatten ein schreckliches Schicksal erfahren. Ihn hatte sie nicht auf dem Gewissen.

Dann erzählte er ihr das Neueste von ihrer Plantage, der zweite Punkt, der der Kälte von Indiana den Stachel nahm.

Terrance Randall war tot.

Allen Berichten zufolge waren seine Gedanken mit der Zeit nur noch stärker um Cora und ihre Flucht gekreist. Er vernachlässigte die Angelegenheiten der Plantage. Sein Alltag auf dem Gut bestand darin, dass er im Herrenhaus schmutzige Gesellschaften veranstaltete, seine

Sklaven zu öden Belustigungen heranzog und sie zwang, an Coras Stelle als Opfer zu dienen. Er suchte weiter per Inserat nach ihr und füllte die Anzeigenteile in fernen Staaten mit ihrer Beschreibung und Einzelheiten ihres Verbrechens. Er erhöhte die ohnehin schon beträchtliche Belohnung mehr als einmal – Sam hatte die Steckbriefe selbst gesehen und war höchst erstaunt gewesen – und hatte jeden durchreisenden Sklavenfänger als Gast bei sich aufgenommen, um ihm ein vollständigeres Bild von Coras Schurkerei zu liefern und um den unfähigen Ridgeway zu blamieren, der zuerst seinen Vater und dann ihn selbst im Stich gelassen habe.

Terrance starb in New Orleans, in einem Zimmer eines kreolischen Bordells. Sein Herz, von monatelanger Ausschweifung geschwächt, versagte.

»Oder sogar sein Herz hatte genug von seiner Schlechtigkeit«, sagte Cora. Während sie Sams Informationen verdaute, fragte sie nach Ridgeway.

Sam wedelte wegwerfend mit der Hand. »Er ist zum Gespött geworden. Er war schon vor« – hier zögerte er kurz – »dem Vorfall in Tennessee am Ende seiner Karriere angelangt.«

Cora nickte. Reds Mordtat blieb unerwähnt. Die Railroad hatte ihn entlassen, sobald man dort die ganze Geschichte erfahren hatte. Red störte das nicht weiter. Er hatte neue Ideen, wie man den Würgegriff der Sklaverei sprengen konnte, und weigerte sich, seine Schusswaffen abzugeben. »Sobald er seine Hand an den Pflug legt«, sagte Royal, »sieht er nicht mehr zurück.« Dass sein Freund wegging, bekümmerte Royal, aber ihre Methoden ließen sich nicht miteinander vereinbaren, nicht nach den Ereignissen in Tennessee. Coras eigene Mordtat entschuldigte er als Selbstverteidigung, aber Reds unverstellter Blutdurst war etwas anderes.

Ridgeways Hang zur Gewalt und seine fixen Ideen hatten es ihm erschwert, Männer zu finden, die sich mit ihm zusammentaten. Sein beschmutzter Ruf in Verbindung mit Bosemans Tod und der Demütigung, von Nigger-Banditen besiegt worden zu sein, machten ihn unter seinesgleichen zum Paria. Die Sheriffs von Tennessee suchten natürlich noch nach den Mördern, aber Ridgeway war von der Jagd ausgeschlossen. Man hatte seit dem Sommer nichts mehr von ihm gehört.

»Was ist mit dem Jungen, Homer?«

Sam hatte von der merkwürdigen kleinen Kreatur gehört. Es war Homer gewesen, der dem Sklavenhändler irgendwann draußen im Wald zu Hilfe gekommen war. Seine bizarre Art trug nicht eben zu Ridgeways Ansehen bei – ihr Zusammensein nährte gewisse Spekulationen. Jedenfalls hatte der Überfall ihrer Verbindung nichts anhaben können, und die beiden verschwanden gemeinsam. »In eine feuchtkalte Höhle«, sagte Sam, »wie es sich für diese nichtsnutzigen Scheißer gehört.«

Sam blieb drei Tage auf der Farm, in denen er sich ohne Erfolg um Georgina bemühte. Lange genug, um sich am Maisschälwettbewerb zu beteiligen.

Der Wettbewerb fand in der ersten Vollmondnacht statt. Die Kinder verbrachten den ganzen Tag damit, den Mais zu zwei riesigen, von einem Rand aus rotem Laub eingefassten Haufen zu schichten. Mingo führte eine Mannschaft an – schon das zweite Jahr hintereinander, wie Sybil voller Abneigung bemerkte. Er stellte eine Mannschaft aus lauter Verbündeten zusammen, ohne darauf zu achten, dass sie die ganze Breite der Farmgesellschaft abbildete. Valentines ältester Sohn Oliver bildete eine bunt gemischte Gruppe aus Neuankömmlingen und alten Hasen. »Und natürlich unser geschätzter Gast«, sagte er schließlich und bat Sam dazu.

Ein kleiner Junge blies in die Pfeife, und das Schälen begann in rasendem Tempo. Der diesjährige Gewinn war ein großer silberner Spiegel, den Valentine aus Chicago mitgebracht hatte. Der Spiegel stand, mit einer Schleife aus blauem Band, zwischen den beiden Haufen und reflektierte das orangefarbene Flackern der Kürbislaternen. Die Mannschaftskapitäne riefen ihren Leuten Anweisungen zu, während das Publikum johlte und klatschte. Der Fiddler spielte eine schnelle, komische Begleitung. Die kleineren Kinder rannten um die beiden Haufen herum und schnappten sich die Hüllblätter, manchmal noch ehe sie den Boden berührten.

»Nimm den Kolben da!«

»Beeil dich mal da drüben!«

Cora sah vom Rand aus zu, Royals Hand lag auf ihrer Hüfte. Am Abend zuvor hatte sie ihm gestattet, sie zu küssen, was er nicht ohne Grund als Anzeichen dafür auffasste, dass sie ihm endlich erlaubte, sein Werben zu intensivieren. Sie hatte ihn warten lassen. Er würde weiter warten. Aber Sams Bericht über Terrance' Tod hatte sie nachgiebiger gestimmt, auch wenn er boshafte Bilder bei ihr hervorrief. Sie stellte sich ihren früheren Herrn in Bettlaken verheddert vor, wie ihm die violette Zunge zwischen den Lippen hervorstand. Wie er nach Hilfe rief, die nicht kam. In seinem Sarg zu einem blutigen Brei zerschmolz, dann Qualen in einer Hölle aus der Offenbarung. Zumindest an diesem Teil der Heiligen Schrift glaubte Cora. Es war eine verschlüsselte Beschreibung der Sklavenplantage.

»Die Ernte auf Randall lief anders ab«, sagte Cora. »Es war Vollmond, wenn wir gepflückt haben, aber es floss jedes Mal Blut.«

»Du bist nicht mehr auf Randall«, sagte Royal. »Du bist frei.«

Sie hielt ihre Gereiztheit im Zaum und flüsterte: »Wie denn? Land ist Eigentum. Werkzeuge sind Eigentum. Irgendwer wird die Randall-Plantage versteigern und auch die Sklaven. Wenn jemand stirbt, melden sich jedes Mal Verwandte. Ich bin immer noch Eigentum, auch in Indiana.«

»Er ist tot. Kein Vetter wird sich die Mühe machen, dich zurückzuholen, nicht so, wie er es getan hat. Du bist frei«, sagte er.

Royal stimmte in den Gesang ein, um das Thema zu wechseln und um sie daran zu erinnern, dass es Dinge gab, an denen man sich freuen konnte. Eine Gemeinschaft, die sich zusammengefunden hatte, von der

Aussaat über die Ernte bis zum Wettbewerb. Aber das Lied war ein Arbeitslied, das Cora von den Baumwollfeldern kannte, das sie zurückversetzte zu den Grausamkeiten auf Randall und ihr Herz hämmern ließ. Connelly hatte das Lied jedes Mal angestimmt, um nach einer Auspeitschung das Signal zum Weiterpflücken zu geben.

Wie konnte etwas derart Bitteres zu einem Mittel des Vergnügens werden? Alles auf Valentine war das Gegenteil. Arbeit musste nicht Leid sein, sie konnte Leute zusammenführen. Ein kluges Kind wie Chester könnte wachsen und gedeihen, wie Molly und ihre Freunde. Eine Mutter konnte ihr Kind mit Liebe und Freundlichkeit großziehen. Eine schöne Seele wie Caesar könnte hier alles werden, was sie wollte, sie alle könnten das: ein Grundstück besitzen, Lehrer werden, für die Rechte der Farbigen kämpfen. Sogar Dichter werden. In ihrem Elend in Georgia hatte sie sich die Freiheit ausgemalt, und so hatte sie nicht ausgesehen. Die Freiheit war eine Gemeinschaft, die für etwas Schönes und Seltenes arbeitete.

Mingo gewann. Seine Leute trugen ihn, vom Jubeln heiser, um die Haufen geschälter Maiskolben herum. Jimmy sagte, er habe noch nie einen Weißen so schuften sehen, und Sam strahlte vor Freude. Georgina jedoch ließ sich nicht erweichen.

Am Tag von Sams Abreise umarmte Cora ihn und küsste ihn auf die bärtige Wange. Er sagte, er werde schreiben, wenn er sich niedergelassen habe, wo immer das auch sei.

Sie befanden sich in der Zeit der kurzen Tage und langen Nächte. Während das Wetter umschlug, suchte Cora häufig die Bibliothek auf. Sie nahm Molly mit, wenn sie das Mädchen überreden konnte. Sie saßen nebeneinander, Cora mit einem Geschichtsbuch oder einem Roman, und Molly blätterte die Seiten eines Märchens um. Eines Tages sprach ein Arbeiter sie an, als sie gerade eintreten wollten. »Mein Herr hat gesagt, das Einzige, was gefährlicher wäre als ein Nigger mit einem Gewehr«, sagte er zu ihnen, »wär ein Nigger mit einem Buch. Das muss dann ja ein Riesenhaufen Schwarzpulver sein!«

Als einige der dankbaren Bewohner beabsichtigten, Valentines Haus mit einem Anbau für seine Bücher zu versehen, schlug Gloria ein getrenntes Gebäude vor. »Dann kann jeder, der Lust hat, ein Buch in die Hand zu nehmen, das ganz nach Belieben tun.« Außerdem verschaffte das der Familie mehr Privatsphäre. Sie waren großzügig, aber es gab eine Grenze.

Sie errichteten die Bibliothek neben dem Räucherhaus. Der Raum roch angenehm nach Rauch, wenn Cora sich mit Valentines Büchern in einen der großen Sessel setzte. Royal sagte, es sei die größte Sammlung von Negerliteratur diesseits von Chicago. Cora wusste nicht, ob das stimmte, aber es fehlte ihr jedenfalls nicht an Lesestoff. Abgesehen von den Abhandlungen über Landwirtschaft und den Anbau verschiedener Feldfrüchte gab es reihenweise Geschichtsbücher. Der Machtanspruch der Römer und die Siege der Mauren, die königlichen Fehden Europas. Übergroße Folianten enthielten Karten von Ländern, von denen Cora noch nie gehört hatte, die Umrisse der noch nicht eroberten Welt.

Und die verschiedene Literatur der farbigen Stämme. Berichte von afrikanischen Reichen und den Wundern der ägyptischen Sklaven, die die Pyramiden errichtet hatten. Die Tischler der Farm waren echte Handwerker – das mussten sie auch sein, damit all diese Bücher nicht von den Regalen sprangen, so viele Wunder enthielten sie. Pamphlete mit Negerversen, Autobiographien farbiger Redner. Phillis Wheatley und Jupiter Hammon. Es gab einen Mann namens Benjamin Banneker, der Almanache verfasste – Almanache! Sie verschlang sie alle – und als Vertrauter von Thomas Jefferson gedient hatte, dem Verfasser der Unabhängigkeitserklärung. Cora las die Berichte von Sklaven, die in Ketten geboren worden waren und das Alphabet lernten. Von Afrikanern, die entführt, ihrem Zuhause und ihrer Familie entrissen worden waren und das Elend ihrer Sklaverei und dann ihre haarsträubende Flucht schilderten. Sie erkannte diese Geschichten als ihre eigene. Es waren die Geschichten aller farbigen Menschen, die sie je gekannt hatte, die Geschichten schwarzer Menschen, die erst noch geboren werden mussten, das Fundament künftiger Triumphe.

Menschen hatten das alles in winzigen Zimmern zu Papier gebracht. Einige von ihnen hatten sogar dunkle Haut wie sie. Sie fühlte sich jedes Mal wie benebelt, wenn sie die Tür aufmachte. Sie würde sich ranhalten müssen, wenn sie sie alle lesen wollte.

Eines Nachmittags gesellte sich Valentine zu ihr. Cora war mit Gloria befreundet, von der sie wegen der vielen Komplikationen ihrer Reise »die Abenteurerin« genannt wurde, aber mit Glorias Mann hatte sie, von Grußformeln abgesehen, noch nicht geredet. Wie gewaltig sie in seiner Schuld stand, war nicht mit Worten auszudrücken, deshalb mied sie ihn ganz.

Er betrachtete den Einband ihres Buches, eines Romans über einen Maurenjungen, der zur Geißel der Sieben Meere wird. Die Sprache war einfach, und Cora kam gut voran. »Das habe ich nie gelesen«, sagte Valentine. »Ich habe gehört, dass du dich gern hier aufhältst. Du bist diejenige aus Georgia?«

Sie nickte.

»Bin selbst nie dort gewesen – die Geschichten sind so trostlos, dass ich wahrscheinlich die Beherrschung verlieren und meine Frau zur Witwe machen würde.«

Cora erwiderte sein Lächeln. In den Sommermonaten war er ständig präsent gewesen und hatte nach dem Mais gesehen. Die Feldarbeiter kannten sich mit Indigo, Tabak – und natürlich Baumwolle – aus, aber Mais hatte seine eigenen Gesetze. Valentine war freundlich und geduldig in seinen Anweisungen. Mit dem Wechsel der Jahreszeit machte er sich rar. Es gehe ihm nicht gut, sagten die Leute. Er verbrachte viel Zeit im Farmhaus und hielt die Geschäftsbücher der Farm in Ordnung.

Er trat an das Regal mit den Karten. Nun, da sie sich im selben Raum aufhielten, war Cora gezwungen, ihr monatelanges Schweigen aufzugeben. Sie erkundigte sich nach den Vorbereitungen für die Versammlung.

»Ja, das«, sagte Valentine. »Meinst du, es wird dazu kommen?«

»Das muss es«, sagte Cora.

Wegen Landers Vortragsverpflichtungen war die Zusammenkunft schon zweimal verschoben worden. Die Debattenkultur auf der Farm hatte am Küchentisch ihren Anfang genommen, als Valentine und seine Freunde – und später auch Gelehrte und bekannte Abolitionisten – bis nach Mitternacht aufblieben und über die Farbigenfrage diskutierten. Über die Notwendigkeit von Handelsschulen, medizinischen Hochschulen für Farbige. Einer Stimme im Kongress, wenn schon nicht eines direkten Vertreters, dann wenigstens eines starken Bündnisses mit liberal gesinnten Weißen. Über die Frage, wie man die Schäden beheben konnte, die die Sklaverei den Seelenkräften zufügte – so viele Freigelassene wurden weiterhin von den Gräueln versklavt, die sie erlitten hatten.

Die Gespräche beim Abendessen wurden zum Ritual, das den häuslichen Rahmen irgendwann sprengte und sich ins Versammlungshaus verlagerte, worauf Gloria aufhörte, Essen und Getränke zu servieren, und sie sich selbst versorgen ließ. Diejenigen, die den Fortschritt der Farbigen als eher allmählichen Prozess sahen, wechselten spitze Bemerkungen mit denen, denen es nicht schnell genug gehen konnte. Wenn Lander kam – der würdevollste und eloquenteste farbige Mann, den irgendeiner von ihnen je erlebt hatte –, drehten sich die Diskussionen eher um die lokalen Gegebenheiten. Welche Richtung das Land nahm, war eine Sache; die Zukunft der Farm eine andere.

»Mingo verspricht, dass es ein denkwürdiger Anlass wird«, sagte Valentine. »Ein rhetorisches Spektakel. In letzter Zeit hoffe ich, sie bekommen das Spektakel früh über die Bühne, damit ich zu einer anständigen Zeit schlafen gehen kann.« Von Mingos Beeinflussung zermürbt, hatte Valentine die Organisation der Debatte abgegeben.

Mingo lebte schon lange auf der Farm, und wenn es darum ging, auf Landers Aufrufe einzugehen, war es gut, eine einheimische Stimme zu haben. Er war kein sonderlich geübter Redner, doch als ehemaliger Sklave sprach er für einen großen Teil der Farmbewohner.

Mingo hatte sich den Aufschub zunutze gemacht, um auf bessere Beziehungen zu den weißen Städten zu drängen. Er hatte einige aus Landers Lager umgestimmt – nicht, dass so recht klar war, was Lander im Sinn hatte. Lander war geradeheraus, aber schwer verständlich.

»Und wenn sie beschließen, dass wir gehen sollen?« Cora war selbst überrascht, wie schwer es ihr fiel, die Worte auszusprechen.

»Sie? Du bist eine von uns.« Valentine setzte sich auf den Stuhl, den Molly bei ihren Besuchen bevorzugte. Aus der Nähe wurde deutlich, dass die Bürde so vieler Menschen ihren Tribut gefordert hatte. Der Mann war die Erschöpfung selbst. »Vielleicht haben wir es nicht mehr selbst in der Hand«, sagte er. »Was wir hier aufgebaut haben … es gibt zu viele Weiße, die es uns missgönnen. Auch wenn sie nichts von unserem Bündnis mit der Railroad ahnen. Sieh dich um. Wenn sie einen Sklaven schon dafür umbringen, dass er das Alphabet lernt, was, glaubst du, halten sie dann erst von einer Bibliothek? Wir sind in einem Raum, der randvoll ist mit Ideen. Zu viele Ideen für einen farbigen Mann. Oder eine farbige Frau.«

Cora hatte die unglaublichen Kostbarkeiten der Valentine-Farm so sehr schätzen gelernt, dass sie vergessen hatte, wie unglaublich sie waren. Die Farm und die benachbarten, von Farbigen betriebenen Farmen waren zu groß, zu wohlhabend. Eine Insel von Schwarz in dem noch jungen Staat. Valentines Negererbe war vor Jahren bekannt geworden. Einige fühlten sich hereingelegt, weil sie einen Nigger als gleichberechtigt behandelt hatten – und weil der hochnäsige Nigger sie dann auch noch mit seinem Erfolg beschämte.

Sie erzählte Valentine von einem Vorfall vergangene Woche, als sie die Straße entlanggegangen war und beinahe von einem Wagen über den Haufen gefahren wurde. Der Fahrer brüllte ihr im Vorbeifahren abstoßende Schimpfworte zu. Cora war nicht das einzige Opfer von Übergriffen. Die Neuankömmlinge in den nahegelegenen Städten, die

Krawallmacher und der weiße Abschaum, brachen Streit vom Zaun, wenn Farmbewohner zum Einkaufen kamen. Belästigten die jungen Frauen. Vergangene Woche hatte ein Futtermittelgeschäft ein Schild aufgehängt, auf dem NUR FÜR WEISSE stand – ein Albtraum aus dem Süden, der sie einzuholen drohte.

Valentine sagte: »Wir haben als amerikanische Bürger ein gesetzliches Recht darauf, hier zu sein.« Aber das Gesetz über flüchtige Sklaven war ebenfalls geltendes Recht. Ihre Zusammenarbeit mit der Underground Railroad machte die Dinge noch komplizierter. Sklavenfänger zeigten nicht oft ihr Gesicht, aber gelegentlich kam es doch vor. Im letzten Frühjahr waren zwei Sklavenfänger mit einer richterlichen Anordnung erschienen, die ihnen erlaubte, jedes Haus auf der Farm zu durchsuchen. Ihre Beute war längst fort, aber die Erinnerung an die Sklavenpatrouillen offenbarte, wie unsicher das Leben der Farmbewohner war. Einer der Köche hatte in ihre Feldflaschen gepinkelt, während sie die Hütten auf den Kopf stellten.

»Indiana war ein Sklavenstaat«, fuhr Valentine fort. »Dieses Übel sickert in den Boden ein. Manche sagen, dass es sich darin anreichert und stärker wird. Vielleicht ist das hier nicht der richtige Ort. Vielleicht hätten Gloria und ich uns doch weiter um Virginia bemühen sollen.«

»Inzwischen spüre ich es, wenn ich in die Stadt gehe«, sagte Cora. »Ich sehe diesen Ausdruck in ihren Augen, den ich kenne.« Es waren nicht nur Terrance, Connelly und Ridgeway, die sie erkannte, die Wilden. Sie hatte die Gesichter im Park in North Carolina tagsüber beobachtet und nachts, wenn sie sich zu Gräueltaten versammelten. Runde weiße Gesichter wie ein endloses Feld voller Baumwollkapseln, alles der gleiche Stoff.

Valentine, der Coras bedrückte Miene bemerkte, sagte: »Ich bin stolz auf das, was wir hier aufgebaut haben, aber wir haben schon einmal ganz von vorn angefangen. Wir schaffen das auch noch einmal. Ich habe zwei kräftige Söhne, die mir helfen können, und für das Land werden wir eine hübsche Summe bekommen. Gloria wollte schon immer einmal Oklahoma kennenlernen, obwohl ich mir beim besten Willen nicht vorstellen kann, warum. Ich versuche sie glücklich zu machen.«

»Wenn wir bleiben«, sagte Cora, »wird Mingo Leute wie mich nicht zulassen. Die Entlaufenen, diejenigen, die nirgendwohin können.«

»Miteinander zu reden ist gut«, sagte Valentine. »Reden reinigt die Luft und sorgt dafür, dass man erkennen kann, was was ist. Wir werden sehen, wie die Stimmung auf der Farm ist. Sie gehört mir, aber sie gehört auch allen anderen. Euch. Ich beuge mich der Entscheidung der Leute.«

Cora sah, dass das Gespräch ihn erschöpft hatte. »Warum tust du das alles«, fragte sie. »Für uns alle?«

»Ich dachte, du bist eine von den Klugen«, sagte Valentine. »Weißt du es denn nicht? Der weiße Mann wird es nicht tun. Wir müssen es selbst tun.«

Falls der Farmer wegen eines bestimmten Buches gekommen war, so ging er mit leeren Händen. Der Wind pfiff durch die offene Tür, und Cora zog ihr Schultertuch enger um sich. Wenn sie weiterlas, könnte sie zur Abendbrotzeit vielleicht mit dem nächsten Buch anfangen.

Die letzte Versammlung auf der Valentine-Farm fand an einem frischen Dezemberabend statt. In den kommenden Jahren tauschten die Überlebenden ihre Versionen dessen aus, was an jenem Abend passiert war und warum. Bis zu ihrem Todestag beharrte Sybil darauf, dass Mingo der Informant gewesen sei. Sie war da schon eine alte Lady und lebte mit einer Schar von Enkelkindern, die sich ihre altvertrauten Geschichten anhören mussten, am Michigansee. Laut Sybil verriet Mingo den Constables, dass die Farm Flüchtige beherbergte, und lieferte nähere Angaben für einen erfolgreichen Überfall. Ein dramatischer Angriff würde den Beziehungen mit der Railroad und dem endlosen Strom bedürftiger Neger ein Ende machen und das langfristige Überleben der Farm sichern. Auf die Frage, ob er die Gewalttätigkeit vorausgeahnt habe, presste sie die Lippen zu einem dünnen Strich zusammen und sagte nichts weiter.

Ein anderer Überlebender – Tom der Schmied – meinte, die Polizei habe Lander monatelang gejagt. Er sei das eigentliche Ziel gewesen. Landers Rhetorik habe Leidenschaften entflammt; er habe die Rebellion geschürt; er sei zu hochnäsig gewesen, als dass man ihn hätte frei herumlaufen lassen dürfen. Tom hatte nie lesen gelernt, gab aber gern mit seinem Band von Landers *Appell* an, den der große Redner ihm persönlich gewidmet hatte.

Joan Watson war auf der Farm geboren. Sie war an jenem Abend sechs Jahre alt. In den Nachwehen des Angriffs irrte sie drei Tage lang im Wald herum und kaute Eicheln, bis ein Wagenzug sie entdeckte. Als sie älter wurde, bezeichnete sie sich selbst als Studentin der amerikanischen Geschichte, auf das Unvermeidliche eingestellt. Sie sagte, die weißen Städte hätten sich schlicht zusammengerottet, um die schwarze Hochburg in ihrer Mitte loszuwerden. So gehen die europäischen Stämme vor, sagte sie. Was sie nicht beherrschen können, vernichten sie.

Falls jemand auf der Farm wusste, was ihnen bevorstand, so gab er es nicht zu erkennen. Der Samstag ging in träger Ruhe dahin. Cora verbrachte den größten Teil mit dem neuesten Almanach, den Royal ihr geschenkt hatte, in ihrem Zimmer. Er hatte ihn in Chicago besorgt. Er klopfte gegen Mitternacht an ihre Tür, um ihn ihr zu geben; er wusste, dass sie wach war. Es war spät, und sie wollte Sybil und Molly nicht stören. Zum ersten Mal ließ sie ihn in ihr Zimmer.

Beim Anblick des Almanachs für das nächste Jahr stockte ihr vor Freude der Atem. Dick wie ein Gebetbuch. Cora hatte Royal von ihrer Zeit auf dem Dachboden in North Carolina erzählt, aber die Jahreszahl auf dem Einband – einen aus der Zukunft heraufbeschworenen Gegenstand – zu sehen, spornte sie zu eigener Magie an. Sie erzählte ihm von ihrer Kindheit auf Randall, wo sie Baumwolle gepflückt und dabei einen Sack hinter sich hergeschleppt hatte. Von ihrer Großmutter Ajarry, die ihrer Familie in Afrika entführt worden war und ein kleines Stückchen Land bestellt hatte, das Einzige, was sie ihr Eigen nennen konnte. Cora sprach auch von ihrer Mutter Mabel, die eines Tages fortgegangen war und sie der Willkür der Welt überlassen hatte. Von Blake und der Hundehütte, und wie sie ihm mit dem Beil entgegengetreten war. Als sie Royal von der Nacht erzählte, in der sie sie hinter das Räucherhaus gezerrt hatten, und sich bei ihm dafür entschuldigte, dass sie es hatte geschehen lassen, sagte er ihr, sie solle still sein. Sie sei diejenige, der für alle ihre Verletzungen eine Entschuldigung zustehe. Er sagte ihr, jeder einzelne von ihren Feinden, sämtliche Herren und Aufseher ihrer Leiden würden ihre Strafe finden, wenn nicht in dieser Welt, dann in der nächsten, denn die Gerechtigkeit gehe vielleicht langsam und unsichtbar vonstatten, doch am Ende fälle sie immer das richtige Urteil. Er umfing ihren Körper, um ihr Zittern und Schluchzen zu beruhigen, und so schliefen sie ein, im Hinterzimmer einer Hütte auf der Valentine-Farm.

Sie glaubte nicht, was er über Gerechtigkeit gesagt hatte, aber es ihn sagen zu hören war schön.

Als sie am nächsten Morgen erwachte, ging es ihr besser, und sie musste zugeben, dass sie es vielleicht doch ein klein wenig glaubte.

Weil sie dachte, Cora liege mit Kopfschmerzen im Bett, brachte Sybil ihr gegen Mittag etwas zu essen. Sie zog sie damit auf, dass Royal über Nacht geblieben war. Sie habe gerade das Kleid geflickt, das sie zur Versammlung anziehen wolle, da sei er »mit den Stiefeln in der Hand aus dem Haus geschlichen und hat ausgesehen wie ein Hund, der Essensreste stibitzt hat«. Cora lächelte bloß.

»Dein Freund ist nicht der Einzige, der gestern Nacht gekommen ist«, sagte Sybil. Lander war zurückgekehrt.

Das erklärte Sybils Ausgelassenheit. Lander beeindruckte sie ungemein, jeder seiner Besuche gab ihr tagelang Auftrieb. Seine honigsüßen Worte. Nun war er endgültig nach Valentine zurückgekommen. Die Versammlung würde stattfinden, mit ungewissem Ausgang. Sybil wollte nicht nach Westen ziehen und ihr Zuhause verlassen, was, wie alle annahmen, Landers Lösung war. Sie hatte darauf beharrt zu bleiben, seit das Gerede von der Umsiedelung begonnen hatte. Aber sie wollte sich Mingos Bedingung, dass sie aufhörten, den Bedürftigen Zuflucht zu gewähren, nicht fügen. »Es gibt keinen Ort wie diesen, nirgendwo. Er will ihn kaputtmachen.«

»Valentine wird das nicht zulassen«, sagte Cora, obwohl es ihr nach dem Gespräch mit ihm in der Bibliothek so vorkam, als habe er innerlich bereits zusammengepackt.

»Das werden wir sehen«, sagte Sybil. »Vielleicht werde ich selbst eine Rede halten und diesen Leuten sagen, was sie hören müssen.«

An jenem Abend saßen Royal und Cora in der ersten Reihe neben Mingo und seiner Familie, der Frau und den Kindern, die er aus der

Sklaverei errettet hatte. Seine Frau Angela blieb wie immer stumm; um sie reden zu hören, musste man sich unter dem Fenster ihrer Hütte verstecken, während sie ihren Mann unter vier Augen beriet. Mingos Töchter trugen hellblaue Kleider, ihre langen Zöpfe waren mit weißen Bändern durchflochten. Lander spielte mit der Jüngsten Ratespiele, während die Bewohner in den Versammlungssaal strömten. Sie hieß Amanda. Sie hatte ein Sträußchen Stoffblumen in der Hand; er machte einen Scherz darüber, und sie lachten. Wenn Cora ihn in einem solchen Augenblick, einer kurzen Spanne zwischen zwei Auftritten, erlebte, erinnerte er sie an Molly. Trotz all seiner freundlichen Worte glaubte sie, dass er am liebsten allein zu Hause war und in menschenleeren Zimmern Konzerte gab.

Er hatte lange, zarte Finger. Wie merkwürdig, dass jemand, der niemals eine Baumwollkapsel gepflückt, einen Graben ausgehoben oder die neunschwänzige Katze erlebt hatte, zum Fürsprecher derer geworden war, die von diesen Dingen definiert worden waren. Er war von schlanker Gestalt, mit schimmernder Haut, die seine gemischte Abstammung verriet. Sie hatte ihn nie hetzen oder sich beeilen sehen. Der Mann bewegte sich mit äußerster Ruhe, wie ein Blatt, das auf der Oberfläche eines Teichs dahintreibt und auf sanften Strömungen seinen eigenen Weg nimmt. Dann machte er den Mund auf, und man erkannte, dass die Kräfte, die ihn zu seinem Publikum lenkten, alles andere als sanft waren.

An jenem Abend waren keine weißen Besucher da. Alle, die auf der Farm lebten und arbeiteten, waren ebenso erschienen wie die Familien der benachbarten farbigen Farmen. Als sie sie alle in einem einzigen Raum sah, bekam Cora zum ersten Mal eine Ahnung davon, wie zahlreich sie waren. Es waren Leute da, die sie noch nie gesehen hatte, zum Beispiel der schelmische kleine Junge, der ihr zuzwinkerte, als ihre Blicke sich trafen. Fremde, aber Familienmitglieder, Verwandte, aber niemals mit ihr bekanntgemacht. Sie war umgeben von Männern und Frauen, die in Afrika oder in Ketten geboren waren, die sich befreit hatten oder geflohen waren. Gebrandmarkt, geprügelt, vergewaltigt. Nun waren sie hier. Sie waren frei und schwarz und selbst Sachwalter ihres Schicksals. Es machte sie schaudern.

Valentine stützte sich am Rednerpult ab. »Ich bin nicht so aufgewachsen wie ihr«, sagte er. »Meine Mutter fürchtete nie um meine Sicherheit. Kein Händler drohte mich nachts zu entführen und in den Süden zu verkaufen. Die Weißen sahen meine Hautfarbe, und das reichte, mich in Ruhe zu lassen. Ich sagte mir, dass ich nichts Unrechtes tat, aber ich habe mich mein Leben lang ignorant verhalten. Bis ihr hierhergekommen seid und ein Leben mit uns aufgebaut habt.«

Er habe Virginia verlassen, sagte er, um seinen Kindern zu ersparen, was Vorurteile und deren tyrannischer Bruder, die Gewalt, an Verheerungen anrichteten. Aber zwei Kinder zu retten sei nicht genug, wenn Gott einem so viel geschenkt habe. »Eine Frau ist aus bitterkaltem Winter zu uns gekommen – krank und verzweifelt. Wir haben sie nicht retten können.« Valentines Stimme war rau. »Ich habe meine Pflicht vernachlässigt. Solange auch nur ein Einziger aus unserer Familie die Qualen der Sklaverei erlitt, war ich nur dem Namen nach ein freier Mann. Ich möchte allen hier dafür danken, dass ihr mir geholfen habt, Abhilfe zu schaffen. Ob ihr schon seit Jahren oder erst seit ein paar Stunden bei uns seid, ihr habt mir das Leben gerettet.«

Er stockte. Gloria stellte sich zu ihm und zog ihn an sich. »Nun möchten einige aus unserer Familie euch etwas mitteilen«, sagte Valentine und räusperte sich. »Ich hoffe, ihr hört ihnen genauso zu, wie ihr mir zuhört. Es gibt Platz genug für unterschiedliche Vorstellungen, wenn es darum geht, unseren Pfad durch die Wildnis festzulegen. Wenn die Nacht dunkel und der Untergrund tückisch ist.«

Der Patriarch der Farm zog sich vom Rednerpult zurück, und Mingo trat an seine Stelle. Seine Kinder folgten ihm und küssten ihm die Hände, um ihm Glück zu wünschen, bevor sie sich wieder auf ihre Plätze setzten.

Er begann mit der Geschichte seiner Reise, mit den Nächten, in denen er den Herrn angefleht hatte, ihn anzuleiten, und den langen Jahren, die es gedauert hatte, seiner Familie die Freiheit zu erkaufen. »Mit meiner ehrlichen Arbeit, einem nach dem anderen, so wie ihr euch selbst gerettet habt.« Er rieb sich mit einem Knöchel am Auge.

Dann wechselte er seinen Kurs. »Wir haben das Unmögliche erreicht«, sagte Mingo, »aber nicht jeder hat den Charakter, den wir haben. Wir werden es nicht alle schaffen. Einige von uns sind dazu nicht mehr in der Lage. Die Sklaverei hat ihnen den Verstand verdreht, ein Kobold, der ihnen üble Gedanken eingibt. Sie haben sich dem Whiskey und seinen falschen Tröstungen ergeben. Der Hoffnungslosigkeit und ihren ausdauernden Teufeln. Ihr habt diese Verlorenen auf den Plantagen gesehen und auf den Straßen der kleinen und großen Städte – diejenigen, die sich selbst nicht achten, es nicht können. Ihr habt sie hier gesehen, wie sie das Geschenk dieses Ortes bekommen haben, sich aber nicht einfügen konnten. Sie verschwinden immer nachts, weil sie tief in ihrem Herzen wissen, dass sie unwürdig sind. Für sie ist es zu spät.«

Einige seiner Freunde in den hinteren Reihen ließen ein Amen hören. Es gebe Realitäten, denen man ins Auge sehen müsse, erklärte Mingo. Die Weißen würden sich nicht über Nacht ändern. Die Träume der Farm seien gut und richtig, aber sie erforderten ein langsames Vorgehen. »Wir können nicht jeden retten, und wenn wir uns so verhalten, als könnten wir es, verurteilen wir uns alle zum Untergang. Glaubt ihr, die Weißen – nur wenige Meilen von uns entfernt – nehmen unsere Unverschämtheit für alle Zeiten hin? Wir reiben ihnen ihre Schwäche unter die Nase. Beherbergen Entlaufene. Bewaffnete Agenten der Underground Railroad, die hier ein und aus gehen. Leute, die wegen Mordes gesucht werden. Kriminelle.« Cora ballte die Fäuste, als Mingos Blick auf sie fiel.

Die Valentine-Farm habe großartige Schritte in die Zukunft unternommen, sagte er. Weiße Wohltäter stifteten Schulbücher für ihre Kinder – warum solle man sie nicht bitten, den Hut für ganze Schulen herumgehen zu lassen? Und zwar nicht nur für eine oder zwei, sondern für Dutzende? Indem der Neger seine Strebsamkeit und seine Intelligenz unter Beweis stelle, argumentierte Mingo, werde er zu einem produktiven Mitglied der amerikanischen Gesellschaft mit allen Rechten werden. Warum solle man das gefährden? Man müsse die Dinge langsam angehen. Eine Verständigung mit den Nachbarn suchen und vor allem sämtliche Aktivitäten einstellen, die deren Zorn heraufbeschwörten. »Wir haben hier etwas Erstaunliches aufgebaut«, schloss er. »Aber es ist etwas Kostbares, und es muss geschützt und genährt werden, sonst verwelkt es, wie eine Rose bei plötzlichem Frost.«

Während des Beifalls flüsterte Lander Mingos Tochter etwas zu, und sie kicherten erneut. Sie zupfte eine der Stoffblumen aus ihrem Strauß und befestigte sie im obersten Knopfloch seines grünen Anzugs. Lander tat so, als schnupperte er deren Duft, und täuschte eine Ohnmacht vor.

»Es wird Zeit«, sagte Royal, während Lander Mingo die Hand gab und seinen Platz am Rednerpult einnahm. Royal hatte den Tag mit ihm verbracht, sie waren übers Gelände spaziert und hatten sich unterhalten. Royal verriet nicht, worüber Lander an diesem Abend sprechen wollte, aber er machte einen optimistischen Eindruck. Als das Gespräch früher einmal auf eine Umsiedelung gekommen war, hatte Royal zu Cora gesagt, Kanada sei ihm lieber als der Westen. »Dort wissen sie, wie man freie Neger behandelt«, sagte er. Und seine Arbeit bei der Railroad? Irgendwann müsse man ja sesshaft werden, sagte Royal. Man könne schließlich keine Familie gründen, wenn man ständig herumrenne und Aufträge für die Railroad erledige. Cora wechselte das Thema, wenn er solche Reden führte.

Jetzt würde sie selbst sehen – sie alle würden sehen –, was der Mann aus Boston im Sinn hatte.

»Bruder Mingo hat einige gute Argumente vorgebracht«, sagte Lander. »Wir können nicht alle retten. Aber das heißt nicht, dass wir es nicht versuchen können. Manchmal ist eine nützliche Illusion besser als eine nutzlose Wahrheit. In dieser schlimmen Kälte wird nichts wachsen, aber wir können trotzdem Blumen haben.

Hier ist eine Illusion: Dass wir der Sklaverei entkommen können. Das können wir nicht. Ihre Narben werden nie verblassen. Als ihr gesehen habt, wie eure Mutter verkauft, euer Vater geprügelt, eure Schwester von irgendeinem Boss oder Herrn missbraucht wurde, habt ihr da geglaubt, dass ihr heute hier sitzen würdet, ohne Ketten, ohne das Joch, bei einer neuen Familie? Alles, was ihr je erlebt habt, hat euch gesagt, dass die Freiheit eine Täuschung ist – dennoch seid ihr hier. Und trotzdem fliehen wir noch immer und lassen uns auf unserer Flucht vom guten Vollmond leiten.

Die Valentine-Farm ist eine Illusion. Wer hat euch gesagt, der Neger verdiene einen Zufluchtsort? Wer hat euch gesagt, ihr hättet ein Recht darauf? Jede Minute, die ihr in eurem Leben gelitten habt, hat dagegen gesprochen. Allen historischen Fakten zufolge kann es so etwas nicht geben. Dieser Ort muss ebenfalls eine Illusion sein. Dennoch sind wir hier.

Und auch Amerika ist eine Illusion, die größte von allen. Die weiße Rasse glaubt – glaubt von ganzem Herzen –, dass sie das Recht hat, das Land zu rauben. Indianer zu töten. Krieg zu führen. Ihre Brüder zu versklaven. Wenn es irgendeine Gerechtigkeit auf der Welt gibt, dürfte diese Nation nicht existieren, denn ihre Grundlagen sind Mord, Diebstahl und Grausamkeit. Dennoch sind wir hier.

Ich soll auf Mingos Forderung nach allmählichem Fortschritt antworten, auf seine Forderung, dass wir den Bedürftigen unsere Türen verschließen. Ich soll denen antworten, die finden, dass dieser Ort dem schlimmen Einfluss der Sklaverei zu nahe ist und dass wir nach Westen ziehen sollen. Ich habe keine Antwort für euch. Ich weiß nicht, was wir tun sollen. Das Wort *wir*. In mancher Hinsicht ist das Einzige, was wir gemeinsam haben, unsere Hautfarbe. Unsere Vorfahren sind aus dem ganzen afrikanischen Kontinent gekommen. Der ist ziemlich groß. Bruder Valentine hat in seiner prächtigen Bibliothek die Karten der Welt, ihr könnt also selbst nachsehen. Sie hatten unterschiedliche Arten des Lebensunterhalts, unterschiedliche Sitten, sprachen hundert verschiedene Sprachen. Und diese gewaltige Mischung wurde in den Laderäumen von Sklavenschiffen nach Amerika gebracht. In den Norden, in den Süden. Ihre Söhne und Töchter pflückten Tabak, bauten Baumwolle an, arbeiteten auf den größten Gütern und den kleinsten Farmen. Wir sind Handwerker, Hebammen, Prediger und fahrende Händler. Schwarze Hände haben das Weiße Haus, den Sitz der Regierung unseres Landes, gebaut. Das Wort *wir*. Wir sind nicht ein Volk, sondern viele verschiedene Völker. Wie kann ein einziger Mensch für diese großartige, schöne Rasse sprechen – die nicht eine einzige Rasse ist, sondern viele, mit einer Million Sehnsüchten, Hoffnungen und Wünschen für sich selbst und ihre Kinder?

Denn wir sind Afrikaner in Amerika. Etwas Neues in der Geschichte der Welt, ohne Vorbild für das, was aus uns werden wird.

Die Farbe muss genügen. Sie hat uns zu diesem Abend, zu dieser Diskussion geführt, und sie wird uns in die Zukunft führen. Alles, was ich wirklich weiß, ist, dass wir gemeinsam aufsteigen und gemeinsam untergehen, eine einzige farbige Familie, die Tür an Tür mit einer einzigen weißen Familie lebt. Mag sein, dass wir den Weg durch den Wald nicht kennen, aber wir können einander aufhelfen, wenn wir hinfallen, und wir werden gemeinsam ankommen.«

Wenn sich die früheren Bewohner der Valentine-Farm diesen Moment in Erinnerung riefen, wenn sie Fremden und Enkelkindern davon erzählten, wie sie gelebt hatten und wie es zu Ende gegangen war, zitterten ihre Stimmen noch Jahre später. In Philadelphia, in San Francisco, in den Viehzüchterstädten und auf den Ranches, wo sie irgendwann ein Zuhause gefunden hatten, betrauerten sie diejenigen, die an jenem Tag gestorben waren. Die Luft im Raum habe, von einer unsichtbaren Macht angeregt, etwas Prickelndes bekommen. Ob sie frei oder in Ketten geboren waren, diesen Augenblick erlebten sie gemeinsam: den Augenblick, in dem man sich am Nordstern ausrichtet und zu fliehen beschließt. Vielleicht standen sie kurz vor einer neuen Ordnung, kurz davor, der Unordnung Vernunft anzuheften. Oder vielleicht verlieh die Zeit, wie es ihre Art ist, dem Anlass einen Ernst, den er gar nicht besaß, und alles war so, wie Lander beharrlich behauptet hatte: Sie unterlagen einer Illusion.

Aber das hieß nicht, dass es nicht wirklich passierte.

Der Schuss traf Lander in die Brust. Er stürzte nach hinten und riss das Rednerpult mit. Royal war als Erster auf den Beinen. Als er zu dem Gestürzten rannte, trafen ihn drei Kugeln im Rücken. Er zuckte wie ein vom Veitstanz Befallener und fiel zu Boden. Dann ertönte ein Chor aus Gewehrfeuer, Schreien und zersplitterndem Glas, und im Versammlungshaus brach panisches Gedränge aus.

Die weißen Männer draußen johlten und jauchzten über das Blutbad. In wildem Durcheinander eilten die Bewohner zu den Ausgängen, quetschten sich zwischen Bänken hindurch, stiegen darüber, stiegen übereinander. Sobald der Haupteingang blockiert war, krochen die Leute über die Fensterbänke. Erneut prasselte Gewehrfeuer. Valentines Söhne halfen ihrem Vater zur Tür. Auf der linken Seite der Bühne kauerte Gloria bei Lander. Sie sah, dass nichts mehr zu machen war, und folgte ihrer Familie nach draußen.

Cora hielt Royals Kopf in ihrem Schoß, wie sie es am Nachmittag des Picknicks getan hatte. Sie fuhr mit den Fingern durch seine Löckchen, wiegte ihn und weinte. Royal lächelte durch das Blut hindurch, das auf seinen Lippen Blasen warf. Er sagte ihr, sie solle keine Angst haben, der Tunnel werde sie wieder retten. »Geh zu dem Haus im Wald. Du kannst mir erzählen, wo die Strecke hinführt.« Sein Körper erschlaffte.

Zwei Männer packten sie und zogen sie von Royals Körper weg. Hier sei es nicht sicher, sagten sie. Einer von ihnen war Oliver Valentine, der zurückgekommen war, um anderen zu helfen, aus dem Versammlungshaus zu entkommen. Er weinte und schrie. Cora wand sich aus dem Griff ihrer Retter, sobald man sie hinaus- und die Treppe hinuntergebracht hatte. Die Farm war ein einziger Tumult. Die weißen Angreifer zerrten Männer und Frauen ins Dunkel, die fratzenhaften Gesichter voller Freude. Eine Muskete fällte einen von Sybils Tischlern – er hatte ein Baby in den Armen, und beide krachten zu Boden. Niemand wusste, wohin man am besten rannte, und über dem Lärm war keine vernünftige Stimme zu hören. Jeder war auf sich allein gestellt, so wie sie es schon immer gewesen waren.

Mingos Tochter Amanda zitterte wie Espenlaub, ihre Familie war fort. Verlassen im Dreck. Ihr Blumenstrauß hatte die Blütenblätter abgeworfen. Sie hielt die nackten Stiele umklammert, die Eisendrähte, die der Schmied vergangene Woche eigens für sie auf dem Amboss ausgezogen hatte. Die Drähte schnitten ihr in die Handflächen, so fest umklammerte sie sie. Noch mehr Blut auf der Erde. Als alte Frau las sie vom Weltkrieg in Europa und entsann sich dieser Nacht. Sie lebte da schon, nachdem sie durchs ganze Land gezogen war, in einem kleinen Haus auf Long Island, zusammen mit einem Seemann, einem Indianer vom Stamm der Shinnecock, der sie abgöttisch liebte. Sie hatte eine Zeitlang in Louisiana und Virginia, wo ihr Vater farbige Bildungseinrichtungen gründete, und in Kalifornien gelebt. Außerdem eine Weile in Oklahoma, wo sich die Valentines neu niederließen. Der Konflikt in Europa sei schrecklich und gewalttätig, sagte sie zu ihrem Seemann, aber sie stoße sich an dem Namen. Der Weltkrieg habe schon immer zwischen den Weißen und den Schwarzen stattgefunden. Und das werde auch immer so sein.

Cora rief nach Molly. Sie sah niemanden, den sie kannte; Angst hatte die Gesichter verwandelt. Die Hitze der Feuer überschwemmte sie. Valentines Haus stand in Flammen. Ein Krug mit Öl zerplatzte an der Wand des ersten Stocks, und das Schlafzimmer von John und Gloria fing Feuer. Die Fenster der Bibliothek zerklirrten, und Cora sah die Bücher auf den Regalen drinnen brennen. Sie machte zwei Schritte darauf zu, ehe Ridgeway sie packte. Sie rangen miteinander, seine großen Arme umschlossen sie, ihre Füße strampelten in der Luft wie die eines an einem Baum Aufgehängten.

Homer war an seiner Seite – er war der Junge, den sie im Versammlungshaus gesehen hatte, wie er ihr zuzwinkerte. Er trug Hosenträger und eine weiße Bluse und sah wie das unschuldige Kind aus, das er in einer anderen Welt gewesen wäre. Bei seinem Anblick stimmte Cora in den Chor der Klagen ein, der über die Farm hallte.

»Es gibt einen Tunnel, Sir«, sagte Homer. »Ich hab's ihn sagen hören.«

MABEL

Das Erste und das Letzte, was ihre Tochter von ihr bekam, waren Entschuldigungen. Cora schlief faustgroß in ihrem Bauch, als Mabel sich für das entschuldigte, was sie ihr da einbrockte. Cora schlief zehn Jahre später neben ihr auf dem Dachboden, als Mabel sich dafür entschuldigte, dass sie sie zur Einzelgängerin machte. Cora hörte weder das eine noch das andere.

Auf der ersten Lichtung fand Mabel den Nordstern und orientierte sich neu. Sie sammelte sich und setzte ihre Flucht durch das schwarze Wasser fort. Hielt den Blick nach vorn gerichtet, denn wenn sie zurückschaute, sah sie die Gesichter derer, die sie zurückgelassen hatte.

Sie sah Moses' Gesicht vor sich. Sie erinnerte sich an Moses, als er noch klein war. Ein zuckendes Bündel, so schwach, dass niemand damit rechnete, dass er überlebte, bis er alt genug für Kleinkindarbeit war, für die Abfallkolonne oder um in der Baumwolle eine Schöpfkelle Wasser zu reichen. Denn die meisten Kinder auf Randall starben, ehe sie laufen lernten. Seine Mutter wandte die Kuren der Hexenfrau an, die Umschläge und Wurzeltränke, und sang ihm jeden Abend vor, ein leises Summen in ihrer Hütte. Schlaflieder, Arbeitslieder und ihre eigenen mütterlichen Wünsche im Singsang: Behalte das Essen im Magen, werde mit dem Fieber fertig, atme bis zum Morgen. Er überlebte die meisten Jungen, die in diesem Jahr geboren wurden. Jeder wusste, dass es seine Mutter Kate war, die ihn vor Krankheit rettete und davor, früh ausgesiebt zu werden – die erste Prüfung jedes Plantagensklaven.

Mabel erinnerte sich, wie der alte Randall Kate verkauft hatte, als ihr Arm taub wurde und sie nicht mehr für die Arbeit taugte. Erinnerte sich an Moses' erste Auspeitschung für den Diebstahl einer Kartoffel und an seine zweite Auspeitschung wegen Faulheit, als Connelly die Wunden des Jungen mit scharfem Pfeffer auswaschen ließ, bis er brüllte. Nichts davon machte Moses zu einem gemeinen Menschen. Es machte ihn schweigsam, stark und schnell, schneller als jeden anderen Pflücker in seiner Gruppe. Gemein wurde er erst, als Connelly ihn zu einem Boss machte, zu Augen und Ohren des Herrn über seinesgleichen. Da wurde er zu Moses dem Monster, Moses, der die anderen Sklaven zum Zittern brachte, der schwarze Schrecken der Baumwollfelder.

Als er ihr sagte, sie solle zum Schulhaus mitkommen, zerkratzte sie ihm das Gesicht und spuckte ihn an, und er lächelte bloß und sagte, wenn du nicht mitmachst, finde ich eine andere – wie alt ist deine Cora jetzt? Cora war acht. Danach wehrte sich Mabel nicht mehr gegen ihn. Es ging schnell, und nach dem ersten Mal war er nicht mehr grob. Frauen und Tiere, die musst du nur einmal zureiten, sagte er. Dann bleiben sie zahm.

All die Gesichter, lebende und tote. Ajarry, wie sie zuckend in der Baumwolle lag, blutigen Schaum auf den Lippen. Sie sah Polly an einem Strick baumeln, die süße Polly, mit der sie im Sklavenquartier groß geworden war, beide im selben Monat geboren. Connelly versetzte sie beide am selben Tag vom Hof auf die Baumwollfelder. Immer ein Gespann, bis Cora überlebte und Pollys Baby nicht – die jungen Frauen gebaren im Abstand von zwei Wochen, wobei ein Mädchen schrie, als die Hebamme es herauszog, und das andere keinen Laut von sich gab. Totgeboren und starr. Als Polly sich in der Scheune mit einer Hanfschlinge erhängte, sagte der alte Jockey: Ihr habt immer alles zusammen gemacht. Als ob Mabel sich jetzt auch aufhängen sollte.

Sie begann Coras Gesicht zu sehen und wandte den Blick ab. Sie rannte.

Zuerst sind die Menschen gut, und dann macht die Welt sie gemein. Die Welt ist von Anfang an gemein und wird jeden Tag gemeiner. Sie zehrt einen auf, bis man nur noch vom Tod träumt. Mabel würde nicht auf Randall sterben, selbst wenn sie nie im Leben weiter als eine Meile von der Plantage entfernt gewesen wäre. Eines Mitternachts beschloss sie oben auf dem drückend heißen Dachboden: *Ich werde überleben* – und als es das nächste Mal Mitternacht wurde, war sie im Sumpf und folgte in gestohlenen Schuhen dem Mond. Den ganzen Tag ließ sie sich ihre Flucht durch den Kopf gehen, ließ keinen anderen Gedanken aufkommen, der sie davon abbringen könnte. Es gab Inseln im Sumpf – ihnen würde sie bis zum Kontinent der Freiheit folgen. Sie nahm das Gemüse mit, das sie zog, Feuerstein und Zunder, eine Machete. Alles andere ließ sie zurück, auch ihre Tochter.

Cora, die in der Hütte schlief, in der sie geboren war, in der auch Mabel geboren war. Noch immer ein kleines Mädchen, dem das Schlimmste noch bevorstand, das Größe und Gewicht der Lasten einer Frau erst noch kennenlernen musste. Wenn Coras Vater überlebt hätte, wäre sie, Mabel, dann hier und würde durch den Sumpf stapfen? Mabel war vierzehn, als Grayson auf die Südhälfte kam, von einem betrunkenen Indigo-Farmer in North Carolina in den Süden verkauft. Hochgewachsen und schwarz, gutmütig und mit einem lachenden Auge. Stolzierte selbst nach der schwersten Plackerei aufrecht herum. Ihn kriegten sie nicht klein.

Sie suchte ihn sich gleich an jenem ersten Tag aus und beschloss: der. Wenn er grinste, war es, als schiene der Mond auf sie herab, eine Erscheinung am Himmel, die sie segnete. Wenn sie tanzten, hob er sie hoch und wirbelte sie herum. Ich werde uns freikaufen, sagte er, Heu in den Haaren von dort, wo sie sich hingelegt hatten. Dem alten Randall würde das nicht gefallen, aber er würde ihn überzeugen. Hart arbeiten, der beste Arbeiter auf der Plantage werden – er würde sich aus der Sklaverei herausarbeiten, und sie würde er mitnehmen. Sie sagte: Versprochen? Und glaubte halb, dass er es konnte. Grayson, der Liebe, am Fieber gestorben, bevor sie wusste, dass sie ihr gemeinsames Kind im Leib trug. Sein Name kam ihr nie wieder über die Lippen.

Mabel stolperte über eine Zypressenwurzel und schlug der Länge nach ins Wasser. Sie wankte durch das Schilf zu der vor ihr liegenden Insel und warf sich flach auf den Boden. Wusste nicht, wie lange sie gerannt war. Keuchend und vollkommen erledigt.

Sie nahm eine Rübe aus ihrem Beutel. Die Rübe war jung und zart, und Mabel biss davon ab. Die süßeste Feldfrucht, die sie in Ajarrys Beet je gezogen hatte, auch wenn sie nach Sumpfwasser schmeckte. Das zumindest hatte ihre Mutter ihr vererbt, ein ordentliches Beet, über das sie wachen konnte. Man soll etwas Nützliches an seine Kinder weitergeben. Die besseren Seiten von Ajarry schlugen bei Mabel niemals Wurzeln. Ihre Unbezwingbarkeit, ihr Durchhaltewillen. Aber es gab ein Feld, drei Yard im Quadrat, und die herzhaften Sachen, die darauf wuchsen. Ihre Mutter hatte es mit all ihrem Mut geschützt. Das wertvollste Land in ganz Georgia.

Sie lag auf dem Rücken und aß noch eine Rübe. Ohne das Geräusch ihres Platschens und Keuchens machten sich die Sumpflaute wieder bemerkbar. Die Schaufelfußkröten, Schildkröten und sich schlängelnden Lebewesen, das Geplapper schwarzer Insekten. Oben – zwischen den Blättern und Zweigen der Schwarzwasserbäume hindurch sichtbar – dehnte sich der Himmel, neue Konstellationen zogen in der Dunkelheit über sie hinweg, während sie sich entspannte. Keine Sklavenpatrouille, keine Bosse, keine qualvollen Schreie, die sie in die Verzweiflung eines anderen hineinzogen. Keine Hüttenwände, die sie wie der Laderaum eines Sklavenschiffs durch die nächtlichen Meere beförderten. Sandhügelkraniche und Grasmücken, platschende Otter. Auf dem Bett aus feuchter Erde beruhigte sich ihr Atem, und was sie vom Sumpf trennte, verschwand. Sie war frei.

In diesem Augenblick.

Sie musste zurück. Das Mädchen wartete auf sie. Das würde vorerst reichen müssen. Ihre Hoffnungslosigkeit hatte sie überwältigt, ihr wie ein Dämon etwas eingeflüstert. Sie würde diesen Moment bewahren, ihren eigenen Schatz. Wenn sie die Worte fände, um ihn mit Cora zu teilen, würde das Mädchen verstehen, dass es etwas gab, was jenseits der Plantage lag, über alles hinauswies, was sie kannte. Und dass sie es, wenn sie stark blieb, eines Tages selbst erleben konnte.

Die Welt ist vielleicht gemein, aber Menschen müssen es nicht sein, nicht, wenn sie sich weigern.

Mabel nahm ihren Beutel auf und orientierte sich. Wenn sie zügig ging, würde sie lange vor Tagesanbruch und bevor die Ersten aufstanden wieder auf der Plantage sein. Ihre Flucht war eine unsinnige Idee gewesen, aber noch im Kleinsten lief sie auf das beste Abenteuer ihres Lebens hinaus.

Mabel zog noch eine Rübe aus dem Beutel und biss davon ab. Sie schmeckte wirklich süß.

Die Schlange fand sie, nicht lange nachdem sie den Rückweg angetreten hatte. Mabel wand sich durch einen Gürtel steifer Schilfhalme, als sie sie aus ihrer Ruhe aufschreckte. Die Wassermokassinotter biss sie zweimal, in die Wade und tief ins Fleisch ihres Oberschenkels. Kein Laut, aber Schmerzen. Mabel wollte es nicht glauben. Es war eine Ringelnatter, es musste eine Ringelnatter sein. Angriffslustig, aber harmlos. Als Pfefferminzgeschmack sich in ihrem Mund ausbreitete und ihr Bein kribbelte, wusste sie Bescheid. Sie schaffte es noch eine Meile weit. Sie hatte unterwegs ihren Beutel fallen lassen, verlor im schwarzen Wasser die Orientierung. Sie hätte es noch weiter geschafft – die Arbeit auf Randall-Land hatte sie stark gemacht, körperlich stark, sonst allerdings nichts –, aber sie stieß auf ein Bett aus weichem Moos, und es fühlte sich richtig an. Sie sagte: Hier, und der Sumpf verschluckte sie.

DER NORDEN

Ihrem gesetzlichen, aber nicht rechtmäßigen Herrn vor fünfzehn Monaten

ENTLAUFEN

ein Sklavenmädchen namens CORA; von gewöhnlicher Größe und dunkelbrauner Hautfarbe; hat von einer Verletzung eine sternförmige Narbe an der Schläfe; besitzt ein lebhaftes Wesen und eine verschlagene Art. Hört möglicherweise auf den Namen BESSIE.

Zuletzt wurde sie in Indiana bei den Banditen der John-Valentine-Farm gesehen.

Sie hat aufgehört davonzulaufen.

Die Belohnung ist bis heute nicht beansprucht worden.

SIE WAR NIEMALS EIGENTUM.

23. Dezember

━━━━━━━━

Ihr Abfahrtsort auf jener letzten Reise mit der Underground Railroad war eine winzige Station unter einem verlassenen Haus. Die Geisterstation.

Cora führte die beiden nach ihrer Gefangennahme dorthin. Der Trupp blutdürstiger Weißer wütete immer noch auf der Valentine-Farm, als sie aufbrachen. Das Gewehrfeuer und die Schreie kamen von weiter weg, tiefer im Inneren des Besitzes. Von den neueren Hütten, der Mühle. Vielleicht schon vom Grundstück der Livingstons, sodass das Chaos auch die benachbarten Farmen umfasste. Die Weißen wollten sämtliche farbigen Siedler vernichten.

Cora kämpfte und strampelte, während Ridgeway sie zum Wagen trug. Die brennende Bibliothek und das brennende Farmhaus erleuchteten das Gelände. Nachdem er mehrmals im Gesicht getroffen worden war, bekam Homer schließlich ihre Füße zu fassen, und sie schafften sie in den Wagen und ketteten ihre Handgelenke an ihrem alten Ring im Wagenboden fest. Einer der jungen Weißen, die auf die Pferde aufpassten, stieß einen Freudenschrei aus und sagte, er wolle auch mal ran, wenn sie fertig seien. Ridgeway schlug ihn ins Gesicht.

Sie gab den Weg zu dem Haus im Wald preis, als der Sklavenfänger seinen Revolver auf ihr Auge richtete. Von ihren Kopfschmerzen gepackt, legte sich Cora auf die Bank. Wie ihre Gedanken auslöschen wie eine Kerze? Royal und Lander tot. Die anderen, die niedergemäht wurden.

»Einer der Deputys hat gesagt, es erinnert ihn an die alten Zeiten der richtigen Streifzüge gegen die Indianer«, sagte Ridgeway. »Bitter

Creek und Blue Falls. Ich glaube, er ist zu jung, um sich daran zu erinnern. Vielleicht sein Daddy.« Er saß hinten bei ihr, auf der Bank gegenüber, seine Ausrüstung reduziert auf den Wagen und die beiden mageren Pferde, die ihn zogen. Draußen tanzte das Feuer und machte die Löcher und langen Risse in der Zelttuchplane sichtbar.

Ridgeway hustete. Er hatte seit Tennessee abgebaut. Der Sklavenfänger war vollkommen grau, ungepflegt, seine Haut war teigig geworden. Seine Redeweise war anders, weniger befehlend. Ein Gebiss ersetzte die Zähne, die Cora bei ihrem letzten Aufeinandertreffen zertrümmert hatte. »Sie haben Boseman auf einem der Seuchenfriedhöfe begraben«, sagte er. »Er wäre entsetzt gewesen, aber er hatte nicht viel zu sagen. Der da auf dem Boden verblutet ist – das war doch der hochnäsige Schweinehund, der uns überfallen hat, oder? Ich habe ihn an seiner Brille erkannt.«

Warum hatte sie Royal nur so lange hingehalten? Sie hatte geglaubt, sie hätten genug Zeit. Noch etwas, was hätte sein können, an den Wurzeln abgeschnitten wie mit einem von Dr. Stevens' Skalpellen. Sie hatte sich von der Farm überzeugen lassen, dass die Welt anders war, als sie immer sein würde. Er musste gewusst haben, dass sie ihn liebte, auch wenn sie es ihm nicht gesagt hatte. Er musste einfach.

Nachtvögel kreischten. Nach einer Weile sagte Ridgeway, sie solle nach dem Pfad Ausschau halten. Homer ließ die Pferde langsamer gehen. Sie übersah die Stelle zweimal, die Weggabelung verriet ihr, dass sie zu weit gefahren waren. Ridgeway ohrfeigte sie und sagte ihr, sie solle aufpassen. »Nach Tennessee habe ich eine Weile gebraucht, um wieder Halt zu finden«, sagte er. »Du und deine Freunde, ihr habt mir übel mitgespielt. Aber das ist vorbei. Du kommst nach Hause, Cora. Endlich. Sobald ich einen Blick auf die berühmte Underground Railroad geworfen habe.« Er ohrfeigte sie erneut. Als sie das nächste Mal vorbeifuhren, fand sie die Pappeln, die die Abzweigung markierten.

Homer zündete eine Laterne an, und sie betraten das trauervolle alte Haus. Er hatte die Kleidung gewechselt und trug wieder seinen schwarzen Anzug samt Zylinder. »Unterm Keller«, sagte Cora. Ridgeway war auf der Hut. Er klappte die Falltür auf und sprang zurück, als lauerte darunter ein Heer schwarzer Banditen. Er gab ihr eine Kerze und sagte, sie solle als Erste hinuntersteigen.

»Die meisten Leute glauben, es ist nur eine Redewendung«, sagte er. »Der Untergrund. Ich habe es schon immer besser gewusst. Das Geheimnis unter unseren Füßen, die ganze Zeit. Nach heute Nacht werden wir sie alle entdecken. Jede Linie, jede einzelne.«

Was für Tiere auch immer im Keller lebten, in dieser Nacht waren sie ruhig. Homer leuchtete in die Winkel des Kellers. Er fand einen Spaten und gab ihn Cora.

Sie streckte die Hände mit den Ketten vor. Ridgeway nickte. »Sonst sind wir die ganze Nacht hier.« Homer löste die Fesseln. Der weiße Mann war freudetrunken, seine Stimme gewann etwas von ihrer früheren Autorität zurück. In North Carolina hatte Martin geglaubt, er würde in der Mine auf den vergrabenen Schatz seines Vaters stoßen, und hatte stattdessen einen Tunnel entdeckt. Für den Sklavenfänger war der Tunnel wie alles Gold der Welt.

»Dein Herr ist tot«, sagte Ridgeway, während Cora grub. »Ich war nicht überrascht, als ich davon hörte – er hatte ein degeneriertes Wesen. Ich weiß nicht, ob der jetzige Herr von Randall die Belohnung für dich zahlen wird. Eigentlich ist es mir auch egal.« Er war von seinen eigenen Worten überrascht. »Es würde nicht leicht werden, das hätte ich erkennen müssen. Du bist durch und durch die Tochter deiner Mutter.«

Der Spaten stieß auf die Falltür. Sie legte ein Viereck frei. Cora hatte aufgehört, ihm und Homers ungutem Gekicher zuzuhören. Sie, Royal und Red mochten dem Sklavenfänger bei ihrer letzten Begegnung einen Dämpfer verpasst haben, zuerst bezwungen aber hatte ihn Mabel. Sie rührte von ihrer Mutter her, diese Manie, was ihre Familie anging. Ohne sie wäre der Sklavenfänger nicht so besessen davon gewesen,

Cora gefangen zu nehmen. Diejenige, die entkommen war. Nach allem, was es Cora gekostet hatte, wusste sie nicht, ob sie deswegen stolz auf ihre Mutter sein oder ihr noch mehr grollen sollte.

Diesmal hob Homer die Falltür. Der muffige Geruch stieg empor.

»Das ist es?«, fragte Ridgeway.

»Ja, Sir«, sagte Homer.

Ridgeway winkte Cora mit seinem Revolver vorwärts.

Er wäre nicht der erste Weiße, der die Underground Railroad zu Gesicht bekam, aber der erste Feind. Nach allem, was ihr zugestoßen war, die Schande, diejenigen zu verraten, die ihr die Flucht ermöglicht hatten. Auf der obersten Stufe zögerte sie. Cora hatte sich weder auf Randall noch auf Valentine jemals den Tanzreigen angeschlossen. Sie schrak vor den herumwirbelnden Körpern zurück, fürchtete sich davor, dass ein anderer Mensch ihr so hemmungslos so nahe kam. Männer hatten sie vor vielen Jahren in Angst versetzt. Heute Nacht, sagte sie sich. Heute Nacht werde ich ihn ganz eng an mich ziehen, wie bei einem langsamen Tanz. Als wären nur sie beide auf der einsamen Welt, aneinandergebunden bis ans Ende des Liedes. Sie wartete, bis der Sklavenfänger auf der dritten Stufe stand. Dann wirbelte sie herum und schlang die Arme um ihn wie eine Eisenkette. Die Kerze fiel zu Boden. Er bemühte sich, mit ihrem an ihm zerrenden Gewicht den Halt nicht zu verlieren, und langte nach der Wand, um sich abzustützen, aber sie drückte ihn so eng an sich wie einen Liebhaber, und die beiden stürzten die Steintreppe hinunter in die Dunkelheit.

Sie rangen und schlugen sich in der Heftigkeit ihres Sturzes. Im Durcheinander mehrerer Aufpralle stieß sich Cora am Stein den Kopf. Ihr Bein wurde schräg von ihr weggerissen, ihr Arm am Fuß der Treppe unter ihr verdreht. Ridgeway bekam das meiste ab. Homer wimmerte angesichts der Laute, die sein Herr ausstieß, während er fiel. Langsam kam der Junge herabgestiegen, zittrig holte das Laternenlicht die Station aus dem Schatten. Cora löste sich von Ridgeway und kroch, heftige Schmerzen im linken Bein, auf die Draisine zu. Der Sklavenfänger gab keinen Laut mehr von sich. Sie suchte nach einer Waffe, fand jedoch keine.

Homer kauerte neben seinem Boss. Die Hand blutverschmiert von dessen Hinterkopf. Der große Knochen im Oberschenkel des Mannes stach aus seiner Hose hervor, sein anderes Bein war in grausigem Winkel abgeknickt. Homer beugte sich näher heran, und Ridgeway stöhnte.

»Bist du da, mein Junge?«

»Ja, Sir.«

»Das ist gut.« Ridgeway setzte sich auf und heulte vor Qual. Er schaute hinüber ins Dunkel der Station, ohne etwas zu erkennen. Sein Blick streifte Cora ohne Interesse. »Wo sind wir?«

»Auf der Jagd«, sagte Homer.

»Immer noch mehr Nigger, die gejagt gehören. Hast du dein Journal dabei?«

»Ja, Sir.«

»Ich habe einen Gedanken.«

Homer nahm sein Notizheft aus der Tasche und schlug es auf einer frischen Seite auf.

»Der Imperativ ist … nein, nein. Das ist es nicht. Der amerikanische Imperativ ist etwas Großartiges … ein Leuchtfeuer … ein weithin sichtbares Leuchtfeuer.« Er hustete, und ein Krampf schüttelte seinen Körper. »Geboren aus Notwendigkeit und Tugend, zwischen dem Hammer … und dem Amboss … Bist du da, Homer?«

»Ja, Sir.«

»Lass mich noch einmal von vorn anfangen …«

Cora stemmte sich gegen den Hebel der Draisine. Er rührte sich nicht, auch als sie ihr ganzes Gewicht hineinlegte. Zu ihren Füßen auf der hölzernen Plattform war eine kleine Metallschließe. Sie löste sie, und der Hebel quietschte. Sie drückte erneut dagegen, und die Draisine kroch vorwärts. Cora blickte zurück zu Ridgeway und Homer. Der Sklavenfänger flüsterte seine Rede, und der schwarze Junge schrieb seine Worte nieder. Sie bewegte den Hebel auf und ab und rollte aus dem Licht hinaus. In den Tunnel, den niemand gebaut hatte, der nirgendwohin führte.

Sie fand einen Rhythmus, in dem sie die Arme auf und ab bewegte, sich ganz in diese Bewegung hineinwarf. Gen Norden. Fuhr sie durch den Tunnel oder grub sie ihn? Jedes Mal, wenn sie den Hebel mit den Armen nach unten drückte, trieb sie eine Spitzhacke in den Fels, schwang sie einen Vorschlaghammer auf einen Schwellennagel. Sie hatte Royal nie dazu gebracht, ihr von den Männern und Frauen zu erzählen, die die Underground Railroad geschaffen hatten. Von denjenigen, die eine Million Tonnen Gestein und Erde ausgehoben, die zur Rettung von Sklaven wie sie im Bauch der Erde geschuftet hatten. Die all den anderen Menschen beistanden, jenen, die Entlaufene bei sich zu Hause aufnahmen, ihnen zu essen gaben, sie auf dem Rücken nordwärts trugen, für sie starben. Die Stationsvorsteher, Lokomotivführer und Sympathisanten. Wer ist man, wenn man etwas so Großartiges fertiggestellt hat – bei seiner Errichtung hat man es zugleich durchfahren, bis auf die andere Seite. Am einen Ende steht, was man war, bevor man in den Untergrund ging, und am anderen Ende tritt ein neuer Mensch ins Licht hinaus. Die Welt droben muss so gewöhnlich sein verglichen mit dem Wunder darunter, dem Wunder, das man mit seinem Schweiß und Blut geschaffen hat. Der heimliche Triumph, den man in seinem Herzen bewahrt.

Sie ließ Meilen hinter sich, ließ die falschen Zufluchtsorte und endlosen Ketten hinter sich, die Ermordung der Valentine-Farm. Es gab nur noch die Dunkelheit des Tunnels und irgendwo vor ihr einen Ausgang. Oder ein totes Ende, wenn das Schicksal es so bestimmte – nichts als eine blanke, erbarmungslose Wand. Der letzte bittere Scherz. Schließlich erschöpft, rollte sie sich auf der Draisine zusammen und döste, in der Dunkelheit schwebend, als schmiegte sie sich in den tiefsten Winkel des Nachthimmels.

Als sie aufwachte, beschloss sie, den Rest des Weges zu Fuß zurückzulegen – ihre Arme hatten keine Kraft mehr. Humpelnd, über

Schwellen stolpernd. Sie ließ die Hand über die Tunnelwand gleiten, die Grate und Löcher. Ihre Finger tanzten über Täler, Flüsse, Berggipfel, die Umrisse einer neuen Nation, verborgen unter der alten. *Schaut hinaus, während ihr hindurchrast, und ihr werdet das wahre Gesicht Amerikas sehen.* Sie konnte es nicht sehen, aber sie spürte es, bewegte sich durch sein Herz. Sie befürchtete, im Schlaf in die andere Richtung geraten zu sein. Ging sie tiefer hinein oder zurück, woher sie gekommen war? Sie vertraute darauf, dass die Sklavenalternative sie leitete – irgendwohin, ganz gleich wohin, nur nicht dahin, von wo man flieht. Diese Alternative hatte sie bis hierher gebracht. Sie würde die Endstation finden oder auf dem Gleis sterben.

Sie schlief noch zweimal, träumte dabei von sich und Royal in ihrer Hütte. Sie erzählte ihm von ihrem früheren Leben, und er hielt sie in den Armen, dann drehte er sie um, sodass sie einander ansahen. Er streifte ihr das Kleid über den Kopf und zog seine Hose und sein Hemd aus. Cora küsste ihn und strich mit den Händen über seinen Körper. Als er ihr die Beine spreizte, war sie feucht, und er glitt in sie und sagte ihren Namen, wie ihn noch niemand je gesagt hatte und niemand je sagen würde, süß und zart. Sie erwachte beide Male in der Leere des Tunnels, und als sie damit fertig war, um ihn zu weinen, stand sie auf und ging.

Die Tunnelmündung war zuerst ein winziges Loch im Dunkeln. Ihre Schritte erweiterten es zum Kreis, dann zur Öffnung einer Höhle, von Buschwerk und Ranken verborgen. Sie schob das Gestrüpp zur Seite und trat an die Luft.

Es war warm. Noch immer das kärgliche Winterlicht, aber wärmer als in Indiana, die Sonne fast über ihr. Die Felsspalte weitete sich in einen Wald aus weißstämmigen Kiefern und Tannen. Sie wusste nicht, wie es in Michigan, Illinois oder Kanada aussah. Vielleicht war sie gar nicht mehr in Amerika, sondern darüber hinausgelangt. Als sie auf einen Bach stieß, kniete sie sich hin und trank. Kühles, klares Wasser. Sie wusch sich Ruß und Schmutz von Armen und Gesicht. »Aus den

Bergen«, sagte sie in Erinnerung an einen Artikel in einem der staubigen Almanache. »Schneeschmelze.« Vom Hunger bekam sie einen leichten Kopf. Die Sonne verriet ihr, wo Norden lag.

Es wurde dunkel, als sie auf den Weg stieß, die nutzlose, holprige Rinne, die er war. Sie hörte die Wagen, nachdem sie eine Zeitlang auf dem Felsen gesessen hatte. Es waren drei, bepackt für eine lange Reise, mit Gerät beladen, Vorräte an den Seitenwänden festgezurrt. Sie fuhren in Richtung Westen.

Der erste Fahrer war ein hochgewachsener Weißer mit einem Strohhut und einem grauen Backenbart, so gleichmütig wie eine Felswand. Seine Frau saß neben ihm auf dem Kutschbock, rosiges Gesicht und Hals schauten aus einer karierten Decke hervor. Sie bedachten sie mit einem neutralen Blick und fuhren vorbei. Cora ließ durch nichts merken, dass sie ihre Anwesenheit zur Kenntnis nahm. Ein junger Mann fuhr den zweiten Wagen, ein rothaariger Bursche mit irischen Zügen. Seine blauen Augen erfassten sie. Er hielt an.

»Du siehst vielleicht aus«, sagte er. Mit hoher Stimme, wie das Zwitschern eines Vogels. »Brauchst du was?«

Cora schüttelte den Kopf.

»Ich habe gefragt, brauchst du etwas?«

Cora schüttelte erneut den Kopf und rieb sich die kalten Arme.

Der dritte Wagen wurde von einem älteren Neger gelenkt. Er war gedrungen und ergraut und trug einen schweren Ranchermantel, der schon einiges an Arbeit mitgemacht hatte. Sein Blick war freundlich, befand sie. Vertraut, obwohl sie nicht wusste, woher. Der Rauch seiner Pfeife roch nach Kartoffeln, und Coras Magen knurrte.

»Hast du Hunger?«, fragte der Mann. Seiner Stimme nach zu urteilen, kam er aus dem Süden.

»Ich habe großen Hunger«, sagte Cora.

»Dann komm hier rauf und nimm dir was«, sagte er.

Cora kletterte auf den Kutschkasten. Er öffnete den Korb. Sie riss sich ein Stück Brot ab und schlang es hinunter.

»Es ist reichlich da«, sagte er. Er hatte ein hufeisenförmiges Brandmal am Hals und schlug den Kragen hoch, um es zu verbergen, als Coras Blick darauf verweilte.

»Sollen wir aufschließen?«

»Ja, gut«, sagte sie.

Er bellte den Pferden ein Kommando zu, und sie fuhren weiter.

»Wo fahrt ihr hin?«, fragte Cora.

»Nach St. Louis. Von dort nehmen wir den Weg nach Kalifornien. Wir und ein paar Leute, die wir in Missouri treffen.« Als sie keine Antwort gab, sagte er: »Kommst du aus dem Süden?«

»Ich war in Georgia. Ich bin weggelaufen.« Sie sagte, sie heiße Cora. Sie entfaltete die Decke zu ihren Füßen und wickelte sich darin ein.

»Ich heiße Ollie«, sagte er. Hinter der Biegung kamen die beiden anderen Wagen in Sicht.

Die Decke war steif und kratzig unter ihrem Kinn, aber das machte ihr nichts aus. Sie fragte sich, von wo er geflohen war, wie schlimm es dort war und wie weit er fahren musste, ehe er es hinter sich ließ.

DANKSAGUNG

Dank an Nicole Aragi, Bill Thomas, Rose Courteau, Michael Goldsmith, Duvall Osteen und Alison Rich (immer noch), die dafür gesorgt haben, dass Sie dieses Buch in den Händen halten. Bei Hanser im Lauf der Jahre: Anna Leube, Christina Knecht und Piero Salabè. Außerdem: Franklin D. Roosevelt für die Finanzierung des Federal Writers' Project, das in den dreißiger Jahren des 20. Jahrhunderts die Lebensgeschichten ehemaliger Sklaven sammelte. Frederick Douglass und Harriet Jacobs selbstverständlich. Die Werke von Nathan Huggins, Stephen Jay Gould, Edward E. Baptist, Eric Foner, Fergus Bordewich und James H. Jones waren sehr hilfreich. Josiah Notts Theorien über »Verschmelzung«. *The Diary of a Resurrectionist.* Steckbriefe entlaufener Sklaven stammen aus den digitalen Sammlungen der University of North Carolina in Greensboro. Die ersten hundert Seiten wurden angeregt von den frühen Misfits (»Where Eagles Dare [fast version]«, »Horror Business«, »Hybrid Moments«) und Blanck Mass (»Dead Format«). David Bowie steckt in jedem Buch, und ich lege jedes Mal *Purple Rain* und *Daydream Nation* auf, wenn ich die letzten Seiten schreibe; also auch Dank an ihn und Prince und Sonic Youth. Und schließlich an Julie, Maddie und Beckett für all die Liebe und Unterstützung.

INHALT